L'épicerie
Sansoucy

Catalogage avant publication de Bibliothèque et Archives nationales du Québec et Bibliothèque et Archives Canada

Gougeon, Richard, 1947-
L'épicerie Sansoucy
Sommaire : t. 2. Les châteaux de cartes.
ISBN 978-2-89585-502-6 (vol. 2)
I. Gougeon, Richard, 1947- . Châteaux de cartes. II. Titre.
III. Titre : Les châteaux de cartes.
PS8613.O85E64 2014   C843'.6   C2014-941121-9
PS9613.O85E64 2014

Les Éditeurs réunis bénéficient du soutien financier de la SODEC
et du Programme de crédits d'impôt du gouvernement du Québec.

Nous remercions le Conseil des Arts du Canada
de l'aide accordée à notre programme de publication.

Nous reconnaissons l'aide financière du gouvernement du Canada
par l'entremise du Fonds du livre du Canada pour nos activités d'édition.

Édition :
LES ÉDITEURS RÉUNIS
www.lesediteursreunis.com

Distribution au Canada :
PROLOGUE
www.prologue.ca

Distribution en Europe :
DNM
www.librairieduquebec.fr

 Suivez Les Éditeurs réunis sur Facebook.

Imprimé au Canada
Dépôt légal : 2015
Bibliothèque et Archives nationales du Québec
Bibliothèque nationale du Canada
Bibliothèque nationale de France

RICHARD GOUGEON

L'épicerie Sansoucy

★ ★

Les châteaux de cartes

LES ÉDITEURS RÉUNIS

Du même auteur
aux Éditeurs réunis

Le roman de Laura Secord, tome 1 – La naissance d'une héroïne, 2010.

Le roman de Laura Secord, tome 2 – À la défense du pays, 2011.

Les femmes de Maisonneuve – Jeanne Mance, 2012.

Les femmes de Maisonneuve – Marguerite Bourgeoys, 2013.

L'épicerie Sansoucy – Le p'tit bonheur, 2014.

*Quand le vent souffle
sur les châteaux de cartes…*

Chapitre 1

Après le dernier coup de minuit, Théodore avait remonté le mécanisme de l'horloge grand-père qui trônait dans la salle à manger. Puis il avait jeté rageusement deux bonnes pelletées de charbon dans la fournaise avant de rallumer sa pipe au poêle et de s'isoler pensivement dans sa berçante. L'année 1936 débutait mal. Le réveillon avait été brusquement interrompu par l'apparition intempestive de l'agent d'assurances au logement des Sansoucy. Avec Hubert Surprenant, l'employé de la Sun Life, Léandre, Paulette, David et Marcel avaient sauté dans le taxi Boisjoly les conduisant à *La Belle au bois dormant* incendiée, à présent passée dans l'autre monde, les yeux définitivement fermés.

Les autres membres de la famille étaient rassemblés au salon avec les invités. La tête abandonnée vers son ventre rebondi, Simone dormait. Placide était absorbé dans ses prières et suppliait le thaumaturge de l'Oratoire de venir à la rescousse de son frère Léandre. Irène, Édouard et Colombine, Elzéar et Florida ainsi que les trois vieilles filles Grandbois conféraient ensemble. Émilienne se taisait, recluse dans ses pensées, effondrée par le malheur qui venait de s'abattre sur son fils.

— Il ne manquait plus que ça, exprima-t-elle, douloureusement.

— Vous savez ben, moman, que Léandre a du ressort, affirma Irène.

— C'est peut-être un mal pour un bien ! commenta Alphonsine. Il devra se revirer de bord et trouver un emploi plus convenable. Tout le monde savait que *La Belle au bois dormant* était pas un endroit recommandable.

— C'est ça qui arrive quand on mène une mauvaise vie ! lança platement Héloïse.

— Bien dit, ma tante! l'appuya Édouard.

Colombine avait opiné du menton dans le sens de son fiancé, tout en se désolant d'avoir échoué dans une famille où tous les travers de la terre semblaient réunis. Édouard avait bien quelques petits défauts, mais grâce à son intelligence et à son degré de raffinement il avait su s'élever au-dessus de la fratrie. Malgré ses belles qualités, Irène ne volerait jamais bien haut, Placide, taciturne et un peu benêt, n'aborderait pas de grandes études chez les Sainte-Croix, le beau Léandre, somme toute débrouillard, était loin d'être fixé, Simone, la délurée, n'était promise qu'à un petit avenir de mère de famille, et Marcel, le pauvre garçon, était pratiquement condamné à livrer les «ordres» de l'épicerie le reste de ses jours. Quant à son futur beau-père Théodore, homme orgueilleux sans envergure et soupe au lait, ses affaires se confinaient aux clients du quartier; et sa future belle-mère, Émilienne, pouvait se consoler d'avoir mis au monde et réchappé le talentueux Édouard parmi six rejetons.

Elzéar se leva et se rendit à la cuisine. Un nuage de fumée se répandait autour de la berceuse immobile. L'épicier avait pressenti la présence de son beau-frère; il éloigna sa pipe de merisier de ses moustaches roussies.

— Plutôt que de se morfondre à attendre ici dedans, on devrait aller sur place, Théo, proposa le fermier. D'ailleurs, je vois pas pourquoi tu t'en fais de même pour Léandre. Je croyais que ça faisait ton affaire que *La Belle au bois dormant* soit incinérée…

— Niaise-moi pas, Elzéar Grandbois! Tu sais ben que c'est un paquet de troubles de perdre un bâtiment dans un incendie; puis que c'est qui va lui arriver asteure, tu penses?

— Tu serais pas content qu'il te revienne, ton fils? Bon, envoye, amène-toi!

Sansoucy déposa son petit fourneau dans le cendrier sur le rebord de la fenêtre, resserra sa cravate et se déporta vers l'entrée. Sa femme surgit, l'air ahuri.

— Où c'est que vous allez, les hommes? s'enquit-elle, d'une voix empreinte d'inquiétude.

— Théo puis moi, on va faire un tour au feu, répondit Elzéar.

— Arrangez-vous pas pour vous faire geler, recommanda-t-elle. Il y a ben assez des autres qui sont partis en catastrophe, à moitié habillés. Puis que je vous voie pas revenir en toussant comme des pneumoniques.

Les deux beaux-frères montèrent dans le vieux Fargo et s'acheminèrent vers les lieux du sinistre. Chemin faisant, le campagnard assura son passager qu'il était content de ne pas avoir d'enfants, chacun étant une source constante de préoccupation. «Le bon Dieu savait ce qu'il faisait», mentionna-t-il. Cela dit, Elzéar avait bien failli se prolonger lui aussi dans une famille, mais le médecin qui avait pratiqué le curetage de Florida après sa fausse couche avait déclaré que la boutique fermait ses portes peu après son inauguration. Il avoua cependant qu'il était peiné de ne pas avoir engendré de petits Grandbois pour perpétuer son nom. Ce qui lui avait tiré une larme qu'il s'était empressé d'essuyer du revers de sa grosse main calleuse. Sansoucy avait écouté ses confidences avec une certaine compassion, tout en ne reconnaissant pas les échecs que le fermier avait voulu lui faire admettre.

La rue Sainte-Catherine était bloquée, mais le camion réussit à se stationner à proximité du sinistre. Devant l'amas considérable de débris aux formes grotesques qui jonchait le sol entre des logements épargnés, des pompiers s'affairaient à éteindre les tisons qui léchaient encore les poutres calcinées. Des flammes rougeoyantes se mouraient dans ce qui avait été un véritable embrasement. De l'eau s'échappant des décombres s'écoulait avec indolence sur le trottoir et se coagulait aux abords de la rue. Une foule innombrable s'était agglomérée devant l'immeuble et contemplait les ruines fumantes en commentant l'événement. Carnets à la main, des journalistes interrogeaient Hubert Surprenant tandis que Léandre s'entretenait avec des policiers, ceux-là mêmes qui avaient enquêté lors de la tentative de vol à l'épicerie Sansoucy, une semaine plus tôt.

L'oncle Elzéar laissa ronronner son Fargo, et les beaux-frères amorcèrent le pas vers eux. Au milieu de l'abomination, Marcel, David et Paulette se détachèrent du groupe de curieux et s'approchèrent du petit conciliabule. La mine dépitée, Léandre feignait la désolation.

— Une perte totale! s'attrista-t-il. Heureusement, il paraît que le commerce était assuré.

— C'est bien cela qui nous préoccupe, affirma le lieutenant Whitty.

— Que voulez-vous dire? demanda Léandre.

— Quesnel était bien connu du milieu judiciaire, répondit le constable Poisson. Il se peut que l'incendie qui a embrasé *La Belle au bois dormant* ait été allumé intentionnellement. Nous avons déjà fait plusieurs descentes ici, ricana-t-il. Toujours la même histoire. On vidait les chambres à l'étage, puis on entassait les putains et les clients dans la fourgonnette blindée des criminels, et on les emmenait au commissariat.

— Taboire! exprima l'épicier.

— L'année 1936 commence bien, commenta le lieutenant.

«Qu'est-ce que Léandre va devenir, asteure? se plaignit Paulette, bouleversée. Pas de travail et pas de salaire pendant des mois.»

Pour ne pas figer sur place, la jeune femme se mit à piétiner dans la neige et à reluquer la banquette du camion.

— Bon, Elzéar, asteure qu'on a vu les dégâts, il y a plus rien à faire, on rentre au logis! décréta Sansoucy.

— Je monte avec vous, je commence à avoir les pieds et les mains gelés, décida Paulette.

Elle avisa Léandre de son intention de retourner avec le camion de l'oncle. Au même moment, une Chevrolet noire se gara en bordure du trottoir de l'autre côté de la rue. Léandre aperçut la voiture sombre immobilisée derrière le Fargo.

— QUESNEL! s'exclama-t-il. Excusez-moi, messieurs les policiers.

Le jeune homme entreprit une traversée de la chaussée. La Chevrolet démarra promptement. Léandre se mit à courir vers le véhicule.

— Attends-nous! s'écria son frère.

Marcel et David se précipitèrent derrière Léandre, qui sauta dans le Fargo dont le moteur n'avait pas arrêté de tourner. Ils n'eurent que le temps de se glisser sur la banquette au côté du chauffeur, le camion s'élançait à la poursuite de la voiture, sous les yeux effarés de la jeune femme et des deux quinquagénaires.

Un chapelet de sacres s'échappa de la bouche enflammée des hommes. Paulette, qui avait cessé de trépigner, se livra à une séance de tortillements frénétiques, qui connut son apogée lorsqu'elle exprima sa préoccupation prosaïque.

— J'ai envie de pisser! déclara-t-elle.

— Tu peux éteindre la braise, lança l'épicier, avec dérision.

— Ça fera, les platitudes! commenta l'oncle. Ils sont partis avec mon *truck*, les p'tits verrats.

Paulette sentit l'urine chaude percoler le long de ses cuisses et son visage rougi de froid blêmir.

— Je vas rentrer à pied, d'abord, dit-elle.

Elle prit la tête de la petite compagnie qui cheminait à présent sur les trottoirs encombrés de neige de la rue Sainte-Catherine. Inconfortable dans ses sous-vêtements mouillés, elle avait de quoi rager contre celui qui l'avait abandonnée sur les lieux du sinistre. L'avenir lui parut sombre dans le ciel clair de ce Premier de l'an. Elle marchait, l'enfourchure gelée, comme une chrétienne en route vers la terre promise, habitée par l'espérance de parvenir au logis. Venait ensuite le fermier, tête nue et mains dans les poches, pestant contre son neveu intrépide et inexpérimenté dans la conduite hivernale, qui risquait un accident et qui n'avait pour ainsi dire aucune chance de rattraper le fugitif. Quant à l'épicier, qui avait au seuil de la nouvelle année conservé un brin d'espoir d'être recueilli par une âme charitable, il avait aussi fait son deuil de retourner en camion. Le chapeau enfoncé jusqu'aux sourcils, il suivait lourdement derrière, ses membres gourds mal entraînés au froid insupportable qui sévissait.

Qu'adviendrait-il de son Léandre, parti aux trousses du misérable Quesnel, sans doute enragé comme un dogue hargneux agrippé à un vulgaire torchon? La chasse à l'homme rocambolesque qu'il avait entreprise valait-elle le risque de se briser les os comme il l'avait visionné lui-même au théâtre Granada, dans un film de gangsters tourné aux États ou dans ces minables projections de cow-boys dans les prairies du Far West américain? «Je l'avais pourtant prévenu de ne pas tremper dans ce milieu-là, s'indigna l'épicier. Et comment a-t-il pu s'amalgamer avec une pareille fripouille?»

La vue bernée par l'haleine qui lui embuait les lunettes, le nez coulant dans ses moustaches épaissies de glaçons, Sansoucy progressait vers la chaleur de son poêle. Il aurait voulu crier à Paulette de s'arrêter dans un débit de boissons pour se dégeler de quelques degrés et se ramoner le gosier, mais la meneuse allait toujours de l'avant. Il se demanda s'il l'avait insultée en l'invitant à satisfaire ses besoins naturels dans ce qui restait du brasier de *La Belle au bois dormant*. Elle ne se retournait même pas pour s'assurer que les deux quinquagénaires la suivaient.

12

De temps à autre, le cou engoncé dans son col relevé, l'épicier louchait du côté de la rue et esquissait un faible signe de la main. Mais il ne réussissait pas à attiser la pitié. Les rares taxis circulant sur la voie presque déserte se moquaient des passants et filaient droit devant. Théodore se souvenait d'avoir grelotté en quittant les ruines de *La Belle au bois dormant*, mais maintenant son corps transi n'avait plus la force de frissonner. C'était comme si les défenses naturelles de son organisme l'abandonnaient. Il lui sembla aussi que son cerveau s'analgésiait et qu'il perdait lentement ses facultés, tellement il avait peine à aligner trois mots consécutifs dans sa tête. Au petit matin, allait-on le ramasser comme un bloc de glace et le laisser se consumer dans la glacière de son épicerie-boucherie ? Il s'amusa de cette pensée saugrenue qui souleva ses moustaches givrées.

La petite compagnie avait atteint la rue Adam comme si elle était remontée à l'origine du premier homme. Un long périple avait mené l'épicier à son Éden du quartier Maisonneuve. Sansoucy parut sur la devanture de son magasin, frigorifié, complètement vanné. Paulette avait déjà accédé à l'étage et Elzéar attendait au bas de l'escalier en se frottant vigoureusement les mains, un œil jeté sur la rue pour surveiller le stationnement de son camion. C'était peine perdue. Malgré le ressentiment qui l'habitait, il s'efforçait d'avoir l'air agréable. Après tout, Théodore n'était pas responsable de la tournure des événements. Il ouvrit gentiment la porte à son beau-frère, et les deux hommes gagnèrent le logis.

Paulette avait échoué dans la cuisine ; les femmes l'avaient installée dans la berçante. Elle était enveloppée d'une couverture de laine et sirotait une boisson chaude en claquant des dents. La maisonnée n'avait rien pu tirer encore de la jeune femme gelée, bouleversée par le désastre qu'elle avait constaté. Irène, Simone, Florida et les sœurs Grandbois aidèrent les hommes à se dépêtrer de leurs bottes et de leurs bougrines, et les laissèrent en position debout une bonne quinzaine de minutes, avant de les aider à se plier en deux pour finir de dégeler sur une chaise droite près du poêle.

— Allez-vous enfin nous dire ce qui s'est passé ? s'exaspéra Émilienne. On dirait que vous venez direct du pôle Nord.

La porte s'ouvrit. Marcel, David et Léandre entrèrent peinardement, la mine défaite, les bras tombés le long de leurs corps.

— Pis, mon *truck* ? réagit Elzéar, en se relevant brusquement.

— Ben, on a eu un accident ! répondit Marcel.

— Toi, laisse parler ton frère ! ragea Sansoucy. C'est pas à toi que ton oncle s'adresse.

Léandre tendit une main au bout de laquelle sautillait la clé du véhicule.

— On a foncé dans un banc de neige, expliqua-t-il, la voix tremblante. On a dû faire venir le *towing* parce que le Fargo voulait plus reculer. Il est renfoncé un peu, juste pour dire. Votre camion est rendu au garage de l'oncle Albert de Paulette. On peut demander à Colombine de nous conduire, si vous voulez.

— Le petit couple de fiancés est reparti chez les Crochetière, puis Placide est déjà dans la chambre de Marcel, répondit Irène. Il est pas habitué de se coucher tard. Faudrait pas parler trop fort…

Les yeux exorbités, le fermier s'était réchauffé pendant les explications de son neveu.

— Ah ! ben, ça parle au verrat, par exemple ! éclata-t-il. Comment on va faire asteure, Florida, Placide pis moi, pour s'en retourner à Ange-Gardien ? Pis les animaux ?

— On est pas en perdition, intervint Florida. Ta sœur nous mettra pas à la porte et Placide doit pas être si pressé de rentrer au collège de Saint-Césaire. Pour ce qui est des animaux, va falloir qu'on essaye de rejoindre notre voisin. Rappelle-toi, Elzéar, quand les Descôteaux sont partis cinq jours pour des funérailles dans le Bas-du-Fleuve en plein pendant les semences, puis que sa Victorine avait vêlé pendant la nuit. On s'était débrouillés quand même.

— Que c'est que t'avais d'affaire à sauter dans le *truck* de ton oncle, Léandre Sansoucy ? proféra l'épicier. Te prends-tu pour le détective Eliot Ness qui veut attraper Al Capone, coudonc ? Elzéar puis Florida sont ben amanchés, asteure.

— Je le sais ben, le père, confessa Léandre, ce que j'ai fait est pas correct. Ça a été plus fort que moi de courir après une fripouille. Que voulez-vous ? Quesnel puis moi, on a des comptes à régler, par le temps qui court…

— Il y a peut-être quelque chose de louche dans ce feu-là, mais arrange-toi pas pour te mettre encore plus dans le pétrin, recommanda Sansoucy. J'espère que tu vas être assez fin pour laisser faire la police.

L'heure était aux aveux. Profitant de son large auditoire, Léandre rapporta les faits dans toute leur crudité. Il révéla la seconde vocation de *La Belle au bois dormant*, qui avait toutes les apparences d'une entreprise de restauration honnête, mais qui offrait des services d'une nourriture terrestre plus comestible s'apparentant à l'œuvre de chair. Puis il exposa éloquemment les conditions de son entente avec l'arnaqueur – non notariée et dont il n'avait même pas obtenu copie – et déclara sa contribution financière dans le commerce en précisant ce qu'il devait débourser pour les assurances pendant un an. En somme, il reconnaissait s'être associé à une crapule qui l'avait manipulé en lui faisant croire qu'il était son partenaire.

— Si je comprends ben, résuma l'épicier, ça veut dire que le seul vrai propriétaire de la bâtisse, c'est ce chenapan de Quesnel et que tu dois encore payer les primes d'assurance jusqu'à l'automne.

— C'est en plein ça, le père ! admit Léandre, d'une voix altérée.

Le fils abaissa les paupières. Il avait le sentiment que sa conduite déshonorante n'inspirait que le mépris. L'instant d'après, il sentit tout le poids d'une condamnation de la galerie. Mais sa mère versait silencieusement des pleurs, Irène fixait le crucifix, Simone compatissait, Paulette admirait sa franchise et, même si elle n'avait pas eu d'enfants, Alida attribuait à l'inconscience de la jeunesse les erreurs déplorables de son neveu.

Sansoucy braquait son regard sur le fautif. Léandre leva les yeux et succomba à l'œil accusateur.

— Es-tu prêt à reprendre ton travail à l'épicerie ? demanda le commerçant, d'une voix conciliante.

— Ben oui, le père.

Les pleurs d'Émilienne redoublèrent d'intensité.

— T'es pas pour brailler encore plus, asteure, commenta son mari.

— C'est de la joie, affirma Irène. Moman est contente de voir de la réconciliation dans sa cabane.

— Sortez les verres, on va fêter ça ! s'écria le maître de la maison.

Sansoucy intima à Marcel l'ordre de sortir toutes les bouteilles de boisson forte de son cabinet. Sans vouloir contredire son père, Irène prit sur elle de préparer du thé, étant donné qu'elle et sa mère se tiendraient éloignées de l'alcool et que Marcel devrait attendre d'avoir le nombril assez sec pour se jeter dans l'eau-de-vie. Il se rabattrait sur les boissons gazeuses. Flapies, Simone et Paulette s'étaient retirées dans leur logis. Le plus gros de la tension des derniers mois venait de se dissiper. La vérité avait éclaté au grand jour. Tous étaient maintenant au courant de l'encanaillement de Léandre qui avait, l'espace de quelque temps, pataugé dans une affaire de moralité. « Il faut dire que le p'tit vlimeux a des prédispositions au vice et qu'il a pas fini de faire suer son entourage!» commenta Héloïse à l'oreille d'Alphonsine, sur un ton scandalisé. Mais cela restait à voir…

Pour l'heure, on était rassemblé autour des joueurs de cartes. Alphonsine avait rempli les verres. L'épicier avait formé les équipes qui s'affronteraient. Au premier tour, il s'était sournoisement allié à la grasse Florida, chanceuse au jeu. Les adversaires de la campagnarde n'avaient qu'à bien se tenir! Sansoucy se mesurait à Léandre et David, en nourrissant secrètement une petite rancune. La pipe entre les dents, il avait brassé les cartes et les distribuait maintenant, pendant qu'Irène était allée mettre un rigodon pour faire plaisir à l'habitant qui amorça aussitôt une série de steppettes en vidant son premier verre.

Le cœur était aux retrouvailles, aux rapprochements, à l'oubli. Bientôt, on entendit de gros éclats de gaieté. À force de vouloir se réchauffer, l'oncle Elzéar en avait perdu l'équilibre et s'était ramassé dans un coin. Comme une serveuse expérimentée, Alphonsine remplissait les gobelets de gin, de rhum ou de scotch, en ne s'oubliant pas à la fin de chaque tournée. Elle devint rapidement la plus joyeuse de tous et alla s'échouer sur les genoux du fermier. «Un peu de retenue, Phonsine», la morigéna Héloïse.

Florida n'avait pas pris une goutte. Elle préférait se concentrer face à des jeunes qu'elle délogerait de leur siège avant belle lurette. Entre-temps, Émilienne avait résolu de sortir quelques gâteries pour éviter que la fête tourne en beuverie. Mais le mal était fait. Phonsine était grise et refusait toute nourriture solide. Elle avait réussi à se relever et avait entraîné le Gardangeois sur un plancher de danse imaginaire. À présent, sanglée dans son corset serré, elle balançait les hanches, se dégingandait au milieu de la cuisine avec le risque d'en faire éclater les baleines.

— Envoyez-les donc se dégriser sur le balcon, se choqua Sansoucy.

— Je pourrais sortir mon violon puis vous jouer des quadrilles comme aux noces de Simone, protesta l'habitant.

Émilienne, Héloïse et Marcel emprisonnèrent les fêtards sur la galerie. Le calme subitement revenu dans sa maison, Théodore surveillait les cartes qui s'abattaient sur la nappe cirée et le visage étiré de ses adversaires qui s'en allaient tout droit à la défaite.

Quelques minutes plus tard, sous l'imploration d'Émilienne auprès de son mari tortionnaire, Elzéar et Alphonsine rentraient, à peine ressaisis par la température qui leur avait refroidi les sangs, mais exhalant toujours leur haleine fétide, et Léandre et David, perdants, cédaient leur place au couple de danseurs.

Sansoucy brassa de nouveau le paquet, le redistribua et demanda à boire. L'œil vengeur, Elzéar ordonna muettement ses cartes de ses gros doigts noueux. Afin de ne pas soulever un enthousiasme délirant dans la maisonnée, Irène choisit de faire entendre des chants de Noël. Frustré d'avoir mordu la poussière, Léandre se versa quelques rasades de whisky et se posta derrière son père en couvant son jeu du regard.

Cette fois, la chance ne semblait pas favoriser l'équipe de Sansoucy. Après quelques levées gagnantes de ses antagonistes, se voyant acculé au pied du mur, l'épicier s'inclina hypocritement sous la table en allongeant la jambe vers sa partenaire.

— Vous trichez, le père! proféra Léandre. C'est malhonnête, ce que vous faites là. C'est drôle ça, vous perdiez, puis tout d'un coup le vent vire de bord. C'est-tu comme ça que vous nous avez eus, tout à l'heure, David et moi?

— Tu sauras, mon garçon, que Florida puis moi, on est tout ce qu'il y a de plus honnêtes, protesta Théodore.

L'œil furibond, Elzéar se redressa.

— Ah! ben, ça parle au verrat, par exemple! lâcha-t-il. T'es effronté comme un *beu* maigre, Théodore Sansoucy. Tel père, tel fils. On voit ben de qui il retient, ton Léandre.

L'insulte s'ajoutait à l'humiliation. Léandre leva des yeux mauvais vers son oncle en montrant le poing.

— Vous, s'insurgea-t-il, vous allez ravaler vos paroles, sinon…

Le temps de le dire, David et Marcel avaient saisi les bras de Léandre qui en rajouta :

— Quant à moi, vous pouvez ben retourner dans votre campagne, maudit habitant à marde !

Émilienne s'était pris la tête à deux mains et la secouait dans des hochements découragés.

— Florida ! Viens-t'en, on décampe, ordonna le fermier.

— Ben voyons, Elzéar, ton *truck* est au garage, lui rappela sa femme.

Abasourdi, le campagnard quitta prestement la cuisine et s'engouffra dans la chambre inoccupée d'Édouard. Florida ramassa les cartes et s'en fut trouver son mari.

L'heure du coucher avait sonné. David et Léandre regagnèrent leur logement.

Après de brèves ablutions, Léandre entra dans sa chambre, se déshabilla et se glissa comme une couleuvre sous les couvertures. Paulette frissonna. Elle sentit le corps nu du jeune homme se blottir à son flanc. Dans les brumes de ses souvenirs, elle se rappela confusément son abandon par Léandre sur le trottoir, sa longue marche dans le froid insupportable qu'elle avait combattu jusqu'au logis. Et maintenant, elle le retrouvait, pressé contre elle, cherchant à son tour la chaleur qu'elle pouvait lui procurer. Son cœur battit de plus en plus fort. Elle s'éveilla et, frémissante, s'étira langoureusement en promenant sa main baladeuse sur l'anatomie parfaite de son homme. Il se retourna, redécouvrant les rondeurs voluptueuses de sa douce, et s'abandonna au plaisir…

***

Émilienne, Irène, Héloïse, Florida et Placide s'étaient levés tôt pour assister à la première messe de l'année. À leur retour de l'église, le fermier raccrochait le téléphone. En ce matin du Nouvel An, les lignes engorgées obligeaient à la patience. La téléphoniste avait finalement établi la communication avec le marchand général d'Ange-Gardien.

— Et puis, Elzéar ? questionna Florida, en ôtant son capot de chat.

— Cloutier m'a promis que Descôteaux va être avisé de notre séjour prolongé à Montréal.

Émilienne sortit une custode de son sac à main. Alida s'avança vers elle dans sa chaise d'impotente. Elle tira la langue et avala le pain consacré.

— Asteure, on va mettre la table, décida la ménagère.

Pendant qu'on disposait les couverts, Sansoucy émergea de la chambre conjugale en boutonnant sa chemise. Il avait les cheveux ébouriffés et l'air bête des lendemains de veille. Il toisa le campagnard avec mépris.

— Qu'est-ce que tu fais de la tradition du jour de l'An, Théo ? l'interrogea son épouse.

— Allez réveiller Marcel puis les autres en haut, dit-il, sans conviction.

Le taciturne Placide obtempéra à la demande de son père. Environ deux heures plus tard, Marcel et les quatre colocataires se rassemblaient avec la maisonnée. Avant de descendre, Léandre avait tergiversé, mais Paulette, encore tout enivrée des délices de la volupté, l'avait persuadé de se joindre à la compagnie. Elle avait imaginé un plan pour atténuer l'effet de la bêtise de son copain. C'est lui qui devait le soumettre à son oncle.

Sansoucy se planta dans le couloir, sur le tapis étroit longeant la salle à manger. Il lissait nerveusement ses moustaches, en peaufinant une dernière fois son petit laïus de circonstance. Les convives s'alignèrent respectueusement devant lui. Il prit un ton solennel et, d'une voix émue, il déclara :

— J'aurais aimé qu'Édouard et Colombine soient des nôtres ; mais que voulez-vous ? Je suis quand même très heureux de nous voir réunis aujourd'hui pour commencer la nouvelle année. Je remercie le bon Dieu de m'avoir donné une femme incomparable et six beaux enfants. Sachez que je suis fier de ma famille, à laquelle se sont ajoutées trois belles-sœurs, qui partagent maintenant notre quotidien. Si, parfois, il y a eu quelques accrochages avec l'un ou avec l'autre dans le passé, poursuivit-il en se raclant la gorge, c'était pour mieux s'expliquer par la suite. On a pas tous le même caractère, vous savez. Il est temps d'oublier toutes les petites chicanes, d'effacer les rancunes et de mettre au rancart ce qui a pu nous diviser. Comme d'habitude, je promets de veiller au bien-être de chacun. En ce début d'année, conclut-il, permettez-moi de vous offrir mes meilleurs vœux de santé, de bonheur et de prospérité…

— Et le paradis à la fin de vos jours ! proféra Léandre.

Le maître du foyer sourcilla et réprima une répartie.

— Et le paradis à la fin de vos jours, reprit-il en écho.

Alida baissa la tête. Émilienne s'agenouilla, entraînant les bien portants à imiter son geste. Sansoucy traça lentement dans l'air le signe des chrétiens.

— Au nom du Père…

Les poignées de main et les embrassades affectueuses s'échangèrent. Après avoir dit «Bonne année, le père!», Paulette serrée contre lui, Léandre fit quelques pas vers son oncle et daigna s'excuser pour le malencontreux incident qui le privait de son camion.

— Votre neveu a une proposition à vous faire, dit-elle. J'ai pensé à un moyen qui vous permettrait de retourner chez vous aujourd'hui même. Pas vrai, Léandre?

— Je t'écoute, dit le fermier, l'œil méfiant. Oh! Attends une minute, je veux que Florida entende ça.

La femme reçut les dernières bises de Théodore et s'approcha. Léandre exposa l'idée de Paulette qui consistait à se rendre d'abord chez l'oncle Albert, où avait été remorqué le véhicule accidenté. Elzéar serait à même de constater l'ampleur des dégâts infligés à son Fargo. Ensuite, il s'agirait tout simplement d'emprunter la voiture du garagiste et de reconduire Placide et les Gardangeois dans leur campagne. Le fermier se réconcilia avec son neveu, et cela le mit dans une humeur plus joyeuse. Il se promit de l'annoncer au repas.

Sansoucy acheva le bénédicité et, pendant un moment, on n'entendit que le bruissement des bouches qui aspiraient le potage.

— J'espère que vous avez pris vos résolutions, exprima-t-il à la cantonade.

— Voyons, Théo, c'est personnel, ça! le rabroua Émilienne. C'est comme d'aller à confesse, c'est une affaire de conscience…

— Pour ça, il faut une conscience, Mili, puis ton mari en a pas une ben grosse, ricana Elzéar.

— Qu'est-ce que t'as, toi, à me *picosser* de même? se défendit l'épicier.

— Tant qu'à faire des promesses, puis pas être capable de les tenir, on est aussi ben de laisser tomber, commenta Léandre. En tout cas, moi ça fait longtemps que j'ai abandonné ça, les résolutions. Si je me rappelle ben, les bonnes intentions, ça doit aller avec le ferme propos de plus recommencer et de faire pénitence tel qu'on nous le prêche à l'église. Ça doit être une entente secrète entre la personne puis le bon Dieu. Qu'est-ce que t'en penses, toi, le religieux ?

Placide rougit, déposa sa cuiller et parut réfléchir. La tablée se tourna vers lui pour écouter ce que l'être mystérieux avait de profond à révéler.

— Le frère André est le plus bel exemple que je connaisse, dit-il, avec un filet de voix. Pour avancer sur le chemin de la sainteté, il faut poser des jalons, s'imposer des limites, marcher sur soi, se faire violence, mourir à soi-même…

— Que c'est donc beau ! persifla Léandre, en lui coupant la parole.

— Pour une fois que Placide décide de s'exprimer, tu pourrais être un peu plus respectueux, s'indigna la mère.

Ainsi avait parlé le futur Sainte-Croix. Placide se referma dans son huître de mystères. Certes, sa coquille recelait de grands trésors spirituels et tous auraient pu bénéficier de réflexions propres à élever l'homme vers son créateur. Mais chacun n'avait pas les mêmes prédispositions à l'intériorité, à l'élévation, au dépassement de soi, à la sublimation. D'ailleurs, si cela n'avait été de la nature trop discrète du jeune homme et de son empressement obséquieux à ouvrir les portes comme son modèle du collège Notre-Dame, son attitude n'aurait rien eu de risible.

Après le plat de résistance englouti avec la fourchette de l'appétit, Elzéar prit la parole.

— Tantôt, je m'en vas faire des arrangements au garage, rapport à mon *truck*. Puis savez-vous quoi? Paulette m'a dit que ça se pouvait que son oncle Albert me prête son char jusqu'à tant que mon Fargo soit réparé…

Le repas terminé, Paulette, Léandre et Elzéar attendirent qu'un taxi de la compagnie Vétéran se libère pour venir les cueillir. Ils débarquèrent dans la cour du garage. Elzéar descendit en trombe et courut vers le véhicule accidenté.

— Un vrai tas de ferraille! larmoya-t-il.

Manifestement, le devant du Fargo avait écopé. Sous la force de l'impact, le camion avait subi un léger renfoncement, mais rien de sérieux, toutefois. De son bras de paysan, le laboureur débarrassa d'abord la neige accumulée sur le pare-brise, sur le capot et sur la lunette arrière. Comme le médecin avec son patient, ce que l'œil ne pouvait percevoir, la main le découvrirait. C'est alors qu'il entreprit de faire minutieusement le tour du camion, glissant sa grosse patte nue sur la carrosserie pour en apprécier les formes. Çà et là il s'arrêtait devant un renflement, une boursouflure, une tuméfaction, un creux. Et chaque fois des réminiscences pas trop imprécises affluaient à sa mémoire. La plupart du temps, il se rappelait les éraflures causées par les maladresses et les mauvaises manœuvres qui avaient laissé des ecchymoses sur la peau de son Fargo. Chaque lésion, chaque bombement avait son historique médical. Et à cela s'ajoutait aujourd'hui le nez écrasé de l'éclopé.

Quand il eut terminé l'examen extérieur, il s'assit au volant et tenta de faire démarrer l'engin. Rien à faire. Le moteur refusait; il calait. Et Paulette eut froid. Les membres frissonnants et les dents qui s'entrechoquaient, la malheureuse s'était réfugiée contre Léandre. Mais on était loin des couvertures chaudes du lit, et l'amoureux ne parvenait pas à la réchauffer.

— J'ai envie de pisser, lança-t-elle. Je vas aller cogner à la porte de la maison.

Léandre la suivit, tandis qu'Elzéar Grandbois attendait près de son camion. La tante Mariette parut, un grand sourire irradiant de son visage.

— Ça tombe ben, tes parents sont là ! déclara-t-elle.

Chapitre 2

L'air hagard, la jeune femme jeta ses gants, déboutonna son manteau, retira ses bottes en catastrophe, s'engagea dans le couloir et traversa en trombe la salle à manger, sa longue étoffe de laine ballotant sur sa poitrine.

— Paulette! s'exclama la mère. Que c'est qu'elle fait là, ma foi du bon Dieu?

Gilberte Landreville alla sonder la porte de la salle de bain.

— Sors de là, que je te parle, ma fille! insista-t-elle.

— De grâce, laisse-la faire deux minutes, la supplia son mari. Elle va sortir puis on va enfin pouvoir s'expliquer.

Albert Simoneau gagna le vestibule et s'entretint avec Léandre. Il n'avait pas aperçu le Fargo enneigé, remorqué dans la cour pendant la nuit. Le jeune homme lui raconta que le véhicule de son oncle avait subi un petit accrochage. Le garagiste, mécanicien et débosseleur de métier, s'habilla et alla constater l'état du pick-up qu'il se montra disposé à réparer dans la semaine qui suivait. Fier d'avoir réussi à cacher sa responsabilité dans l'accident, Léandre sollicita la faveur d'emprunter la Ford pour lui permettre de ramener les visiteurs à Ange-Gardien.

Pendant ce temps, Paulette était repassée au nez du visage éploré de sa mère qui s'était propulsée derrière sa fille épouvantée, à présent dans le vestibule.

— Tu vas pas t'en retourner de même, prends au moins le temps de me souhaiter la Bonne Année, l'implora-t-elle.

La vessie soulagée, la figure impassible, Paulette se reboutonnait muettement au son de la radio qui grésillait *Le jour de l'An* de

La Bolduc. Elle sortit en claquant la porte, dont le store vénitien vibra de toutes ses lattes, et rejoignit les hommes s'entretenant à côté de la Ford qui ronronnait. Elzéar achevait de déneiger le véhicule. Simoneau adressa ses dernières recommandations à Léandre, embrassa sa nièce et regagna la maison.

Entre Léandre et Elzéar, Paulette retenait ses larmes, en songeant à ses parents qu'elle avait cavalièrement abandonnés à leur douleur. Sa tante Mariette avait dû ramasser sa mère à la petite cuiller, et son oncle Albert avait certainement cherché de belles paroles pour essayer de réconcilier et recoller les membres de la famille désunie. Mais la jeune femme s'accrochait au fils de l'épicier. Elle lui jeta un regard énamouré. Que lui importaient les tentatives de rapprochements ? Elles étaient toutes vouées à l'échec, l'une après l'autre. La voiture la ramenait là où elle avait choisi de vivre.

Il s'était remis à neiger. La Ford roulait prudemment dans les rues glissantes et embourbées, les essuie-glaces battant avec lenteur la mesure de la neige floconneuse qui mourait dans le pare-brise. Certains s'étaient aventurés au ralenti sur la chaussée et s'enfonçaient dans la petite tempête qui commençait. Çà et là, le long des trottoirs, des gens armés d'une pelle tentaient de dégager les automobiles déjà emprisonnées dans les enclaves blanches. Les mains solidement agrippées au volant, Léandre ressentait de la fierté d'avoir arraché son amoureuse des griffes de ses parents. Comme le prince qui s'enfuyait en emportant avec lui sa belle sur son cheval blanc, il fuyait vers la liberté, vers des cieux plus cléments où il était le seul maître sur la vie de Paulette. Le temps qu'il faudrait, il la garderait près de lui et, le jour venu, il s'en débarrasserait comme d'un vêtement usé. S'il avait le pouvoir de susciter l'admiration chez les femmes, son charme séducteur envoûterait tôt ou tard une autre proie facile qui tomberait dans son lit.

La Ford se stationna devant l'épicerie-boucherie. À la fenêtre du salon, les yeux plissés d'inquiétude, Florida et les sœurs Grandbois regardaient la rue qui s'épaississait d'un édredon de plumes. Elzéar descendit de son camion et monta au logement.

— J'étais prête à partir, mais là…

— Envoye, Florida, on s'en retourne à Ange-Gardien avant d'être barricadés à Montréal!

La mine résignée, Florida s'habilla. Son maigre bagage au bord de la porte, Placide se vêtait de ses nippes usées dans son silence et son effacement habituels. Marcel parut, le visage illuminé d'un enthousiasme candide.

— Je vas aller avec eux autres, annonça-t-il.

La pipe aux lèvres, Sansoucy s'amena à la porte, soulagé de voir partir la visite.

— Dis-leur de rester, Théo, le pria Émilienne. Ça a pas de bon sens qu'ils s'en aillent, t'as pas vu le temps mauvais? Il neige à plein ciel! Même Marcel veut les accompagner. Dis quelque chose, Théo!

L'épicier tira une bouffée de sa pipe.

— Il y en aura un de plus pour pousser si jamais ils étaient mal pris, ricana-t-il.

Placide et Marcel empoignèrent toutes les valises, Émilienne embrassa son monde et regarda chacun descendre dans la cage de l'escalier. Puis, la poitrine oppressée, elle referma la porte et s'empressa de retourner avec Irène à la fenêtre du salon. En bas, on s'entassait à six dans la Ford empruntée à l'oncle Albert. À l'avant, Paulette était enserrée entre Léandre et Marcel, tandis qu'à l'arrière Florida emplissait le siège, coincée entre Placide et Elzéar. Le taciturne désembua la vitre et agita mollement la main.

Émilienne alla s'écraser dans le fauteuil et considéra avec mélancolie le sapin qui ployait dans son habillement de boules et de guirlandes, remarquant aussi les aiguilles qui parsemaient le pied de l'arbre. Un moment, elle se sentit comme lui, asséchée, un peu affaissée par le poids des fêtes, incapable de se relever les bras.

— On va le défaire, décida-t-elle.

— D'habitude, vous attendez le lendemain des Rois, commenta Irène.

— Ben là, ta mère a l'air d'en avoir assez, dit Héloïse.

L'aînée alla déneiger la galerie pour accéder au hangar et rapporta les boîtes pour y remiser les décorations. Les sœurs Grandbois se chargèrent de dépouiller le conifère de ses atours et de lui rendre sa nudité première. Alphonsine étira la main jusqu'au milieu de l'arbre et se saisit du tronc qu'elle transporta dehors pour le faire basculer par-dessus la balustrade.

Les femmes étaient au salon, et seul le craquement de la berçante troublait le silence de la cuisine. Sansoucy se réjouissait à l'idée qu'Elzéar ait franchi le seuil de son logement. Même le sapin que l'habitant avait obligeamment bûché sur ses terres à bois avait pris le bord en subissant une chute vertigineuse dans le fond de la cour. Le mari d'Émilienne avait assez de supporter le reste de la famille Grandbois, avec qui il entreprenait une autre année de vie commune. Et pas une de ses pensionnaires n'avait agité le drapeau de la maladie. Bien portantes, elles étaient toutes les trois de forte complexion. Malgré son infirmité, Alida ne donnait aucun signe de faiblesse ; de constitution robuste, la grasse Alphonsine se plaisait dans son travail au magasin de tissus et de coupons ; et la maigre Héloïse, de chétive apparence, semblait bâtie pour vivre cent ans. De toute façon, maintenant qu'il les avait hébergées sous son toit et que la vie s'harmonisait tant bien que mal dans la maisonnée, il ne pouvait censément les remettre à la rue en les obligeant à se chercher un autre logement. «Ce qu'il faut parfois endurer pour ne pas se résoudre aux premières nécessités ! » réfléchit-il.

La sonnette fêlée de la porte le fit tressaillir.

— Je vas répondre, s'écria-t-il, en se levant.

Le visage sanguin de Conrad Landreville parut dans l'embrasure.

— Il n'y a personne chez ma fille. Savez-vous où elle est ? demanda l'homme.

Le marchand se rappela que Simone et David étaient partis chez les O'Hagan. Il comprit que l'homme était nul autre que le père de Paulette.

— Elle est allée reconduire la visite à la campagne, répondit-il.

Landreville expliqua qu'il se trouvait chez le garagiste au début de l'après-midi lorsque sa fille avait frappé là pour emprunter la Ford, mais qu'il n'avait pas soupçonné l'ombre d'un instant qu'elle se serait embarquée avec Léandre dans une aventure aussi périlleuse. Le pauvre homme avait attendu presque deux heures qu'un taxi vienne le cueillir pour l'amener sur la rue Adam.

— Rassurez-vous, monsieur Landreville, c'est juste un aller-retour. Votre fille va nous revenir avant la fin de la journée.

Un doute plissa les lèvres de Landreville. Pour celui qui n'avait jamais pris le volant, les routes de campagne devaient être peu carrossables et présenter des dangers épouvantables pour les voyageurs. Et que rapporterait-il à sa femme pour dissiper des inquiétudes déjà insupportables ? Bien entendu, la question de la cohabitation de sa fille avec le fils de l'épicier fut ensuite abordée. Il admettait avoir renié son enfant, mais une telle aberration ne pouvant plus durer, sa femme et lui étaient à présent disposés à envisager le mariage. Sans toutefois dévoiler la sinistre aventure de Léandre après un épisode un peu obscur à *La Belle au bois dormant*, Sansoucy se montra favorable au projet, puisque Léandre était revenu à son emploi et qu'il pouvait de ce fait assurer un revenu stable au couple. Encore faudrait-il le consentement des principaux intéressés…

— Maintenant, je dois vous laisser le bonjour, monsieur Sansoucy. Mon taxi m'attend ; j'ai eu assez de misère à en avoir un que j'ai décidé de le garder. Et n'oubliez surtout pas de dire à Paulette de m'appeler dès son retour à Montréal.

Landreville prit congé. Émilienne parut dans la cuisine.

— J'imagine que c'est ton ami Philias qui est venu te souhaiter la Bonne Année ! Au lieu de venir nous déranger, il aurait pu se retenir jusqu'à demain à l'épicerie, non ?

— C'était le père de Paulette, Mili.

— Ah ! ben, s'étonna-t-elle. Qu'est-ce qu'il avait tant à raconter ?

* * *

La Ford était parvenue sans ennuis dans le rang Séraphine après avoir largué Placide au collège de Saint-Césaire. Dès que le véhicule avait traversé le pont Jacques-Cartier, le ciel s'était dégagé de ses nuages menaçants et avait permis aux voyageurs de se rendre à bon port. Cependant, la tempête avait progressé vers l'est, comme si elle les avait pris en filature. Derrière, la neige s'accumulait, aplanissant les inégalités de la route, faisant disparaître les clôtures, comblant les fossés. Le vent soufflait par d'effroyables bourrasques.

Dans la cour des Grandbois, la Ford d'Albert Simoneau ronronnait comme un chat repu. En débarquant, Elzéar s'était précipité à l'étable. Descôteaux et sa fille avaient commencé la traite des vaches. Dans la maison, Florida remerciait ses neveux avec de grandes effusions de reconnaissance. Paulette revenait de la toilette extérieure, la mine effarée par l'obscurité qui enveloppait les lieux éclairés grâce aux phares de l'automobile et à la lumière faiblarde qui émanait du bâtiment.

— On devrait s'en aller, Léandre, il me semble que ça rempire, exprima-t-elle.

— En tout cas, on vous ramène le camion de mononcle aussitôt que possible, affirma Léandre. Et bien sûr, c'est moi qui vas payer les réparations…

La neige affolée obstruait à présent le pare-brise de la Ford. Les trois Montréalais se glissèrent sur la banquette. Le conducteur actionna les essuie-glaces et embraya la voiture.

Bientôt le petit chemin privé menant au rang Séraphine s'encombra. Déjà, Léandre ne distinguait plus l'allée du champ. Il lui semblait que l'automobile flottait sur la neige, flairant frénétiquement les crêtes des rainures creusées par le passage des roues où s'enfonceraient avec assurance les pneus du camion. La mitaine de Paulette serrait la cuisse du conducteur, comme si elle pouvait empêcher l'inévitable course hors de la voie. Le visage tendu d'effroi, Marcel avait agrippé la portière qu'il s'apprêtait à ouvrir au milieu de nulle part, tellement tout se confondait autour d'eux. La voiture dérapa.

— Je vas débarquer! murmura Léandre, décontenancé.

— Nous autres aussi, renchérit son frère.

Les portières s'ouvrirent avec peine et claquèrent sous la force du vent. La tête engoncée dans leur collet relevé, les trois manchots s'engagèrent dans les traces encore visibles que le souffle de la tempête s'amusait à calfeutrer. Léandre et Marcel grelottaient dans leurs coupe-vent, leurs couvre-chaussures ridicules et leurs pantalons retroussés par la profondeur de la neige qui leur montait au califourchon. Effrayée par la nuit, les jambes flageolantes, Paulette tenait la main que le meneur lui tendait en l'entraînant dans ses pas. Un moment, Léandre s'arrêta et contempla la silhouette de la Ford qui s'évanouissait, recouverte d'une envahissante poussière blanche. Et les sillons de l'allée qui avaient pratiquement disparu.

Soudain, entre deux expirations du vent, une rassurante lueur se dandina à la fenêtre de la maison. Peu après, l'odeur d'une fumée dansante chatouilla les narines dilatées.

— On est sauvés! s'exclama Paulette.

Rassemblant leurs forces, les comparses atteignirent le seuil de l'habitation.

— Je le savais donc que je le savais donc ! s'écria Florida. Venez vous mettre à l'abri.

L'hospitalité de la tante leur ouvrait les bras, mais la fermière avait espéré que la voiture ensevelie parvienne au moins au village d'Ange-Gardien pour ne pas avoir à héberger ses occupants. Ils auraient alors pu être recueillis par quelque âme secourable ou le curé de la paroisse. Et que dirait Elzéar, affairé au soin des animaux avec le voisin Descôteaux et sa fille, lorsqu'il apprendrait l'embardée des voyageurs à peine éloignés de quelques centaines de pieds ?

Marcel et Paulette s'approchèrent du poêle en se frictionnant énergiquement les mains. Léandre était resté sur le paillasson. Le rouge de l'embarras affleurait à présent sous la froidure qui avait coloré son visage.

— Avez-vous des *overalls*, matante ? Je vas aider mononcle à faire son train.

Florida alla ouvrir la porte qui menait à la cave, décrocha un vêtement bleu foncé qu'elle n'avait pas pris le temps de laver et l'apporta à son neveu. Léandre éprouva une forte nausée et enfila la salopette empestant le fumier. Puis il se rendit à l'étable.

Assis sur son petit banc de traite, l'oncle s'entretenait avec son voisin Descôteaux, un trapu au visage rieur, qui tenait un seau de lait. Rex aboya. Grandbois sursauta lorsqu'il réalisa que Léandre était entré dans le bâtiment.

— Que c'est que tu fais là, toi ? Je te croyais rendu au village, à l'heure qu'il est.

— C'est pas de ma faute, mononcle, bredouilla Léandre, la tempête a pogné pas mal fort, puis j'ai été obligé de revirer de bord.

— D'après ce que je peux voir, t'es pas ben fiable sur la conduite, mon neveu, déclara-t-il, irrité. En tout cas, asteure que t'es là, va donc soigner les poules avec Azurine. Je vas finir le train avec son père.

Une costaude versant le lait de sa chaudière dans un bidon tourna le regard. Sa figure ronde un peu niaise était surmontée d'une tuque de laine en dessous de laquelle s'étiraient deux longues tresses brunes. Elle portait un manteau boutonné d'un seul bouton entrouvert sur une grosse chemise de toile forte. La paysanne déposa sa chaudière, renfonça sa tuque, sortit et entraîna muettement le citadin.

Dehors, la neige tombante tourbillonnait follement autour des bâtiments. Azurine glissa sa main rugueuse sur la croupe de sa jument attelée au berlot, hésita un moment et s'empressa vers le poulailler.

Des poules s'enfuirent en caquetant. Azurine alluma le fanal qui éclaira son joli visage. Puis elle se pencha et ramassa une écuelle qu'elle plongea dans le sac de blé avant de la mettre au sol. Elle se retourna vers Léandre.

— Je me demande ben pourquoi votre oncle vous a envoyé avec moi…

— Je crois qu'il a eu la mauvaise surprise d'apprendre que ma blonde, mon frère et moi devions passer la nuit chez lui et il voulait que je déguerpisse de sa vue.

La jeune fille l'avait curieusement regardé de ses yeux pervenche. Elle ne semblait pas enduite d'une épaisse couche de vernis, mais elle était sans fausses élégances, avec son naturel un peu rustre de campagnarde.

Le défi de la conduite dangereuse, l'embardée, les grandes enjambées dans la neige folâtre, le retour incertain vers la maison de l'habitant et la rencontre de la beauté à l'état brute de la jeune fille avaient exacerbé les sens du citadin. Terrine à la main, elle amorça un mouvement afin de lever les œufs dans le nichoir des pondeuses. Il s'avança vers elle. Ses grands yeux d'ébène coulèrent dans les siens. Il déboutonna le seul bouton qui retenait les deux pans du manteau de la paysanne.

— C'est mal, ce que tu t'apprêtes à faire, exprima-t-elle, docilement.

La tempête ne s'était pas apaisée. Sitôt le train achevé, Descôteaux était sorti de l'étable et, à son grand désarroi, il avait dû dételer sa jument et la mener à l'écurie. Dans la maison chaude, la ménagère faisait sauter les crêpes dans son poêlon lorsque Grandbois et son aimable voisin entrèrent.

— Deux de plus à souper, Florida! annonça Elzéar. Il vente à écorner les bœufs. Monsieur Descôteaux et sa fille vont rester jusqu'à ce que le temps se calme. Léandre et Azurine sont pas rentrés?

— Je pensais qu'ils étaient avec vous autres à l'étable.

Paulette braqua un regard suspicieux dans les yeux de l'oncle. Des idées folichonnes roulèrent dans sa tête. Elle plissa les lèvres, ses mains se crispèrent et sa gorge s'étrangla. Marcel s'aperçut du malaise.

— Je vas aller les chercher, décida-t-il.

— Non! rétorqua sèchement Paulette. Laisse faire; ils vont ben finir par rentrer.

La malheureuse s'inclina, attrapa le chat laineux couché sur le comptoir de la cuisine et se rendit à la fenêtre.

— Mets donc la table, Paulette, ça va te changer les idées! lui intima platement Florida.

« Elle est aussi bête avec moi qu'elle l'a été avec Simone », pensa Paulette en donnant sa liberté au petit félin. La Gardangeoise revenue dans ses affaires n'était plus la même. Elle régnait maintenant dans son royaume que des visiteurs inattendus avaient envahi. Et elle devrait les tolérer quelques heures, peut-être toute la nuit, si le temps ne se remettait pas au beau.

Grandbois avait offert un petit « réchauffant » à son voisin, et Marcel regardait la neige tomber à la fenêtre. L'adolescent se prit à imaginer la réaction de son père qui se retrouverait seul au magasin le lendemain. Manifestement, le marchand ferait une autre crise d'énervement et s'en prendrait injustement à lui pour avoir décidé de suivre son grand frère. L'année s'amorcerait donc mal pour l'épicier avec un personnel absent. Quoi qu'il en soit, Marcel avait bénéficié d'une balade à la campagne et il ne rentrerait pas à l'école après la fête des Rois. Cette pensée le rasséréna.

En essayant de cacher son trouble, Paulette avait pris les assiettes dans l'armoire et avait commencé à dresser les couverts pour sept personnes. De temps à autre, en se déplaçant autour de la table, elle regardait à la dérobée dans la cuisine. La tante Florida était toujours à ses crêpes et les hommes devisaient entre eux debout près du poêle. Bientôt, profondément remuée, Paulette fut reprise par des tourments. Que faisait Léandre qui ne revenait pas du poulailler ? Lui ferait-il encore des accroires ? Pourtant, elle avait pensé que l'amour avait refait son nid dans leur couple. Des scènes lubriques avec Azurine se déroulèrent dans sa tête. Enragée, elle regarda vers la tante comme pour s'assurer qu'on la verrait commettre le geste qu'elle allait poser et elle laissa tomber la septième assiette, qui se fracassa sur le plancher.

— Maudites mains de beurre ! explosa la ménagère. T'aurais pu faire attention, non ? Ramasse, asteure…

— Mets-toi à sa place, Florida, ricana Elzéar, ça doit la travailler de savoir que son *chum* est avec une autre au poulailler.

— Pantoute! rétorqua Paulette, en se penchant vers les éclats de vaisselle. Si vous pensez que…

La porte s'ouvrit. Azurine parut, la tuque de travers, le manteau déboutonné, une terrine d'œufs frais à la main. Léandre rentra tête baissée et secoua ses pieds sur le paillasson. Il toussota et leva les yeux vers Paulette avant de les porter sur son oncle.

— Avez-vous d'autres choses à faire, mononcle? demanda-t-il.

— C'est le temps de souper! déclara péremptoirement Florida. Ta blonde va ramasser son dégât pendant que nous autres on va s'asseoir.

La cuisinière alla dans le tiroir chercher une poignée d'ustensiles qu'elle distribua rageusement avant de retourner au poêle. Puis elle déposa une pile de crêpes au centre de la table et alla quérir une pinte dans l'armoire.

— Tenez, monsieur Descôteaux, dit-elle. Du bon sirop de votre sucrerie. Vous direz pas que vous êtes pas ben traités.

— Ah! Il y a pas de soin, madame Grandbois, répondit le voisin. Si ça vient de mes érables à sucre, c'est du garanti!

Paulette avait rassemblé les éclats et les fragments de porcelaine, et elle s'assoya à côté de Marcel avec une huitième assiette.

— Dis donc, le neveu, dit Elzéar, j'ai pas vu la Ford près de la maison. La tempête l'a enterrée, je suppose!

— C'est à peu près ça, mononcle, admit Léandre, avant d'enfourner sa première bouchée.

Il raconta ce qui s'était véritablement produit et le dessein qu'il avait de demander de l'aide pour désembourber la voiture et la sortir de son enfoncement. Paulette l'écoutait débiter des paroles qui émanaient tout droit de son honnêteté. Mais il fallait qu'il soit rendu à la dernière extrémité pour cracher la vérité! Elle s'empara à son tour de la pinte dont elle répandit le précieux liquide ambré sur les deux galettes étagées de son assiette. Entre deux fourchetées de pâte savoureuse imbibée de sirop, elle jetait un œil torve vers la jeune fille, qui levait parfois sur elle un regard insignifiant qu'elle reportait ensuite sur Léandre.

À la fin du repas, Florida aborda le sujet du coucher. Elle avait examiné la situation sur toutes ses coutures pour attribuer les lits à sa convenance. L'idée de séparer son neveu de sa Paulette lui avait titillé l'esprit, mais elle avait finalement résolu que Léandre et sa blonde prendraient la chambre à gauche en haut de l'escalier et que Marcel s'allongerait avec les Descôteaux sur des paillasses près du poêle. Ainsi, les voisins bénéficieraient d'une bonne chaleur, et le couple de Montréalais trouverait bien le moyen de se réchauffer dans les draps où avait dormi Simone.

L'eau de vaisselle tirée à bout de bras au bord de la galerie, Paulette avait gagné sa chambre. Une musique joyeuse parvenait à présent du piano mécanique et couvrait la conversation que les hommes avaient entreprise sur les entailles d'érables et les semences printanières. Marcel devait écouter avec son habituelle discrétion et Léandre avait dû se rapprocher de sa niaise. Paulette regretta d'être disparue du rez-de-chaussée et de s'isoler comme une ermite. C'est en se mordillant les lèvres qu'elle se rendit à la fenêtre. À travers les vitres givrées, ses yeux fouillèrent l'obscurité. Le vent se déchaînait entre les bâtiments, soulevait le coin du rideau et s'infiltrait dans la pièce. Elle frissonna et s'allongea tout habillée.

Léandre tardait à monter. Peut-être espérait-il qu'elle s'endorme avant qu'il gagne la chambre? Ou demeurait-il simplement près du feu pour être plus longtemps avec Azurine? Elle n'en savait trop rien. Mais son cœur se mit à se débattre comme si toute la rage accumulée s'était massée en boule dans sa poitrine et voulait éclater. À l'exemple de l'assiette qu'elle avait volontairement laissé tomber. Elle ferma les yeux. Quand la porte tournerait, sa silhouette paraîtrait dans la lumière diffuse qui jaillirait du couloir.

À ce moment-là seulement, elle écarquillerait les yeux et verrait son corps glisser sournoisement à son flanc comme un serpent. Léandre entra dans la pièce.

En proie à une agitation croissante, ses mains erraient dans les replis des couvertures. Son cœur battit de plus en plus fort. Ses lèvres muettes furent prises d'un léger tremblement. Empoignant les draps, elle se redressa vivement et mit le pied à terre.

— Non, Léandre Sansoucy! fulmina-t-elle, la lèvre tremblante. Si tu penses que tu vas venir te coucher avec moi après ce que t'as fait dans le poulailler avec ton habitante! Sors d'ici puis va t'allonger à côté de ta débauchée! s'écria-t-elle, en désignant dans le noir un point invisible.

Elle se jeta en larmes sur le lit, drapée dans ses épaisseurs.

Le visage ahuri, Léandre poussait inlassablement des «chut!». Guidé par les pleurs étouffés qui jaillissaient des ténèbres, il s'approcha du lit, courbant le dos sous la charpente. Dans un grand geste effaré, la tête ébouriffée, Paulette se découvrit et se releva.

— Si tu crois que tu vas me faire avaler ça, Léandre Sansoucy, t'as besoin de te lever de bonne heure! proféra-t-elle.

Elle s'assit brusquement sur le bord du lit et, reprenant une certaine contenance, elle poursuivit:

— Après tout ce que tu m'as fait endurer, je commence à me demander sérieusement si je serais pas mieux de retourner vivre chez mes parents, larmoya-t-elle. Ça fait ben des fois que j'y pense, mais là…

— On a rien fait de mal dans le poulailler, Azurine Descôteaux puis moi. Cette fille-là, c'est pas mon genre pantoute, tu sauras. À part de ça, elle est pas belle comme toi, puis elle est pas mal nounoune, si tu veux savoir.

— Tu dis ça pour essayer de m'amadouer encore, pleurnicha-t-elle. C'est moi que tu prends pour une nounoune, asteure.

Il lui caressa la chevelure en lui susurrant des paroles douce-reuses. Lentement, devinant le corps résolument dressé devant elle, Paulette posa sa tête embroussaillée sur les cuisses du jeune homme et, l'enveloppant de ses mains frémissantes, elle lui desserra sa ceinture et lui déboutonna lascivement son pantalon…

***

Le gros poing d'Elzéar Grandbois avait frappé dans la porte et Léandre avait sauté dans ses culottes pour aller à l'étable. Toute la maisonnée s'était rassemblée au déjeuner, la mine basse, le visage étiré par l'abomination : les abords de la maison et des dépen-dances étaient ensevelis sous des pieds de neige. On échafaudait des plans. Le voisin Descôteaux hasarda une proposition qui fut bien accueillie : on allait s'armer de pelles et atteler sa jument de labour à une charrue et se frayer un passage.

Durant la matinée, toute la compagnie s'employa au déblayage, jusqu'à parvenir au lieu de dérapage de la voiture, égarée dans l'emportement de la tempête. Parmi les piquets des clôtures de perche que la neige n'avait pas engloutis, on avait pu repérer une minuscule surface métallique luisant au soleil. La Ford gisait là ; elle attendait qu'on la tire de son mauvais pas.

Une fois le véhicule sorti de son lamentable encombrement, après le dîner où la tablée avait dévoré une partie des provisions, il fallait continuer le déneigement de l'allée pour atteindre le rang Séraphine. Secouant les guides sur la croupe de Trottinette, avec l'acharnement d'un laboureur rivé aux mancherons de la charrue, Descôteaux suivait le pas lent de sa grosse bête de somme aux naseaux fumants, tandis que les Grandbois entrevoyaient la fin des travaux en pelletant comme des forcenés pour relâcher les visiteurs avant la tombée du jour. Pour leur part, trop légèrement vêtus, les deux frères ne ménageaient pas leurs efforts pour se libérer des entraves de la tempête, ce qui les aidait à se réchauffer. Quant à Paulette, elle s'appuyait à tout bout de champ sur le manche de sa pelle de bois pour arborer un sourire condescendant à la grosse face de lune de la campagnarde qui ramassait la neige avec la vigueur d'un adolescent bien charpenté.

Le soir venu, les Descôteaux parvinrent à se rendre au bout de l'allée avec leur Trottinette attelée au berlot et à emprunter le rang pour ne plus revenir. Cependant, la journée était avancée et il paraissait fort hasardeux d'entreprendre un retour dans la métropole. Léandre et Marcel furent alors réquisitionnés pour le train, et Paulette pour accomplir quelques tâches ménagères sous la baguette de Florida, épuisée de son pelletage. Ce n'est donc que vendredi matin, après le soin des animaux et un copieux déjeuner de ses passagers, que la Ford allait s'élancer sur le chemin de la grande ville.

— Reviens-moi au plus sacrant avec mon *truck*! s'écria le fermier.

— Promis, juré! répondit Léandre, la bouche tordue.

Il cracha à terre et remonta la vitre de la portière, un sourire narquois fleurissant sur ses lèvres.

Après un long périple sur les routes partiellement dégagées, les voyageurs atteignirent Montréal au milieu de l'après-midi. La voiture se stationna dans la cour encombrée du garage d'Albert Simoneau. Salopette poisseuse sur le dos, le mécanicien sortit, la figure noircie, une clé à molette dans sa main huileuse.

— Il me semblait que j'avais entendu le ronron de ma machine, déclara-t-il d'un air soulagé. C'est ben loin, donc, Ange-Gardien, ricana-t-il. Il vous est rien arrivé, toujours?

— D'après ce que je peux voir, vous avez eu pas mal moins de neige que nous autres, commenta Léandre, éludant la question.

Le conducteur avait préparé sa réponse en faisant promettre à ses deux passagers de ne pas dénoncer l'embardée dont ils avaient été victimes. Avec ses phrases d'habile emberlificoteur, il rapporta les détails du voyage, les abondantes chutes de neige comme on n'en avait pas vu depuis dix ans, et le séjour forcé à la campagne à cause de la longue opération de déblayage. En écoutant distraitement le *chum* de sa nièce, le garagiste faisait le tour de sa voiture d'un œil sceptique, sans en relever la moindre égratignure, toutefois.

— J'ai pas commencé à réparer le *truck* de ton oncle, dit-il. Je lâcherai un coup de fil chez ton père dès que l'ouvrage sera fini. Pour le moment, je vais vous reconduire.

Depuis la veille au matin, Sansoucy et sa femme s'étaient désâmés afin de satisfaire l'insatiable clientèle. Le magasin était bondé de ménagères qui faisaient la queue à la boucherie et au comptoir, et les commandes à livrer s'étaient accumulées sur le plancher. Dans les files d'attente, les dames critiquaient le service qui se détériorait, mademoiselle Lamouche revendiquait le privilège de passer avant les autres avec son petit paquet et les plus mécontentes menaçaient de changer d'épicerie. Cependant, Émilienne, malgré l'enflure de ses jambes, faisait la sourde oreille et gardait le sourire.

Au moment où mademoiselle Lamouche allongeait les doigts dans son porte-monnaie, trois personnes parurent. Poussé par son grand frère, Marcel entra au commerce, le pas hésitant, la gorge arrachée par une quinte de toux opiniâtre qui le pliait en deux.

— Les v'là! s'écria Émilienne. Excusez-moi, mesdames, je vous reviens tout de suite.

La patronne délaissa sa caisse et s'approcha des revenants.

— On vous attendait plus, exprima-t-elle sur un ton désespéré. Voulez-vous ben me dire ce qui s'est passé? Ça fait deux jours que vous êtes partis! Paulette, on a été obligés d'appeler ton père pour lui dire que vous étiez pas revenus. Il a ressous à la maison après que vous soyez passés chez ton oncle Albert pour emprunter sa machine; il avait quelque chose d'important à te dire.

— Je m'en fiche pas mal, si vous saviez, madame Sansoucy, répondit Paulette avec insolence.

— Marcel, tu tousses ben creux, donc, constata Émilienne, oubliant la répartie de la jeune femme. Tu t'es encore promené la falle à l'air puis rien sur la tête, coudonc! Mais tu fais de la fièvre, dit-elle, en appliquant l'empreinte de sa main sur le front bouillant de son fils. Va prendre deux bonnes cuillerées de sirop Lambert puis va te reposer. Léandre, toi, t'es pas plus fin, regardez-le donc habillé comme en été, lança-t-elle à la cantonade. À part de ça, j'espère que vous m'avez pas rapporté de maladies de la campagne…

— Non, non, madame Sansoucy, rétorqua Paulette, c'est juste Marcel qui a attrapé une petite grippe; Léandre puis moi, on est ben corrects. Je vas vous aider à vous débourrer à la caisse.

Marcel amorça le pas pour quitter le magasin. Le boucher fendit les lignes de clientes et s'amena.

— Où c'est qu'il va, lui, donc? s'enquit-il, décontenancé. Marcel, reviens puis ça presse, brama-t-il.

— Le père, laissez-lui le temps de souffler un peu, cibole! plaida Léandre.

— Théo! Il est malade, cet enfant-là, intervint Émilienne.

— Laissez-moi *runner* ma *business* comme je l'entends. Mili, tu vois pas que ça déborde? Marcel va livrer les «ordres», puis il se couchera de bonne heure après…

— Je vas les faire, moi, vos livraisons! s'exclama Léandre.

Le mécontentement qui avait grondé dans les files s'était distillé et avait cédé la place au théâtre familial dont le spectacle inusité avait captivé la clientèle. Le boucher marmonna quelques jurons et regagna ses quartiers, tandis que Marcel gravissait les degrés qui menaient au logis.

La patronne avait repris son poste et, maintenant assistée de Paulette, elle savourait sa petite victoire sur son mari. Mais elle savait que la bataille engagée devant les clientes aurait des rebondissements à la maison. Mademoiselle Lamouche referma son porte-monnaie en adressant un sourire approbateur à l'épicière. La colonne s'ébranla vers la caisse. Les bras meurtris, madame Gladu déposa ses produits sur le comptoir et se pencha à l'oreille d'Émilienne.

— Demain, c'est samedi, dit-elle. Si vous voulez que Réal junior rentre pour la livraison, gênez-vous surtout pas, madame Sansoucy.

— David nous a déjà dépannés, mais il travaille à l'atelier de son père demain ; mais avec Léandre et Paulette de retour, on devrait être capables de s'arranger, répondit la patronne. Merci quand même.

Le soir, lorsque le poids du jour s'allégeait dans la nuit, Théodore repassait dans l'amertume de son cœur les scènes dont s'étaient délectées les clientes. Manifestement, le reste de la journée, Émilienne l'avait esquivé. L'orgueil froissé, il souffrait en silence, les paupières refermées sur l'incident, puisant dans les réserves de son bonheur pour oublier. Après tout, Léandre et Paulette étaient revenus, et son nigaud ne tarderait pas à se remettre sur pied.

Chapitre 3

— Salut, Théo! lança Philias Demers, en faisant tinter joyeusement la clochette de l'épicerie.

— Salut, vieille branche! T'es ben de bonne heure pour un samedi matin!

L'échine pliée, Léandre dépaquetait des caisses et remplissait des tablettes. Son retour de la campagne avait retardé et, à la suite de ses déboires à *La Belle au bois dormant,* il avait voulu démontrer à son père ses excellentes dispositions. Il avait franchi le seuil du commerce avant les coups de huit heures, avant même que sa mère et Paulette viennent compléter le personnel disponible ce jour-là. La veille, il avait expédié la livraison avec toute la diligence dont il était capable. Mais la besogne avait été fastidieuse et il rêvait d'améliorer les conditions de travail des livreurs de commandes.

Il écoutait sans étonnement la conversation entre les deux hommes plantés près de la vitrine qui s'échangeaient des vœux pour la nouvelle année quand une idée lumineuse affleura à la surface de son esprit. Son regard se porta sur Demers. «Avec le *truck* de mononcle Elzéar, ce serait plaisant de livrer les "ordres"», pensa-t-il.

L'épicier s'excusa auprès de son ami et gagna sa boucherie. Demers amorça un mouvement pour sortir.

— Monsieur Demers!

— Oui, jeune homme, comment vas-tu? Ton père me disait justement qu'il était heureux que tu aies décidé de revenir au magasin. Mais il paraît que t'as fini tard hier soir parce que t'as livré à la place de Marcel qui a attrapé une bonne grippe.

— Ah! Je voulais seulement vous saluer, comme ça, ricana-t-il.

Le fils de l'épicier compléta ensuite le dépaquetage prévu. Les commandes à livrer ne tarderaient pas à affluer.

Toute la journée, Léandre fignola le projet de sa boîte à fantasmes. Il devait d'abord convaincre Paulette de s'approprier le Fargo en réparation de son oncle Elzéar. Ses parents ne devant se douter de rien, au terme de ses heures de travail, il se rendit à la pharmacie Désilets pour téléphoner. Albert Simoneau l'attendrait à son garage le lendemain matin. Au souper, il en causa avec ses colocataires.

— Quand est-ce que tu vas arrêter de manigancer de même ? ironisa David.

— Asteure que le *truck* de mononcle Elzéar est en ville, il va servir à quelque chose d'utile, persifla-t-il.

— Tu fais ben, commenta Simone. Elzéar puis Florida m'en ont assez fait arracher, tant pis pour eux autres !

Paulette avait écouté l'exposé de son Léandre, mais elle s'était gardée de mettre son grain de sel, tout en étant incapable d'éloigner les inquiétudes qui assaillaient son esprit avec insistance. Elle s'attendait à ce qu'il lui demande une aide pécuniaire. Mais qu'à cela ne tienne, elle ne pouvait rien lui refuser…

* * *

Au petit matin, elle se réveilla en allongeant vers lui sa main leste.

— Arrête de virailler de même, Léandre, c'est dimanche et il est juste cinq heures !

— Je suis plus capable de dormir, dit-il, en écartant les couvertures.

Il se leva prestement et se rendit à la cuisine. Elle s'étira dans son lit et alla le rejoindre pour déjeuner. Après une toilette bâclée, ils s'habillèrent et quittèrent le logement.

D'un pas résolu, ils se pressèrent dans Adam et remontèrent Bourbonnière jusqu'à Ontario. De là, ils atteignirent un petit poste de taxis. Un homme semblait endormi dans son véhicule en marche, une casquette lui couvrant les yeux. Léandre cogna dans la vitre et réveilla le chauffeur, qui les conduisit chez l'oncle de Paulette.

En raison de la demande pressante de Léandre, le mécanicien-débosseleur s'était trouvé de l'aide pour pousser le Fargo dans le garage sitôt le téléphone raccroché. Il avait un peu bougonné son désaccord vu qu'on lui demandait de travailler le dimanche, mais dans les circonstances, pour accommoder Léandre, il ferait exception. Revêtu d'une salopette, l'apprenti assistait le garagiste en fournissant au besoin les indispensables outils pour remettre en bon état la mécanique du camion, alors que Paulette essayait de suivre l'évolution des travaux en posant quelques questions pour se montrer intéressée. L'avant-midi achevait quand un homme à l'air fâché entra sans frapper et s'avança vers le véhicule en réparation.

— Popa! s'étonna la jeune femme.

La tête enfouie sous le capot, l'oncle faisait mine de rien. Paulette braqua sur lui des yeux réprobateurs et se tourna vers son père.

— Ta mère et moi, on aurait aimé que tu sois plus polie au jour de l'An; c'est à peine si tu nous as regardés, sermonna Landreville. Comme si on était de purs étrangers! En plus, t'aurais pu nous rappeler à ton retour d'Ange-Gardien. C'était inquiétant pour des parents de voir s'aventurer leur enfant à la campagne avec un conducteur inexpérimenté, ajouta-t-il, en toisant Léandre.

Landreville s'arrêta, sondant le cœur de sa fille, et poursuivit.

— Je ne sais pas si monsieur ou madame Sansoucy t'en ont parlé, mais ta mère et moi, on serait prêts à envisager ton mariage.

— Ben d'abord, parlez-y, à mon *chum*, il est juste là, à côté!

Le visage décomposé, Léandre releva lentement la tête et considéra la triste physionomie de l'homme.

— C'est asteure que vous nous annoncez ça, monsieur Landreville, lâcha-t-il. Si vous nous aviez dit ça avant, ça aurait évité ben des problèmes. Mais au point où on en est rendus, on va y penser.

Conrad Landreville piétina encore un moment sur le ciment du garage, à errer autour du camion. Puis, réalisant qu'il n'avait rien de plus à tirer ce jour-là, il remercia son beau-frère de l'avoir prévenu de la visite anticipée de sa fille et disparut. Son père parti, Paulette s'approcha de Léandre.

— Qu'est-ce que t'en penses vraiment? demanda-t-elle.

— On va en reparler; pour le moment, ma priorité, c'est le *truck*! répondit-il sèchement.

Simoneau voulait en finir au plus tôt. Une heure avait sonné et, sans s'accorder de pause pour dîner, il s'était attaqué à la carrosserie. Cependant, au fur et à mesure que le travail progressait, Léandre s'irritait de la lenteur de l'ouvrage. Le souper approchait et il lui semblait que le débosselage prenait trop de temps pour redonner au véhicule un aspect convenable. À croupetons, le garagiste n'en finissait plus de lisser de sa main la tôle légèrement endommagée d'une portière. L'impatient fit une dernière fois le tour du camion et s'immobilisa près du travailleur.

— C'est à croire que vous voulez faire du neuf avec du vieux! ricana-t-il.

— J'ai pas l'habitude de cochonner mes *jobs*, mon garçon.

— Ben, si ça vous fait rien, cette fois-ci, ça va être beau de même.

— Bon, écoute, si tu penses que ton oncle Elzéar va être content de voir que la plupart des poques sont disparues, qu'il va être capable d'endurer les traces de sablage, puis d'accepter que j'aie pas remis de peinture sur les grafignes…

Léandre décocha une œillade à Paulette et tous deux s'isolèrent derrière le camion pour conférer secrètement. Elle fouilla dans son sac à main et lui tendit des billets. Pendant qu'il allait régler en espèces sonnantes avec le garagiste, elle rentra pour téléphoner au logement des Sansoucy. Le couple s'invitait au souper du dimanche.

Presque toute la grande maisonnée était rassemblée dans la salle à manger. Bien entendu, Édouard soupait chez les parents de Colombine. La fille du notaire avait accepté de fêter le jour de l'An avec sa future belle-famille, en faisant bien comprendre à son fiancé que ce genre de rencontre lui déplaisait suprêmement et qu'on ne la reprendrait pas de sitôt à frayer avec elle. Émilienne avait confiné Marcel, incommodé par une toux persistante, dans sa chambre. «Tu prends du mieux, mais t'es pas pour tousser dans la face du monde!» lui avait-elle dit, en lui faisant avaler sa deuxième cuillerée de sirop Lambert, contrairement aux recommandations d'Alphonsine qui aurait cassé la grippe de son neveu avec des ponces de gin. «On est pas pour en faire un robineux!» lui avait rétorqué Émilienne. Simone, elle, avait consenti à descendre chez ses parents. Les jambes allongées, elle avait vu s'écouler le jour du Seigneur en feuilletant sans intérêt des magazines alors que David, stimulé par la carrière de Joe Louis, avait assisté à des combats de boxe pour ne pas s'ennuyer à mourir avec sa femme.

De connivence avec son neveu, les joues gonflées de plaisir, Alphonsine répartissait le liquide vermeil dans les coupes. Léandre savait que sa tante avait un petit penchant pour le Saint-Georges rouge, qui se mariait si bien avec le rôti de porc que sa mère mettait au menu du dimanche. Les convives étaient assis et le bénédicité, récité.

— Pourquoi du vin ce soir, Phonsine? s'enquit l'hôte de la maison. On vient d'en prendre au jour de l'An.

— Demande à Léandre, c'est son idée, répondit-elle.

Le jeune homme se racla la gorge, se leva et prononça :

— Ce soir, il y a un grand événement à souligner. À compter de mardi, je vas livrer les commandes en camion ; avec le *truck* d'Elzéar, s'il vous plaît !

— Comment ça, c'est la première nouvelle que j'en ai ? s'exclama Sansoucy. Puis qui c'est qui va payer pour, tu penses ? ajouta-t-il, médusé.

Avec sa verve et son audace habituelles, Léandre expliqua qu'il avait fait l'acquisition du véhicule dont l'habitant avait voulu se débarrasser en attendant de s'en procurer un autre le printemps venu. La livraison serait par conséquent plus rapide et se ferait beau temps, mauvais temps, en déployant le minimum d'effort. Et il leva son verre à la santé de l'épicerie Sansoucy.

Marcel surgit de la chambre, le visage hagard sous sa chevelure broussailleuse.

— Puis moi, Léandre, m'as-tu oublié là-dedans ? clama-t-il d'une voix éraillée. J'ai pas l'intention de retourner à l'école ou de me chercher une autre *job*…

— Crains pas, mon homme, toi puis moi on va se partager la livraison et le travail au magasin. Pour les commandes les plus proches et les moins pesantes, c'est toi qui vas les faire avec ton triporteur, puis les autres, ça va être moi avec le camion. Par contre, dit-il, en sollicitant une réponse positive de son père, il y a juste un petit détail qui reste à régler : quelqu'un devra payer le gaz…

Le commerçant mâchonnait sa moustache et ses yeux erraient sur la nappe blanche.

— Ouan ! C'est peut-être ben une bonne idée, exprima-t-il, la voix bredouillante.

— En tout cas, pensez-y, le père. Faut chercher à se moderniser parce que la concurrence va nous rentrer dedans puis on va finir par vivoter et disparaître. Rappelez-vous, à l'automne, des épiceries avaient commencé à grignoter notre clientèle, puis vous aviez pas aimé ça. C'est le temps plus que jamais de montrer qu'on existe et qu'on veut aller de l'avant. Prospérer ou mourir, le père !

Une fois de plus, l'épicier avait réalisé que son fils ne se nourrissait pas que d'idées saugrenues et qu'il pouvait émettre des propositions pleines de bon sens pour assurer la pérennité de son commerce. Et quant à laisser aller son magasin à la dérive, il le défendrait comme une fille intègre sa vertu, au nom de l'honneur et pour le bien-être de sa famille.

Le soir même, retiré dans son logement, Léandre rédigea une lettre à son oncle Elzéar, l'informant que le Fargo changeait de vocation parce qu'il s'en portait acquéreur pour les commandes d'épicerie. À la brève missive adressée sur un ton impertinent s'ajoutait une somme rondelette de cinquante dollars, puisée à même les économies de Paulette.

Et le lendemain, jour de l'Épiphanie, les commerces étant fermés, Léandre, Paulette et David se baladèrent comme des rois dans les rues de la métropole.

* * *

Les bras croisés sur son tablier, Sansoucy était planté devant sa vitrine et fixait le camion de livraison d'un œil perplexe. « Prospérer ou mourir ! » se répétait-il, en se rappelant les paroles percutantes de Léandre. Même si son fils ne lui avait parlé que de l'essence à payer, l'épicier se doutait bien que des dépenses reliées à l'entretien du véhicule s'ajouteraient. En revanche, cela lui permettrait-il d'augmenter sensiblement son chiffre d'affaires ? Il était à évaluer ces considérations quand son ami parut sur la devanture et se mit à reluquer le camion comme une curiosité. Philias Demers entra et s'adressa à lui :

— Ton poitrinaire est revenu aujourd'hui !

— Je suis pas mal raplombé, monsieur Demers, s'interposa Marcel. C'est ma tante Alphonsine qui m'a soigné avec des ponces de gin au miel chaud parce que le sirop Lambert m'empêchait pas de tousser comme une consomption, qu'elle disait.

— Ah ! ta tante Alphonsine, s'étonna Demers. Je la vois de temps en temps passer sur le trottoir et monter chez vous quand elle revient du magasin de coupons. Elle a l'air d'être pas mal fine. Coudonc, c'est à qui, cette minoune-là ? s'informa-t-il, en levant le menton vers la rue.

— C'est notre camion de livraison, répondit le boucher. Pour rien te cacher, c'est l'ancien *truck* de mon beau-frère.

— Dans ce cas-là, si c'est pour livrer des « ordres », tu pourrais lui faire poser une boîte chez Adélard Tousignant.

Cigarette aux lèvres, Léandre faisait le tri parmi les fruits et les légumes trop blets au lendemain des Rois. Il se tourna vers Paulette pour s'assurer qu'elle avait raccroché le cornet acoustique et qu'elle écouterait son commentaire. Il déposa sa cigarette et s'exprima :

— Maudite bonne idée, le père, une boîte de *truck*, ça mettrait le stock à l'abri de la neige et du mauvais temps, puis les petites madames seraient ben plus contentes ! débita-t-il, l'air convaincant.

— En tout cas, je vas en glisser un mot tout à l'heure à Gérard Tousignant, poursuivit Demers. C'est lui qui a pris la relève de son père quand il est décédé l'an passé. Des fois qu'il te ferait un bon prix.

Demers prit son ami Théodore à part et le questionna sur la marchande de tissus. « Ça fait une secousse que je la remarque ; je la trouve pas mal ragoûtante, tu sais ! » lui confia-t-il. Au comptoir-caisse, Émilienne se doutait que le sujet de conversation avait glissé du camion à sa sœur. À la première occasion, elle allait en causer avec son mari.

L'ami prit congé. Le boucher amorça le pas vers la glacière. Sa femme l'apostropha et lui arracha le petit secret. « C'est pas un homme pour Phonsine, elle pourrait trouver ben mieux que ça, si elle le voulait ! » commenta-t-elle.

Chaudement habillé, Marcel regardait avec une angoisse grandissante les boîtes s'accumuler sur le plancher. Il sentait les regards furtifs que sa mère et Paulette jetaient vers lui et, sans voir son père, il devinait qu'au fond du magasin la pression du boucher augmentait à le voir tergiverser. « Il faut ben que je me décide à embrayer ! » se dit-il, en se remémorant le fâcheux accident dont il avait été victime. Comme convenu, son frère Léandre avait chargé plusieurs caisses et lui avait laissé les moins lourdes et les plus proches à livrer. Les mains tremblantes, Marcel souleva une boîte, poussa dans la porte et la déposa dans son panier. L'instant d'après, il enfourchait son triporteur et roulait sur le trottoir.

Léandre venait d'expédier ses premières livraisons en camion. Animé d'un zèle empressé, il avait gravi des escaliers, frappé à des portes avec un sourire enjôleur en offrant à la cliente de mettre la commande sur la table de cuisine. « Je salirai pas votre beau plancher ciré, madame, leur disait-il, j'ai juste à enlever mes claques ! » Chaque fois, le charme produisait son effet et, chaque fois, il quittait le domicile d'une autre dame comblée. Mais sa diligence avait aussi son intérêt.

Après s'être délesté de toutes ses boîtes, il alla garer son Fargo à la place Jeanne-d'Arc. Une affiche « À vendre » attira son attention. Puis il entra chez le carrossier Tousignant. Des odeurs fortes de laque, de peinture et de solvant s'échappaient dans l'atmosphère bruyante et poussiéreuse de l'atelier. Des employés de l'entreprise s'affairaient à construire une charpente sur le châssis d'une camionnette. À l'intérieur d'un petit local vitré qui devait servir de bureau, Philias Demers s'entretenait avec un type d'allure imposante, élégamment vêtu d'un complet marron et d'une cravate brune. Le fils de l'épicier s'amena vers eux.

— On n'est pas débordés d'ouvrage comme dans le temps que mon père *runnait* la *business*, expliqua monsieur Tousignant, mais avec le petit nombre d'employés on va être obligés de travailler le soir et les fins de semaine.

L'homme extirpa de la poche intérieure de son veston une montre retenue par une chaînette en or.

— Je vais prendre deux minutes pour aller voir votre camion, si vous le désirez.

Les trois hommes sortirent de l'atelier et devisèrent à côté du Fargo. Demers plaida en faveur de Léandre afin d'obtenir un prix réduit pour les matériaux. D'ici à ce que le commerce soit vendu, Tousignant avait dû procéder à des congédiements, et il se devait de garder le moins d'engagés possible pour honorer les contrats. En moins de deux, une entente fut conclue par un cordial serrement de mains.

* * *

Marcel avait surmonté son appréhension de reprendre le guidon de son triporteur. Aux premiers tours de jantes, comme un funambule posant le pied sur le câble tendu de ses craintes, il avait lutté contre la gravité de son malheureux souvenir, ne sachant pas trop s'il parviendrait à destination. Mais conforté par la troisième roue qui le maintenait en équilibre, il avait sillonné les rues du quartier en ne circulant pas au milieu du pavé et en redoublant de prudence aux intersections.

Léandre avait livré les commandes avec un joyeux empressement. Désormais, son emploi à l'épicerie n'avait plus la même résonance. Il partageait son temps entre le magasin et la route, et, par le fait même, outre la variété du travail qui lui plaisait, il diminuait d'autant les risques d'affrontement avec son père. Un jour, entre deux tournées, d'inévitables tensions surviendraient entre les deux hommes. Pour l'heure, la journée de labeur s'achevait. Paulette venait de remonter. Marcel insérait les cartons vides les uns dans les autres en prévision des prochaines commandes. À grands coups de moppe, le commis essuyait le plancher des empreintes *slocheuses* et le patron ôtait son tablier en regardant sa femme vider le tiroir-caisse. Il se tourna vers son fils.

— Damnée saloperie d'hiver ! bougonna-t-il.

Léandre ramena vers lui sa serpillière et l'essora au-dessus du seau avant de répondre.

— Vous êtes mieux de vous habituer, le père, on est juste au mois de janvier !

— On fait pas d'omelette sans casser des œufs, Théo, commenta Émilienne. Si tu veux du monde à ton commerce, faut que t'endures les pistes puis les flaques. À part de ça, t'as pas à chialer, tu passes ton temps dans ta boucherie tandis que Paulette puis moi, on a ça dans la face toute la journée…

— Coudonc, Léandre, ça prend-tu ben du gaz, ce *truck*-là ? se radoucit l'épicier.

— Pas tellement, le père, c'est ben raisonnable, ça vous coûtera pas ben cher.

Sansoucy avala la réponse de son fils, mais demeurait tracassé par ce qui adviendrait des dépenses reliées au véhicule. Son regard se fixa sur le plancher.

— En tout cas, contente-toi pas de torcher si tu veux que ça ait l'air propre !

Sur ces entrefaites, Philias Demers entra et referma la porte en faisant vibrer les grandes vitres de la devanture.

— Ça marche! lança-t-il.

Des employés du carrossier Tousignant avaient accepté de fabriquer la boîte du camion. À plus ou moins brève échéance, ils risquaient de se retrouver sans travail. Ils profiteraient de la petite manne qui passait. Bref, le camion était attendu dès le lendemain soir. Léandre exultait. Le véhicule serait immobilisé à l'atelier pendant quelque temps, mais sa patience serait récompensée. Sansoucy ne l'entendait pas ainsi. Il ne voyait pas comment son fils ferait pour assumer les coûts inhérents à ce «revampage». Les dettes de Léandre s'accumulaient. Aux primes d'assurance à payer pour la feue *Belle au bois dormant* s'additionnaient à présent l'achat du camion et sa métamorphose en véhicule de livraison.

La physionomie riante, Demers s'approcha de la patronne. Il s'accouda au comptoir et prit un ton de confidence:

— Accepterais-tu, Émilienne, de me présenter à ta sœur Alphonsine? soupira-t-il, d'une voix doucereuse.

— On dirait que tu me fais une demande en mariage, badina Émilienne. J'aime autant te le dire tout de suite: c'est NON! Si j'étais toi, mon cher Philias, continua-t-elle, plus sérieuse, je me ferais pas trop d'idées d'avance. Comme je l'ai déjà dit à Théo, je peux me tromper, mais je pense pas que t'es ben ben son genre. En tout cas, essaye-toi, ça l'engage en rien. Si ça peut te faire plaisir, viens jouer aux cartes avec nous autres, ce soir. On va ben voir ce que ça va donner. En passant, si tu veux mettre toutes les chances de ton bord, habille-toi un peu plus *swell*. Phonsine va avoir moins peur, termina-t-elle, en s'esclaffant.

— Je suis toujours ben pas pour la courtiser au magasin de coupons, me morfondre dans ma chambre, ou l'aborder sur le trottoir. Je sais pas vraiment jouer puis j'haïs ben gros les cartes, mais si c'est le seul moyen qui existe sur la terre pour la rencontrer, je suis prêt à le faire.

Des préoccupations avaient ombragé l'esprit d'Émilienne. L'homme qu'elle venait d'inviter chez elle était porté sur la bouteille et Alphonsine ne dédaignait pas lever le coude non plus. Et cette abondante transpiration qui exsudait du personnage et qui le rendait difficile à supporter ! Mais sa peur inavouée d'assister, impuissante, au démembrement de la famille la tracassait davantage. Avec le départ de Placide, ceux de Simone et de Léandre, et bientôt celui d'Édouard, la maison se vidait de ses occupants. Cependant, les quatre sœurs Grandbois étaient toujours réunies sous le même toit. Et rien ne devait jamais les séparer…

Sept heures sonnaient à l'horloge grand-père de la salle à manger. Émilienne avait prévenu la maisonnée que Philias, l'ami de son mari, se joindrait à la compagnie. Le jour, il furetait chez le carrossier Tousignant avant de faire un crochet à l'épicerie et, le soir, le veuf avait besoin de voir du monde plutôt que de s'enfermer dans sa chambre chez sa fille. Elle avait précisé à ses sœurs qu'elle avait eu pitié du pauvre hère et qu'elle l'avait invité au logement pour une partie de cartes.

Demers remit son paletot et son chapeau à Irène, replaça les cheveux qui lui entouraient le crâne. Il s'était endimanché d'un habit sombre trop ample, mais le nœud de sa large cravate était irréprochable. Comme le collégien qui ressent ses premiers émois amoureux, il s'avança timidement dans la cuisine, un sourire s'entrouvrant sur sa bouche presque édentée. Trois places étaient occupées et une chaise supplémentaire avait été disposée à côté de celle du quatrième joueur. Émilienne avait décidé de la formation des équipes. Alphonsine aiderait le novice à se dépêtrer dans son jeu. Sansoucy procéda à de brèves présentations et le visiteur s'assit.

— Comme t'es pas ben bon aux cartes, Philias, si on veut avoir un peu d'agrément, Phonsine va t'assister, lança Émilienne.

Héloïse, jumelée à Émilienne, avait annoncé « neuf cœurs ». Demers ramassait lentement les petits cartons que distribuait son coéquipier Théodore, sans parvenir à les tenir en éventail entre le pouce et l'index. Alphonsine se pencha vers le malheureux.

— Vous êtes ben maladroit, donc, monsieur Demers, donnez-moi donc ça, que je mette de l'ordre là-dedans, dit-elle, en s'emparant du jeu.

Le visage d'Alphonsine se plissa et elle se redressa aussitôt, incapable de supporter l'odeur de l'homme. Elle se tiendrait droite sur sa chaise. De loin, son œil d'aigle détecterait des fautes. Tant pis ! Elle ne prodiguerait ses conseils qu'en cas d'extrême nécessité.

— Monsieur Demers va passer, déclara Alphonsine.

Peu compatissante envers Philias Demers, Émilienne avait résolu d'administrer une leçon à ses adversaires. Elle leur ferait mordre la poussière.

Les choses allaient mal pour Sansoucy et son ami. Ils n'avaient remporté aucune levée et la première partie tirait à sa fin. Émilienne jeta sa dernière carte. C'en était fait pour Sansoucy et Demers.

— T'es ben sans-dessein donc, Philias, où c'est que t'as appris à jouer de même ? brama l'épicier, en abaissant un coup de poing sur la table.

— Ben là !

— Mauvais perdant ! proféra Héloïse.

— On est pas pour se chicaner, intervint Émilienne. Irène, apporte la liqueur ! lui intima-t-elle.

L'aînée sortit un gros contenant de Kik Cola et revint les mains chargées de verres qu'elle distribua aux joueurs. On entendit des couinements rythmés de ressorts qui émanaient de l'appartement au-dessus. Le visage d'Émilienne s'empourpra en pensant à Léandre et Paulette.

— Apportez-moi le balai, quelqu'un! commanda-t-elle. Ça bardasse pas mal en haut.

Irène s'élança vers le rangement, empoigna le long manche et le donna à sa mère, qui asséna trois bons coups dans le plafond de la cuisine. Puis elle entraîna son monde au salon.

Sansoucy engagea la conversation sur la politique provinciale avec son ami. «J'aurais dû m'en douter», se dit Émilienne. Héloïse, Alida, Irène et Émilienne se jetèrent des regards ennuyés et commencèrent à bavarder entre elles. Cependant, Alphonsine, qui avait pris soin de s'éloigner du soupirant, était assise en face de lui. L'homme la fixait en levant vers elle des yeux intéressés à chaque gorgée de cola qu'il prenait, ce qui ne semblait pas lui déplaire.

— Viens-tu, Phonsine? On va retourner à côté, ça doit être plus tranquille, asteure.

— Je vas rester au salon quelques minutes, répondit-elle.

Les autres se déportèrent dans la cuisine.

— Voulez-vous ben me dire ce qui lui prend? demanda Émilienne. Phonsine connaît rien en politique.

— Mieux vaut tard que jamais! Elle a ben le droit de se renseigner, commenta Héloïse.

— Le pauvre monsieur dégage une de ces odeurs, mentionna Alida.

— C'est un problème qui se corrige, dit Irène. Il existe des produits pour ceux qui transpirent.

— Elle doit l'énerver beaucoup, ricana Héloïse. Le veuf doit se laver une fois par semaine. En tout cas, elle fera ben ce qu'elle voudra, Phonsine. Quant à moi, j'aime mieux mourir vieille fille que de m'acoquiner avec ce bonhomme-là.

Chapitre 4

Émilienne s'était royalement fourvoyée. Le penchant d'Alphonsine pour le quinquagénaire ne se démentait pas. «Pour une fois que quelqu'un s'intéresse à moi!» avait-elle rétorqué à sa sœur. Pendant des années, elle avait désiré en secret de rencontrer l'âme sœur, mais tous ses espoirs ne s'étaient traduits qu'en illusions. Et maintenant, quelqu'un soupirait pour elle et semblait lui accorder de l'importance. Le prétendant lui aussi ne démordait pas : il paraissait à présent tous les jours au magasin et s'informait à Théodore de sa belle-sœur, au grand dam d'Émilienne.

Léandre s'encourageait. Ses journées complètes à besogner à l'épicerie achevaient. Le plus souvent, il se rendait lui-même chez le carrossier pour voir les transformations que son véhicule subissait. Puis, lorsqu'il voyait Demers, il discutait avec lui de l'avancement des travaux sur le camion de livraison.

— Quelques soirs de plus et le Fargo va quitter l'atelier Tousignant, monsieur Demers.

Le téléphone résonna. Émilienne s'était éloignée de sa caisse deux petites minutes. Paulette décrocha l'appareil.

— C'est pour toi, Léandre : ton oncle Elzéar, on dirait, grimaçat-elle, en lui tendant le cornet acoustique.

Au bout du fil, une voix reconnaissable régurgitait des injures pendant qu'une autre, plus distante, grondait derrière. L'oncle venait de recevoir le pli de son neveu qui l'avisait de l'achat du camion sans son consentement. Il n'avait qu'à prendre la démarche au sérieux : un acompte de cinquante dollars en faisait foi.

Deux clientes s'étaient retournées vers le commis, ayant deviné son malaise. Léandre raccrocha la ligne au nez de Grandbois.

— C'est un malcommode qui vient d'appeler pour sa commande, transmit-il. L'autre jour, j'ai livré rapidement parce que j'avais mon *truck*. Marcel fait son gros possible en bicycle, vous savez. Tout le monde n'est pas aussi compréhensif que vous, mesdames, dit-il, sur un ton légèrement flagorneur.

Les campagnards s'étaient indignés. Cela n'avait pas empêché, quelques jours plus tard, de voir le camion se pavaner dans les rues du quartier, superbement orné d'inscriptions en lettres dorées. Cigarette aux lèvres, le livreur parcourait le territoire, faisant tourner les têtes vers le Fargo qui, dorénavant, ferait partie du paysage quotidien. De temps à autre, il saluait avec ostentation le conducteur d'une voiture à cheval ou ralentissait pour contempler la démarche gracile d'une belle silhouette, arborant un sourire de complaisance, comme s'il s'agissait de mettre en valeur son auguste personne. Mais rien ne le flattait plus que de réaliser qu'on l'avait reconnu en lui renvoyant civilement un petit signe de la main.

Certes, le service de livraison avait augmenté son efficacité. La marchandise parvenait à destination moins d'une heure après le coup de téléphone d'une cliente ou le départ de Léandre du magasin. Si toutefois, pour une raison ou pour une autre, l'acheminement des denrées accusait un retard, Léandre se confondait en excuses respectueuses, justifications inutiles ou explications oiseuses. Car le coursier étirait parfois un peu ses délais en faisant un arrêt pour siroter un Coke ou prendre un café. Pour l'heure, personne ne s'en plaignait, on n'avait jamais eu autant de commodités des épiceries du voisinage. Avec un triporteur et un camion, les fils de Sansoucy devenaient aussi fiables que les livreurs de pain, de lait ou de glace.

Un peu avant l'heure de la fermeture, le Fargo se gara devant la façade du magasin. Léandre descendit du véhicule, le verrouilla et entra en sifflotant. La dernière cliente de la journée venait de traverser le seuil. Elzéar et Florida étaient plantés là, derrière leur valise démodée, une tasse de thé bouillant à la main. Ils avaient les traits tirés et ils arboraient une mine massacrante.

— Tu te défileras pas de même, le neveu, on va mettre les choses au clair ! brama Elzéar Grandbois.

— Tu dois ben t'en douter : on est venus par les p'tits chars de la Montreal Southern, ajouta Florida. Vois-tu, quelqu'un nous a volé notre *truck* ! C'est ben commode, un *truck*, pour venir à Montréal quand on vient du fond de la campagne.

Théodore et sa femme se tenaient près du petit poêle à bois. Bouilloire à la main, Émilienne versait de l'eau dans sa tasse. L'épicier souffla sur le thé trop chaud et s'adressa à son fils :

— Qu'est-ce que t'as à dire pour ta défense ? demanda-t-il. T'as besoin d'avoir de maudites bonnes explications !

— J'ai pas volé le *truck* ! se disculpa l'accusé. Je l'ai acheté, c'est pas pareil pantoute. Ils ont fait une belle *job*, chez Tousignant, hein ? dit-il, l'air malicieux.

— Cibolac, Léandre Sansoucy ! s'emporta Grandbois. C'est quoi d'abord si c'est pas un vol ?

— Je vas vous rafraîchir la mémoire, mononcle, commença doucement le livreur. Rappelez-vous l'épisode des vacances forcées de Simone dans le rang Séraphine. Elle avait pas ben ben aimé ça qu'un vieux vicieux la regarde prendre son bain pendant que sa femme était allée chez sa sœur pour apprendre à faire des courte-pointes. L'avez-vous oublié, ça, mononcle ? Puis vous, matante, vous l'avez pas trop ménagée, ma petite sœur : vous l'avez traitée comme un chien en voulant la dresser. C'est juste si vous aviez pas un bâton pour frapper dessus quand elle faisait pas à votre goût…

Florida avait jeté un œil torve à son mari, mais elle abaissait à présent les paupières devant la violente diatribe qui l'attaquait.

— Il raconte n'importe quoi, le neveu, protesta Grandbois. Un vrai maudit menteur, que je vous dis.

Sansoucy et sa femme se regardaient, muets de stupéfaction.

— On va le demander à Simone elle-même, si vous me croyez pas! insista Léandre.

Le plus jeune des deux commis verrouillait la porte arrière du commerce.

— Marcel! s'écria Sansoucy, va dire à Simone qu'on l'attend en bas dans le magasin. Ça presse!

Tout le monde était sur le qui-vive et anticipait le pire.

— C'est pas à ma sœur de descendre! s'indigna Léandre.

Grandbois allait perdre contenance. Les mains tremblantes, il avala une lampée de thé et rétorqua:

— Tu dis n'importe quoi pour te venger parce que tu sais que je suis capable de te dénoncer: on le sait ben, ce qui s'est passé avec Azurine Descôteaux dans le poulailler, le soir du jour de l'An. Puis ça, comme je te connais, tu l'admettras jamais, le neveu!

— Vous l'avez fait exprès pour me mettre dans le pétrin, c'est vous qui m'avez envoyé soigner les poules avec elle, répliqua Léandre. D'ailleurs, je me suis déjà expliqué avec ma blonde, là-dessus. Pas vrai, Paulette?

— Je vas faire un arrangement avec toi, proposa le paysan: tu me donnes un autre cinquante piasses pour le *truck*, puis il est à toi. En seulement, demain matin à la première heure, tu viens nous reconduire à Ange-Gardien, Florida puis moi. Après on oublie notre chicane. Au printemps, je m'achèterai ben un autre bazou.

Décontenancé, l'épicier scruta les visages des deux antagonistes pour savoir où logeait la vérité, et reporta son regard vers sa femme, dont les yeux s'étaient embués de larmes. Sans mot dire, il contourna le comptoir et déposa sa tasse de thé. Puis il plongea la main dans le tiroir-caisse, en retira une liasse de petites coupures et la tendit sèchement à son beau-frère.

— Tiens, Elzéar, je veux plus entendre parler de ces histoires-là !

Grandbois considéra l'argent, mouilla son gros doigt et compta les billets.

* * *

Les Grandbois avaient regagné leur campagne, encore remués par le dénouement inattendu. Pour le couple, le déplacement s'était effectué dans un silence coupable, ressassant les paroles amères que leur neveu avait déversées. De plus, au volant de leur ancien véhicule, il les avait conduits comme une vulgaire marchandise avant de s'en débarrasser une fois rendus à destination. Mais, afin de ne pas s'embourber, le livreur avait largué sa cargaison dans le rang Séraphine, au croisement de l'allée qui menait à la maison. Avant de repartir à Montréal, l'œil malicieux, il les avait observés un moment, valise au poing, enfoncer le pas dans la neige.

Léandre rentra en ville, encouragé par la transaction singulière qu'il avait effectuée. Du coup, il avait régularisé sa situation avec l'oncle Elzéar et il pourrait se permettre d'utiliser le camion en toute impunité. Une fois de plus, il se tirait d'une situation hasardeuse avec une certaine élégance. Mais le périple de l'aller-retour avait dépassé la demi-journée ; il avait débordé sur l'après-midi.

Le coursier entra au magasin et jeta un regard furtif sur les boîtes entassées sur le plancher.

— Ah ! Enfin, c'est toi ! soupira Émilienne. Tu nous as fait du souci. Viens me donner un bec, mon grand.

— Je suis là, la mère, inquiétez-vous pas, asteure !

Il se pencha vers elle et l'embrassa sur le front. Paulette déposa le cornet acoustique, se pressa vers son *chum* et se pendit à son cou. Elle se souvenait de la route périlleuse en hiver et des risques courus à voyager seul. De son comptoir de boucher, Sansoucy avait soupiré à son tour en revoyant son fils intrépide. « Avec celui-là, j'aurai jamais la paix!» pensa-t-il. Cependant, le garçon avait un petit côté téméraire qu'il ne dédaignait pas. Grâce à lui, son nom circulait dans toutes les rues du quartier.

— À l'heure qu'il est, tu dois avoir une faim de loup, s'enquit Émilienne.

— Non, non, j'ai pris le temps de *luncher* dans un petit restaurant en m'en venant. Bon, asteure, je vas aller faire mes livraisons. Comme d'habitude, je vas laisser les plus proches et les moins pesantes à Marcel.

— J'aime autant te prévenir, recommanda Émilienne, chez les Bazinet, c'est le monsieur qui a *ordé* aujourd'hui. Il avait l'air pas mal chaudasse, le bonhomme.

Les commandes une fois chargées, le camion repartit. Les denrées s'acheminaient avec un peu de retard aux domiciles des clientes. Mais enfin! Personne ne devrait trouver à redire au délai causé par son voyage à l'extérieur de la ville. Si quelqu'un s'avisait de se plaindre, le livreur saurait quoi répondre. Il y a parfois des événements fortuits qui surviennent et qui entravent le cours prévisible des choses. Quant à la mère Bazinet, Léandre lui réservait une réplique incisive…

Il en fut tout autrement. La tournée achevait. Il ne restait que la commande à livrer chez Rolande Bazinet. Léandre avait résolu de faire attendre la dame et de la faire payer pour ses petites audaces et ses inconduites avec le boucher. D'ailleurs, il tenait ce petit côté rancunier de son père. Il ne se souvenait que trop bien de la fois où elle s'était présentée à l'heure de la fermeture après le départ de la patronne et de sa fameuse course en triporteur pour l'accommoder alors que, cette fois-là, Marcel revenait au magasin complètement vidé. Puis, durant la même période de temps, la cliente et son mari avaient tenté de lui rafler le logement de son père, logement qu'il occupait maintenant.

Le Fargo roulait dans Orléans. Du coin de Rouen, le chauffeur essayait d'entrevoir un endroit pour se garer. Sur le trottoir, à une centaine de pieds en avant, un curieux rassemblement se formait près d'une femme entourée d'objets hétéroclites. Le véhicule traversa l'intersection et s'immobilisa. Léandre sortit du camion et s'approcha de la misérable. Elle portait un manteau court en lainage et des bottes ourlées de fausse fourrure, et de ses yeux hagards coulaient des gouttelettes de froid.

— Voyons, madame Bazinet, qu'est-ce que vous faites là, sur le trottoir avec vos affaires, en plein hiver?

— Mon mari m'a foutue à la porte, expliqua-t-elle avec consternation. Quand il est en boisson, il est capable des pires colères et des gestes les plus épouvantables. Il a fait une commande en me disant que je n'avais qu'à attendre le *truck* de livraison dehors et repartir avec mes provisions pour pas ressoudre les mains vides chez ma sœur, elle qui est pas ben riche d'avance.

La porte du troisième étage de l'immeuble s'ouvrit sur le balcon. Bazinet sortit et, du bout de ses bras, le visage en furie, il lança une lampe torchère qui creusa le banc de neige près du camion.

— Tiens, s'écria-t-il, je l'ai jamais aimée cette maudite lampe-là! Fais-en ce que tu voudras…

— Mettez-vous en sécurité dans le camion, madame Bazinet, je vas charger votre stock. Espèce de malade! cria Léandre, en levant les yeux vers le balcon.

Le déchaîné avait refermé sa porte. Sous l'emprise de la peur d'un nouvel assaut, le livreur commença à ramasser les effets de sa cliente et à les disposer dans la boîte de son véhicule.

Le geste humanitaire du fils de Théodore Sansoucy lui avait inspiré la plus profonde gratitude. Pendant le parcours, Rolande Bazinet s'excusa du dérangement qu'elle causait et de ses petites insolences à l'épicerie.

Le camion bondé de vieilleries et d'objets disparates s'arrêta devant une maison basse de la rue Marquette. De la façade, couverte de bardeaux d'asphalte gris, dépassaient des morceaux de papier noir secoués par le vent. Le jour s'immisçait par deux étroites fenêtres et le toit plat semblait s'être effondré dans les pièces qu'il avait jadis abritées.

Avant de tout décharger, Rolande Bazinet attendait dans le véhicule que le fils de l'épicier s'assure d'une présence dans le taudis.

Une femme chétive aux cheveux trop courts accueillit Léandre de son regard ombrageux. Elle s'étira le cou vers la rue.

— Vous vous êtes trompé d'adresse, monsieur. J'ai pas commandé, puis de toute façon, « T. Sansoucy », ça me dit rien pantoute !

— Je vous amène votre sœur Rolande. Elle est dans le camion.

— Ah ! La Rolande, ça fait ben longtemps que je l'ai pas vue, elle.

Le livreur raidissait derrière son camion, le regard tourné vers la masure. À l'intérieur, Rolande Bazinet parlementait avec sa sœur. Après une vingtaine de minutes à poireauter dans le froid, Léandre vit la porte s'entrouvrir et commença le déchargement.

Le magasin s'était assombri comme le jour s'éteint à la fin d'un après-midi hivernal. Quelques ampoules éclairaient discrètement le comptoir. Émilienne faisait sa caisse et l'épicier inscrivait dans son grand livre les crédits de la journée.

— Coudonc, Léandre, étais-tu retourné dans le rang Séraphine ?

— C'est à cause de madame Bazinet, le père. Son mari l'a sacrée dehors. Elle m'attendait avec ses cossins au bord de la rue pour que j'aille la reconduire chez sa sœur sur la rue Marquette. Vous-même, le père, vous l'auriez prise en pitié…

— On a pas de misère à te croire. Pas vrai, Théo ? railla Émilienne, se rappelant la trop grande proximité de son homme avec la cliente.

— Madame Bazinet m'a souvent raconté son enfer avec son mari, acquiesça Théodore. Un ivrogne, c'est ben simple ! Il l'accusait de tous les torts, c'était toujours de sa faute à elle, jamais à lui. Vivre dans les accusations puis les reproches, moi je serais pas capable d'endurer ça.

Émilienne remplit son sac d'argent et gagna le logis. Se remémorant ses conversations plaisantes avec sa cliente, Sansoucy regarda pensivement vers la boucherie. Puis ses yeux se reportèrent sur son grand livre de comptes. Il devait faire son deuil de Rolande Bazinet. Vraisemblablement, il ne reverrait plus la dame entreprenante qui aimait s'attarder au comptoir des viandes en lui faisant de la façon.

Chapitre 5

Léandre voyait arriver les derniers jours de janvier 1936 avec appréhension. Les réparations du Fargo au garage de l'oncle Albert, le travail effectué chez le carrossier Tousignant et la prime d'assurance à honorer pour la défunte *Belle au bois dormant*, tout cela commençait à assombrir son front insouciant. Léandre et David assumaient leur juste part pour le coût du loyer, et les deux petits couples payaient la nourriture au prix du gros. Mais Paulette pressait son amoureux d'inventer un moyen de régler ses dettes. Elle était prête à allonger de l'argent pour le garagiste et la prime d'assurance. Cependant, la gentillesse de Gérard Tousignant n'effacerait pas ce qu'il lui restait à débourser.

Hubert Surprenant s'était présenté durant la journée pour réclamer son dû. Il avait rapporté que les choses s'annonçaient mal pour Maximilien Quesnel : la police avait trouvé un bidon d'essence sur les lieux du sinistre. En recevant son argent, il avait ajouté que, même si le propriétaire du restaurant était éventuellement reconnu coupable, Léandre devrait endosser ses responsabilités de payeur « jusqu'à la dernière cenne ». Ce n'est qu'en soirée que les événements allaient se corser et contraindre Léandre à prendre une importante décision.

Philias Demers était venu pour veiller au salon avec la tante Alphonsine. Avant de cogner à la porte du logement de son ami Théodore, il gravit le second escalier et frappa chez les colocataires.

Paulette laissa à Léandre le soin de répondre. Simone s'était endormie sur un magazine au salon et David était allé à un combat de boxe. Le fils de l'épicier parut dans l'embrasure.

— Vous êtes pas monté un peu trop haut, monsieur Demers ? blagua-t-il.

— J'ai justement affaire avec toi, mon cher Léandre.

Comme à l'accoutumée, Demers était allé le matin même chez le carrossier : les employés de Tousignant réclamaient leur rétribution pour la besogne effectuée par les soirs et les week-ends sur le camion de livraison. Le patron de l'entreprise avait refusé d'avancer l'argent à ses hommes ; il se fiait à la bonne volonté de Léandre Sansoucy. Le jeune livreur lui avait fait une impression favorable, il s'acquitterait sans doute de sa facture avant la fin du mois. Sinon, Tousignant rebondirait chez l'épicier et traiterait de l'affaire avec lui.

Paulette avait pressenti que la conversation la concernait. Elle s'avança vers Léandre, un sourire mat sur ses lèvres pincées.

— Comment tu vas faire pour payer ? demanda-t-elle, d'une voix mal assurée.

Il la prit par ses épaules rondes et plongea un regard pénétrant dans ses yeux.

— Ah ! non, Léandre, tu vas pas encore me quêter de l'argent, j'en ai presque plus de côté. Je peux pas toujours payer tes dépenses puis éponger tes dettes…

À mesure qu'il l'écoutait, un sourire envoûtant découvrait ses dents blanches. Elle redoutait une autre de ses petites machinations. Cette fois, elle lutterait pour la contrecarrer.

— Je sais ben que tu gagnes pas un gros salaire au magasin, dit-il.

Il se pencha et déposa ses lèvres sur les siennes en la serrant dans ses bras musclés.

— On va se marier.

— Je croyais que, balbutia-t-elle. Et puis c'est pas une vraie demande en mariage, ça. Je m'attendais à quelque chose de plus romantique…

Il l'entraîna vers le lit.

* * *

Au matin, la chambre était pleine de leurs ébats. Partout, des vêtements épars jonchaient le plancher chauffé par le logis du deuxième. Léandre dormait la bouche entrouverte et, les sens apaisés, Paulette réfléchissait. Après l'amour, il lui avait exposé sans scrupules son dessein. Monsieur Landreville n'aurait d'autre choix que de fléchir. N'était-ce pas lui qui encourageait le mariage après l'avoir si farouchement désapprouvé ?

Peu avant huit heures, avant même que Sansoucy et sa femme surgissent au magasin, Paulette s'était empressée de décrocher l'appareil et d'appeler chez ses parents. Saisie d'émotion, Gilberte Landreville était restée pendue au bout du cornet acoustique, sans voix, figée comme une statue de plâtre. Elle devait téléphoner à son mari pour lui annoncer la visite. Les tourtereaux étaient attendus pour souper.

— Entre donc, ma fille, t'es pas une étrangère !

La mère n'avait plus l'agitation coutumière. Elle avait perdu de cette énergie qui anime les êtres les plus enthousiastes et qui leur fait réaliser de multiples activités. Les derniers mois de distance avec sa fille lui avaient étiré les traits et ses yeux s'étaient enfoncés dans l'abîme des tourments. Quant à lui, le comptable au crâne dégarni avait conservé son air d'embaumeur, son front creusé de rides plus profondes semblait plissé en permanence, et toute trace de noir était disparue de ses moustaches touffues.

D'un geste mesuré, la ménagère apportait muettement les plats, tandis que son mari dépliait lentement sa serviette de table.

Paulette frétillait sur sa chaise et Léandre gardait les yeux sur son assiette. Personne n'osait entamer la conversation. L'hôte posa le carré de tissu sur son ventre.

— Asteure que vous êtes là, hasarda-t-il, dites-nous donc ce qui vous a décidés à venir. Après tout…

— Conrad! coupa sa femme de sa voix de crécelle, laisse-les donc parler.

— On va se marier! dévoila la jeune femme.

— Très heureuse de l'apprendre! exprima madame Landreville.

— Il était temps! commenta son mari. C'est plus normal de même. Si tu savais, Paulette, à quel point ta mère et moi on a pâti!

— On a repensé à notre affaire, commença Léandre.

Les choses avaient changé. Chacun travaillait à présent de façon régulière à l'épicerie et se disait dans de meilleures dispositions pour envisager le mariage. Ils admettaient avoir agi comme des ingrats et s'être éloignés. Le jeune homme misa sur son pouvoir de conviction en mettant en évidence le fait que Paulette n'avait pas vraiment de trousseau et qu'à la place un montant d'argent serait grandement apprécié. Finalement, en cette année bissextile qui devait leur porter chance, le jour des noces était fixé au samedi 29 février. L'échéance était proche; un mois serait suffisant pour les préparatifs. La question de la date une fois réglée, Léandre poussa l'audace plus loin.

— Seriez-vous prêts à nous donner le montant en avance? interrogea-t-il sur un ton doucereux. La transformation du *truck* de livraison m'a coûté un bras, vous savez!

— Ma fille n'est pas une marchandise qu'on échange contre une boîte de camion, s'indigna le comptable.

— Je ne vois pas pourquoi tu es si réticent, Conrad, tempéra sa femme. Ils ont des obligations à respecter, c'est tout. Tu cherches des puces partout où il n'y en a pas. A-t-on déjà vu !

L'homme ravala son désaccord, disparut et revint, un chéquier à la main. Puis il s'installa et, l'air contrarié, rédigea un chèque qu'il tendit à son futur gendre.

L'affaire était dans le sac. Durant les jours qui suivirent, Léandre alla régler son compte chez Tousignant. Cependant, il se voyait engagé sur la route incertaine du mariage alors que son cœur ne battait pas si fort pour sa boulotte. Quoi qu'il en soit, il lui restait à aviser la famille de ses intentions matrimoniales.

* * *

Entre-temps, l'idylle naissante entre Philias et Alphonsine commençait à se nouer. Sauf le dimanche, l'ami de l'épicier se rendait chaque jour au magasin de coupons pour raccompagner sa douce et, le soir, il disputait quelques parties de cartes avant de s'isoler avec elle au salon. Depuis quelque temps, émerveillée par la gentillesse qu'il lui portait, Alphonsine ressentait des bouffées de tendresse. Mais jamais elle n'avait pensé à s'unir à lui. Ses sœurs lui disaient qu'elle était naïve et qu'elle devrait s'ouvrir les yeux avant de s'engager plus loin dans une relation durable. Mais son prétendant ne l'entendait pas ainsi ; il était pressé de convoler. Il désirait se marier au plus tôt et le problème du logement se posait. Après avoir essuyé une rebuffade de sa fille – dont le mari avait menacé de s'en aller si une nouvelle belle-mère rentrait dans sa maison –, il se tourna vers son fils.

Un beau soir, son couple enveloppé dans l'intimité de la salle à manger, Demers dictait une lettre à son fils Fulgence par-dessus l'épaule d'Alphonsine. Du coup, la missive annonçait au cultivateur de Saint-Pierre-les-Becquets un mariage à l'été et sollicitait un hébergement. Alphonsine achevait de rédiger son brouillon. Émilienne surgit de la cuisine, cogna au chambranle et s'approcha avec des galettes à la mélasse.

— Coudonc! s'exclama-t-elle, êtes-vous en train de faire votre contrat de mariage? Ça tombe bien! Notre notaire est justement là, ce soir.

— Quasiment! répondit Demers. Moi et Alphonsine, on parle de se marier en juillet. Avant si possible.

— Lida, Loïse, Irène, Théo, venez donc une minute! s'écria Émilienne. Phonsine a quelque chose d'important à nous dire.

La maisonnée se rassembla dans la pièce.

— Monsieur Demers et moi, on va probablement faire le grand saut, annonça Alphonsine. Seulement à l'été, par exemple. C'est encore loin, ça me donne le temps d'y repenser. Puis il reste le logement à trouver. Justement, je suis en train d'écrire à Saint-Pierre-les-Becquets.

— Philias, tu t'en irais chez ton fils Fulgence! s'étonna Sansoucy. Et puis ça vous a pas passé par la tête de vous marier le 29 février, la même journée que Léandre et Paulette? En faisant un mariage double, je fermerais mon épicerie une fois au lieu de deux.

— Il faudrait peut-être consulter les principaux intéressés, précisa Alida.

— Oubliez-nous pas! intervint Édouard. Colombine et moi, c'est le lendemain de Pâques.

— Parlez-moi-z-en pas, s'indigna Émilienne. Il y a aussi l'accouchement de Simone durant la même période!

— J'aurais préféré attendre à l'été, s'opposa Alphonsine, égrenant un rire jaune. Mais dans les circonstances…

* * *

Le temps d'obtenir l'accord de monsieur et madame Landreville, Léandre et Paulette donnèrent leur consentement au projet d'une double cérémonie. La lettre fut aussitôt postée dans l'espérance d'une réponse rapide. Dans le pire des scénarios, advenant le refus de Fulgence de loger son père, il faudrait trouver une autre solution.

Après une semaine d'attente, la réaction tardant à lui parvenir, Demers résolut de se rendre chez son fils. De toute manière, la poste était lente et il était préférable de discuter en personne d'un sujet aussi délicat. Et dans ce cas, la lettre reçue aurait eu l'avantage de préparer le terrain. C'est en mesurant la portée de ces considérations que Philias Demers demanda à Léandre et à Paulette de les accompagner, Alphonsine et lui, à Saint-Pierre-les-Becquets. Le dimanche suivant, le camion de livraison s'acheminait sur les routes cahoteuses qui menaient au lointain village en bordure du fleuve.

Le voyage était exigeant. Mais Alphonsine ne ressentait pas les désagréments du parcours; elle était entièrement absorbée par sa décision. Son œil voyait défiler sans émerveillement les paysages de neige, les forêts majestueuses plantées d'arbres poussiéreux. Par endroits, le Fargo semblait épouser le fleuve ou s'engouffrer dans l'horizon. Que lui avait-il pris de renoncer à un bonheur paisible? Son travail au magasin de tissus, son existence somme toute accommodante au logement de son beau-frère, la proximité de ses sœurs. Puis l'éloignement qui s'ensuivrait pour mener à la campagne une vie pleine d'inconnus. Elle n'était pas si malheureuse dans sa condition de vieille fille, finalement!

Le véhicule prit sur la gauche le premier rang après l'église. La famille de Fulgence Demers était établie sur la deuxième terre à droite. Une modeste maison de bois se dressait sur le flanc d'un coteau. Elle semblait moins seule avec ses dépendances et les grands conifères qui la protégeaient.

Des frimousses s'agglutinèrent aux carreaux. Les voyageurs entrèrent dans la cuisine. Le plancher de bois était peint d'un jaune qui jurait avec les murs d'un rose soutenu.

— Ouste, les p'tiots! s'écria le paysan.

Deux petits déguerpirent et allèrent s'asseoir dans l'escalier. Un garçon d'une douzaine d'années à l'air égaré se berçait avec force. Il arrêta brusquement son mouvement et jeta un regard hébété sur les visiteurs.

— Tu reconnais pépère Demers !

L'adolescent poussa des sons étranges. Il semblait reconnaître son grand-père. Une femme s'empressa de ranger sa vaisselle à gerbe de blé dans l'armoire. Elle ôta son tablier et lissa sa robe en se retournant.

— Bonjour, monsieur Demers. On vous a pas vu depuis que vous êtes déménagé à Montréal, lança-t-elle de sa voix chuintante. Ça commence à faire une mèche que vous êtes pas venu icitte. Avec votre dulcinée, en plus !

Manifestement, la lettre s'était rendue. Cependant, l'accueil plutôt tiède et le ton emprunté par l'hôtesse donnaient à entendre que son beau-père n'était pas le bienvenu. Avec leur garçon malade, même si les plus vieux collaboraient, la besogne était lourde à la ferme. Bref, elle refusait d'augmenter son fardeau même si elle ne doutait pas de l'aide que pouvait apporter la nouvelle belle-mère montréalaise.

Fulgence Demers avait laissé sa femme s'exprimer. Au fond, après tant d'années de cohabitation, la paysanne avait été soulagée de se débarrasser de l'homme qui était devenu un véritable poids.

La femme alla à son poêle pour offrir du thé. Léandre se pencha à l'oreille de Demers.

— Après le thé, on va être aussi ben de s'en retourner tout de suite, murmura-t-il.

***

Alphonsine était revenue passablement désappointée de son périple à Saint-Pierre-les-Becquets. Les deux couples avaient fait leurs arrangements avec le prêtre pour la cérémonie religieuse et le logement n'était toujours pas trouvé. Le destin de la vieille fille semblait se braquer devant elle, la forçant à reconsidérer son choix. C'était mieux ainsi. Au moins, elle conserverait son emploi au magasin ; elle avait eu la prudence d'attendre avant de remettre sa démission à madame Métivier.

Il ne restait que deux semaines avant le grand jour. Au lieu d'aller placoter à l'atelier Tousignant, Philias Demers parcourait les rues du quartier à la recherche d'un logis. Il en avait visité quelques-uns. Ils étaient tous aussi déprimants les uns que les autres. Le grand ménage à faire en peu de temps ou le prix exorbitant l'avaient rebuté. Aucun ne convenait. En revenant de sa dernière exploration, il en était réduit à son ultime recours : lorgner du côté de son ami Sansoucy.

Des clientes s'attardaient à la caisse. Leur conversation bifurqua lorsqu'elles virent entrer le bonhomme Demers, l'air dépité, passer derrière elles et traverser le magasin.

— Il a pas l'air très heureux pour quelqu'un qui va se marier, murmura Dora Robidoux.

— Le pauvre cherche un logement, expliqua Émilienne.

— Vous pourriez héberger le nouveau couple, madame Sansoucy, proposa madame Robidoux.

— Ben oui, votre Édouard est à la veille de se marier lui aussi, acquiesça mademoiselle Lamouche, en vidant le contenu de son petit porte-monnaie sur le comptoir. Vous auriez pas plus de monde dans la maison, précisa-t-elle. Remplacer un notaire par un rentier, c'est comme de changer quatre trente sous pour une piasse…

Émilienne réprima une grimace de dégoût et compta la monnaie de sa cliente.

Au comptoir des viandes, Demers avait retrouvé son ami. Léandre attendait que son père complète sa commande avant de repartir pour une autre tournée de livraison.

Le boucher tira sur la ficelle qui pendait du plafond, l'enroula autour de l'emballage de saucisses. Puis, comme s'il était fâché, après l'avoir nouée, il la cassa en donnant un petit coup sec et il écrivit le montant sur le paquet.

— Si tu veux qu'on reste de bons amis, Philias, t'es mieux d'aller chercher ailleurs. Puis, comme je la connais, Émilienne le prendrait pas pantoute. Ça fait que…

Un sourire apitoyé erra sur les lèvres de Léandre. Il recommanda le petit meublé qu'avait occupé Maximilien Quesnel au coin d'Aylwin et La Fontaine. Peut-être était-il libre ? Léandre lui offrit de l'accompagner. Il avait fait bonne impression à la restauratrice, propriétaire de l'immeuble. Cela faciliterait les démarches.

Le quinquagénaire repartit en camion, traînant son ballot de petites misères. Une heure plus tard, Léandre le déposait devant le magasin de coupons. Fébrile, il entra. Alphonsine était à servir une cliente. Juchée sur le tabouret qu'avait occupé Alida, madame Métivier reconnut le promis de son employée qui avait l'habitude de faire les cent pas devant son commerce et qui s'était toujours refusé à y pénétrer. Elle s'empressa de briser un fil entre ses dents, l'humecta pour l'épointer et, du bout de ses doigts fins, l'enfila dans le chas d'une aiguille qu'elle planta dans une pelote à épingles.

— Vous êtes un peu avant l'heure, monsieur, exprima-t-elle de sa voix sautillante. Si vous voulez bien vous asseoir, mademoiselle Grandbois en a pour quelques minutes avec madame Godard ; elle va être à vous dans un moment.

Demers était étranger à ce monde féminin. Rien ne ressemblait à l'atelier Tousignant. Tout était bien rangé et d'une impeccable propreté dans cette ambiance calme et feutrée. Il n'y avait que le susurrement des voix et le bruit des ciseaux pour couper le silence.

Son regard balaya les tablettes et les étalages de tissus soyeux ou damassés aux couleurs chatoyantes et aux motifs variés, avant de se poser sur la petite dame que servait sa bien-aimée. «Elle va être à vous dans un moment», avait dit madame Métivier. La phrase l'avait saisi, presque troublé. Alphonsine ne l'avait même pas salué. Avait-elle honte de lui? D'ailleurs, madame Godard était beaucoup plus jolie et beaucoup plus désirable qu'Alphonsine. Elle lui avait adressé un sourire. Mais peut-être se moquait-elle de lui? Il reconnaissait qu'il détonnait dans ce décor destiné à plaire aux femmes, assis sur une chaise non rembourrée, droit comme le petit garçon sage à qui on a dit de rester tranquille en attendant sa mère.

Était-ce bien avec la sœur d'Émilienne qu'il désirait refaire sa vie? N'était-elle qu'une bigote tourmentée de scrupules, une vieille fille asséchée que le temps avait tarie de tout épanchement amoureux? Ils ne s'étaient jamais abandonnés à de tendres embrassades sur la bouche. À peine avait-il bénéficié d'un baiser amical sur sa joue rêche, vite transformé en de pudiques jeux de mains. Pourtant, il semblait lui plaire.

Bientôt, une odeur de teinture l'incommoda; il se leva. Madame Métivier prit alors la relève de son employée.

— Tu peux pas savoir, Alphonsine, j'ai trouvé un beau petit meublé sur La Fontaine, au coin d'Aylwin! Pour pas cher, en plus.

La cadette des sœurs Grandbois s'était méfiée des dires de son Philias. Le même soir, Alphonsine, Émilienne, Héloïse et Irène débarquaient dans la rue La Fontaine, munies d'un attirail pour les grands ménages. Les hommes n'avaient pas d'affaire à se mêler de l'ouvrage. Du reste, Léandre n'avait pas tenu à voir le petit logis où Quesnel avait niché. Le camion de livraison ramènerait les besogneuses vers dix heures.

Alphonsine entrouvrit délicatement la porte et elle étira dans le noir sa main sur le mur. Une lumière jaunâtre grésilla du plafonnier.

— C'est ben sale ici dedans ! s'exclama Émilienne.

— On a pas fait le tour encore ! commenta Héloïse. On a pas vu la chambre à coucher.

— Il y en a pas, rétorqua Alphonsine. La pièce que vous voyez, c'est la seule de l'appartement. Pour dormir, il faut ouvrir le divan-lit.

Des enquêteurs avaient perquisitionné le logement de Maximilien Quesnel. Le concierge, mari de la propriétaire, avait formé des petits tas de cochonneries puis torchonné les planchers, laissant des traînées de crasse que la serpillière n'avait pas absorbées. Le divan était un peu défraîchi, les meubles avaient l'air abîmés, les deux chaises, dépareillées. La robuste Alphonsine exhala un soupir discret. Elle était bâtie pour les gros travaux : « Ça sert à rien de rechigner ! » se dit-elle.

* * *

Trois bonnes soirées avaient suffi à huit mains acharnées pour décrotter le petit garni que le restaurateur avait déserté en le laissant dans un état pitoyable. Alphonsine consacrait à présent ses soirées à coudre sa robe de mariée. Une semaine avant l'événement, elle avait mis Demers en quarantaine, lui défendant de venir la chercher au magasin de coupons et de cogner à la porte du logis de Sansoucy pour veiller. Rien à faire, quand on allait se marier, il y avait des priorités et, après tout, le petit éloignement temporaire servirait à éprouver la profondeur de leur attachement.

Mais Alphonsine tremblait. Enlaidies par les produits de nettoyage, ses mains rudes des derniers jours n'avaient plus la souplesse nécessaire à la confection de sa robe. Ses doigts naguère agiles n'obéissaient plus aux mouvements habiles qu'elle leur commandait. Elle voyait la prodigieuse Alida installée devant sa Singer, les lunettes sur le bout du nez, qui cousait la robe de Paulette.

La doyenne de la maison paraissait la plus vaillante, tout attentionnée à son ouvrage. Alphonsine se mit à se dénigrer, à douter d'elle-même, de son engagement précipité par les événements.

Ses nuits étaient devenues des gouffres d'insomnie, des ogres qui avalaient son sommeil. Elle se sentait seule, terriblement seule dans la noirceur des nuits blanches. Rien que se remémorer sa lointaine campagne gardangeoise et les humains qui devaient s'accoupler comme des animaux la faisait frémir ! Non, elle n'ouvrirait pas son écrin de virginité à un veuf pour qui elle n'avait que peu de tendresse et parfois une indifférence proche du mépris !

Peu à peu, elle ressemblait à l'image qu'elle se faisait du mariage : une petite vie à deux grisâtre dans un petit meublé déprimant. Le matin, elle se levait comme si elle n'avait pas dormi et déambulait comme un automate jusqu'au magasin de madame Métivier. Et là, elle essayait de s'intéresser à son emploi, aux clientes qu'elle servait. Elle ne comptait plus les mauvais coups de ciseaux qui gâchaient des pièces dispendieuses. Chaque fois, la patronne la regardait d'un air exaspéré, menaçant de la renvoyer, de réduire ses gages déjà maigres, pourtant tirés du commerce qui leur avait appartenu, à elle et Alida.

Le 29 février venait comme un jour fatidique. À deux jours de la cérémonie, elle s'acharnait sur sa robe à fixer une dentelle. Simone était chez ses parents ; elle ne voulait rien manquer des derniers ajustements. Paulette parut dans une jolie toilette qui lui seyait à merveille. Émilienne la contemplait muettement des pieds à la tête.

— Dis quelque chose, Mili ! exprima Alida.

— Ravissante ! s'exclama Émilienne.

— Aïe !

Par une inexplicable gaucherie, Alphonsine s'était piqué le bout du doigt. Le sang avait jailli et avait souillé le tissu ajouré. Elle se mit à sangloter.

— Vite, à l'eau froide ! s'écria Héloïse, arrachant la robe des mains d'Alphonsine et se précipitant à l'évier.

— Prends sur toi, Phonsine ! dit Alida. C'est pas si pire que ça, Loïse va la faire disparaître, la goutte, tu vas voir.

Émilienne s'était approchée de sa sœur qui pleurait comme une Madeleine. Paulette et Simone se regardaient, désemparées devant la vieille fille inconsolable.

— Vous allez voir, matante, c'est pas si épouvantable que ça, le mariage, risqua Simone. Vous allez vous habituer.

Alphonsine alla s'enfermer avec sa peine, comme si, autour d'elle, personne ne pouvait apaiser sa souffrance.

* * *

Le matin des noces, Émilienne s'affairait autour de sa sœur figée comme le mannequin qu'on habille dans la vitrine d'un magasin. Alphonsine avait séché ses larmes, retrouvé un semblant de sourire, mais son cœur indécis chancelait entre le doute et la certitude.

— Je suis prêt à vous emmener, mademoiselle Grandbois. Simone nous attend en bas.

David avait effectué plusieurs déplacements à l'église avec le camion de livraison. Alida avait été du premier voyage avec Héloïse et Irène. Théodore, Léandre et Paulette avaient suivi lors du deuxième, Marcel s'était rendu à pied, et Colombine, qui ne voulait pas salir l'intérieur de son automobile, était venue cueillir Édouard à la dernière minute.

La petite foule de curieux s'était gonflée dans le portique de l'église du Très-Saint-Rédempteur. À l'arrière, fleur à la boutonnière, Philias et sa fille s'entretenaient avec l'abbé Dussault de la grande désolation du jour : l'absence de Fulgence qui avait refusé de se déplacer en plein hiver depuis Saint-Pierre-les-Becquets. La famille de Demers, réduite à sa plus simple expression, s'enfilerait dans un banc derrière les Sansoucy. Quant à la parenté de Paulette, elle s'était massée à droite, à la croisée du transept, et attendait dans un état de béatitude que les couples s'avancent.

L'abbé Lionel Dussault replaça nerveusement le bracelet de sa montre après l'avoir consultée pour la septième fois en trois minutes. Il craignait de *s'enfarger* dans les détails des procédures. Pourtant, c'était bien lui que le curé Verner avait mandaté afin de lui permettre de célébrer le premier mariage double de son ministère. Et que savait-il sur ceux qu'il allait unir au nom de Dieu ? Un couple de jeunes concubins qui avaient vécu dans le péché depuis des mois et qu'il avait confessés la veille, et une paire de quinquagénaires drôlement assortis qui tentaient de refaire leur existence après de brèves fréquentations. Il avait griffonné quelques notes, mais il s'empêtrait dans ses mots. Des sueurs froides lui coulèrent dans le dos et une rougeur lui monta au visage. Il n'espéra plus que la fin de la cérémonie et le déversement à la rue de l'assistance.

David avait rejoint Simone dans le Fargo stationné devant l'épicerie. Là-haut, au logement des Sansoucy, Alphonsine poussait des râles inquiétants. Elle avait le regard trouble. On aurait dit que ses yeux mauvais erraient dans la pièce à la recherche d'un objet. D'un mouvement emporté, délaissant Émilienne qui ne pouvait empêcher le geste irréparable qu'elle s'apprêtait à commettre, elle se rendit à la machine à coudre, s'empara des ciseaux d'Alida et se mit à couper avec frénésie le tissu, lacérant sa robe dans tous les sens. Puis, comme si ce n'était pas suffisant, au sommet de son délire, elle déchira des lambeaux qu'elle alla enfouir dans le feu du poêle.

Chapitre 6

«Phonsine a flanché!» se répétait la caissière. Derrière son comptoir, Émilienne regardait sa sœur disparaître de son champ de vision comme si elle était absorbée tout entière par le montant de la vitrine. Alphonsine était repartie au magasin de coupons, l'esprit en pièces détachées, un arrière-goût amer dans le pharynx. Il ne restait plus rien, ni de sa robe brûlée, ni de son projet déchiqueté. On l'avait précipitée au mariage comme une jeune fille-mère obligée de se marier. Mais la promise avait ressenti un grand soulagement à briser ses chaînes, à se débarrasser de ce qui la retenait captive.

Monsieur Demers avait assisté à toutes les étapes de la cérémonie. La bouche amère, le cœur meurtri, il avait vu les belles jeunesses dans leurs habits d'apparat se promettre de s'aimer toujours, leur union bénie, et la grâce descendre sur leur couple scellé par la main du prêtre. Les larmes sèches, la gorge étranglée, il avait assisté au défilé sur le tapis rouge et le célébrant l'avait invité à se joindre au cortège nuptial.

Après le mariage de Léandre, les convives s'étaient rassemblés dans un restaurant du quartier. Madame Landreville avait choisi de réunir son monde à elle tout en ne «virant pas sa maison à l'envers», alors que la fille de Demers recevrait son père et sa nouvelle épouse dans l'intimité de son logis devant une bouteille de vin, du pâté de foie gras et des tranches de rôti froid dans sa vaisselle du dimanche.

Après le dîner à trois où il avait englouti à lui seul les trois quarts de la bouteille avec une étonnante rapidité en contemplant l'alliance de chez Birks, Philias était revenu en larmes chez les Sansoucy. Alphonsine n'était pas visible. La vieille fille s'était retranchée dans sa peine. À présent, les remords la gagnaient. Elle avait peut-être fait plus de mal à monsieur Demers qu'elle ne s'en était infligée à elle-même ; elle regrettait son geste irréfléchi.

La clochette d'entrée tinta tristement. Demers avait surveillé le passage d'Alphonsine avant de se présenter au commerce. Le malheureux longea le comptoir-caisse. Émilienne eut un mouvement d'empathie. Elle l'interpella :

— Philias ! J'ai de la peine pour toi !

— Vraiment !

— Je suis sincère, Philias. J'admets que je n'ai pas encouragé ce mariage avec ma sœur, mais je suis sensible à ta douleur. Prendrais-tu un bon thé ? J'en ai de chaud sur le poêle.

Demers s'était acheminé au comptoir des viandes. Émilienne savait que le malheureux déverserait son chagrin sur l'épaule de son mari qui l'écouterait en faisant son boudin avec Marcel. Théo comprendrait, lui qui est un homme d'âge mûr, le besoin de rebâtir son existence, de ne pas s'enfermer dans l'enfer de la solitude et le ressentiment de l'échec qu'il devait éprouver.

Une dame entra, huma avec délices les arômes qui flottaient dans la grande pièce et referma doucement derrière elle.

— Mmm ! Ça sent bon les épices et le café moulu !

Elle ôta ses gants, fouilla dans une poche de son manteau, en retira un papier chiffonné et s'approcha du comptoir.

— Pour les grosses commandes, ça va aller seulement à demain, madame Fréchette. Vous comprenez, mon mari a donné congé aux jeunes mariés.

— Dommage pour le mariage raté de votre sœur ! Bon, en tout cas, je suis pas venue pour colporter des ragots, c'est pas mon genre, dit-elle, en ouvrant son sac à main sur le comptoir. Avec ma commande d'aujourd'hui, je vas régler mes dettes.

Émilienne calculait les arrérages accumulés depuis plus de trois mois. La cliente avait dépensé beaucoup pendant la période des fêtes. Elle avait reçu sa cousine des États-Unis qui avait séjourné deux semaines avec son mari et leur marmaille dans son logement.

Elle sortit une liasse de billets qu'elle déposa timidement sous les yeux de la caissière.

— De l'argent américain ! s'exclama Émilienne.

De ses doigts agités, avec le sérieux d'un changeur qui flairait un faux billet de banque, elle examina le papier-monnaie et le rangea dans le tiroir-caisse.

***

C'était lundi matin. Léandre faisait la grasse matinée dans le petit meublé de Demers. Paulette l'avait convaincu d'accepter l'offre du locataire de passer leur week-end de noces dans son logement. Elle avait assez flâné au lit après les heures torrides qu'ils avaient traversées ; elle musardait à la fenêtre, s'amusant à regarder les voitures et les passants. Léandre se découvrit le torse en prenant un ton langoureux et implorant pour la ramener à lui :

— Reviens te coucher, on a tout notre temps, le père nous a donné congé.

Dans ses étirements, il allongea lascivement la main. Ses doigts s'immiscèrent entre le bras et le matelas du divan-lit et se refermèrent sur un objet.

— Eille, un calepin ! exprima-t-il, avec une exclamation étonnée.

— Tu m'as bien dit que monsieur Demers a loué l'ancien meublé de Quesnel !

Léandre s'assit sur le bord du matelas. Il feuilleta négligemment le carnet jaunissant dont il fit tourner les pages avec son pouce. Des billets de banque glissèrent entre ses cuisses.

— Quesnel nous a fait un beau cadeau de noces !

— Comment ça ?

— Cent piasses, ma chère !

— Faudrait remettre l'argent à ton monsieur, ricana Paulette.

— Il est pas aussi salaud qu'on pensait ; on devrait jamais enfermer un si honnête homme…

* * *

Philias Demers était reparti du magasin, la mine aussi triste qu'une longue journée pluvieuse d'automne. Entre deux clientes, le boucher avait tâché d'écouter son ami et de le soutenir dans sa déveine en faisant son boudin. Mais Sansoucy n'avait jamais eu le don de prodiguer les bonnes paroles. Marcel l'avait constaté une fois de plus lorsque son père l'avait chassé de la boucherie pour aller faire ses premières livraisons de la journée.

Douze coups allaient bientôt sonner à toutes les horloges grand-père du faubourg. Sansoucy avait demandé à Émilienne de surveiller le retour de Marcel et de lui faire descendre le dîner qu'Héloïse avait préparé. Advenant une acheteuse, il serait aisé de mettre une assiette à réchauffer sur le poêle. Le lundi était normalement une journée tranquille, mais le mariage double avec une mariée manquante avait attiré un flot inaccoutumé de clientes. Le commerçant ne pouvait censément quitter l'épicerie. Il n'avait pas voulu laisser sa femme aux prises avec une meute de placoteuses qui avaient toutes l'air de s'attrister du sort de la vieille fille Grandbois.

Émilienne et son mari étaient à échanger sur la déconfiture de Demers et les commentaires entendus de part et d'autre au cours de l'avant-midi, quand elle se rappela la visite de sa première cliente de la journée.

— Madame Fréchette est venue payer son dû, Théo !

— Ça commence à être temps, Mili.

— Il y a juste une chose qui m'agace, par exemple ; elle a réglé avec de l'argent américain.

L'épicier sauta subitement de son tabouret, ouvrit le tiroir-caisse et enfonça sa grosse main dans le compartiment des dix dollars. Il abaissa ses lunettes sur son nez. Les lèvres tordues, il soumit les billets à son œil méfiant en les frottant entre ses doigts. Puis, pour se convaincre davantage de leur caractère frauduleux, il les colla dans la vitrine, en essayant de voir au travers, avant d'en sentir l'encre et de les lécher pour en éprouver leur degré d'indélébilité.

— Je gagerais ma chemise que tu t'es fait avoir, Mili. Je me rappelle un article de *La Patrie* paru avant les fêtes, avertissant le public de faux dix piasses en circulation. J'aurais dû t'en parler.

— J'aurais dû me méfier, se désola l'épicière.

Le marchand saisit le cornet acoustique et composa le numéro du commissariat de police.

Vers les quatre heures, le lieutenant Whitty et le constable Poisson firent irruption au commerce. Dans tous ses états, Émilienne relata les circonstances dans lesquelles elle avait pris possession de la monnaie contrefaite. Inévitablement, elle transmit les coordonnées de l'acheteuse, une « régulière qui se montait des comptes et qui payait aux trois mois ». Finalement, dans un serrement de poitrine, le marchand dut se résoudre à remettre les faux billets aux policiers.

— Comme je vous l'ai dit, monsieur Sansoucy, nous allons interroger madame Fréchette et le dossier sera confié à la Gendarmerie royale, répéta Whitty pour la troisième fois. Votre cliente était-elle de connivence avec sa pseudo-parenté américaine? En un mot, était-elle malintentionnée? C'est ce que l'enquête va déterminer. Mais ne vous attendez pas à des miracles! J'aime autant vous le dire, vous ne reverrez pas la couleur de votre argent. Puis une petite information en passant: vous aviserez votre fils que Maximilien Quesnel est sous les verrous.

Les Sansoucy prirent un air désabusé. Peu leur importait si le propriétaire de *La Belle au bois dormant* était emprisonné. Ils avaient perdu trente beaux dollars, une perte sèche qui s'inscrivait dans une colonne sombre de leur bilan financier.

Marcel, bien intentionné, avait assisté à la scène avec les deux représentants de l'ordre. Il s'approcha des caisses destinées à madame Fréchette, en apporta une sur le comptoir-caisse.

— Que c'est que tu fais là, toi? brama l'épicier.

— Ben, je vas replacer le stock de la madame sur les tablettes, balbutia Marcel.

— Remets cette boîte-là avec les autres. La bonne femme Fréchette va savoir de quel bois je me chauffe…

* * *

Les nouveaux mariés n'en avaient pas tant espéré de leur journée de congé. Après deux longues nuits dans le logis de Philias Demers, ils bénéficieraient d'une belle soirée aux frais de Maximilien Quesnel. Cependant, Léandre avait confusément éprouvé le besoin de rencontrer Arlette Pomerleau et il souhaitait la revoir, même si elle devait se foutre totalement de lui: il se dégorgerait un peu de la hargne qui l'habitait. Paulette n'avait pas aimé l'idée, mais elle avait plié en pensant que cela permettrait à son mari de franchir un pas de plus dans son désir de rompre avec son passé houleux.

Le camion de livraison se stationnait maintenant devant la marquise criarde du *Faisan argenté*, un chic restaurant de la rue Saint-Laurent, au cœur du *Red Light* de Montréal. L'endroit offrait de bons repas au rez-de-chaussée et, à l'étage, on pouvait se distraire ensuite devant un spectacle de sémillantes danseuses en prenant un verre. Léandre se souvenait d'avoir parcouru un article d'un numéro de *La Patrie* de janvier relatant une descente de police dans ce milieu interlope. Sur la photo accompagnant le texte, il avait reconnu Arlette Pomerleau qui souriait d'un air désinvolte parmi les «ouvrières» de la place qui, pour la plupart, se cachaient honteusement la figure. Et, parmi cette grappe de débauchées, une bourgeoise aux mœurs légères assoiffée de sensations fortes se faisait régulièrement conduire par son chauffeur au *Faisan argenté*. L'anecdote fit saillir ses joues.

Le repas terminé et l'addition réglée, Léandre entraîna Paulette en haut de l'escalier scintillant. À l'entrée, deux gaillards au crâne rasé se tenaient immobiles, leurs bras musclés croisés sur leur poitrine velue. Une envoûtante musique d'ambiance exhalait de la salle bien remplie de spectateurs retranchés derrière de petites tables, les yeux braqués sur la scène où se trémoussait une danseuse exotique. Une hôtesse au sourire engageant conduisit les clients à une table. Ils commandèrent une consommation.

Paulette se sentait lourde. Elle s'était régalée de mets raffinés qu'elle avait engloutis avec plusieurs coupes d'un bon vin français. Mais elle n'aimait pas le déhanchement de la beauté suave qui s'exhibait devant elle, et Léandre semblait indifférent à sa déception. Son esprit s'égara en songeant aux petits malheurs qu'elle avait connus avant son mariage.

Dans les lieux sombres et fumeux, Arlette Pomerleau avait remarqué Léandre dès qu'il avait pris place. Elle ne pouvait manquer sa chance de le saluer. Elle engrangea un pourboire dans son tablier de cuir et s'approcha.

— Je te présente Paulette, ma femme.

La serveuse eut un petit sourire mesquin.

— J'ai quitté *La Belle au bois dormant* à temps, dit-elle.

— Fais pas l'innocente, Arlette! T'étais au courant de tout ce qui se tramait dans la tête de Quesnel. Les affaires s'en allaient à la dérive et il a décidé de mettre le feu à son commerce, c'est ben simple. Puis toi, t'es pas blanche comme neige non plus! «Celui qui tient le sac est aussi coupable que celui qui met l'argent dedans.» T'as déjà entendu ça?

— J'ai rien à voir là-dedans! rétorqua-t-elle, sèchement.

— Puis moi, le beau *smatte*, je continue de payer l'assurance de ma poche. En tout cas, compte-toi ben chanceuse que j'aille rien rapporter à la police, Arlette Pomerleau.

La serveuse tourna les talons.

— Asteure, on s'en va-tu? demanda Paulette, l'air exaspéré.

* * *

Au désespoir de sa femme, l'épicier avait arpenté plusieurs fois la grande pièce de son magasin dans toute sa longueur, en mordillant ses moustaches, obnubilé par une idée fixe: trente beaux dollars lui avaient échappé et il entendait les récupérer auprès de sa cliente. Il n'en démordait pas.

Les jeunes mariés parurent à ce moment.

— Bon, vous voilà! explosa-t-il.

— Les nerfs, le père, on est pas en retard pantoute, Paulette puis moi ! réagit Léandre. Regardez votre horloge.

— T'as pas d'affaire à leur tomber dessus au retour de leur voyage de noces, Théo, plaida Émilienne ; ça se fait pas. Tu pourrais leur demander comment ça va, au moins. Excusez-le, enchaîna-t-elle, c'est à cause de madame Fréchette…

Émilienne relata la venue de la cliente et le règlement de son compte avec de l'argent américain contrefait et la visite des policiers qui avaient pris le dossier en main. Léandre considéra les commandes de la veille entassées sur le devant du magasin. Parmi elles, quatre grosses boîtes étaient identifiées au nom de madame Fréchette. Il se tourna vers son père :

— Puis vous pensez que je vais aller harceler la cliente pour qu'elle nous paye notre dû avec de l'argent qui est pas faux ! s'insurgea Léandre. Je suis pas une police, moi ! Le père s'entête, parlez-y, la mère.

Émilienne se sentait prise entre deux feux et poussait des soupirs effarés. Paulette avait abaissé les paupières vers le bout de ses souliers et Marcel promenait un regard hésitant sur la commande de madame Fréchette.

— Dans ce cas-là, je vais y aller moi-même ! décida péremptoirement l'épicier.

— Théo, ça a pas de bon sens, tu le sais ben, protesta vertement Émilienne. T'es pas capable de chauffer un *truck* puis t'es jamais monté sur un bicycle de ta vie.

Couvé du regard, Marcel se déporta à pas mesurés vers les boîtes de la ménagère. Il se pencha pour en saisir une.

— Touche pas à ça, toi, l'innocent ! grogna l'épicier. Ton frère va livrer comme prévu. Je veux avoir mon argent, un point c'est tout !

Léandre fouilla dans la poche de son pantalon et, d'un geste désinvolte, il jeta de beaux billets canadiens sur le comptoir-caisse.

— Tenez, le père, on réussira jamais à récupérer notre argent, dit-il d'une voix résignée. Marcel, replace le stock sur les tablettes. Qu'on en parle plus !

Sansoucy déguerpit vers le comptoir des viandes. Marcel roula des yeux perplexes vers ceux qui l'observaient. Il était fier de la bravade de son grand frère. Les audaces de Léandre l'avaient enhardi. Un jour, lui aussi serait capable d'affronter son père et de refuser de passer par le trou de la serrure.

Chapitre 7

Madame Desruisseaux avait coutume d'envoyer Amandine à l'épicerie Sansoucy avec sa petite sœur pour lui acheter des bonbons. Pendant que la rondouillarde Emma promenait ses grands yeux gourmands sur les bocaux de friandises, Amandine surveillait le retour du triporteur. Aussitôt que Marcel entrait, ses joues rosissaient, ses mains devenaient moites et, prise d'un frémissement, elle pressait l'enfant de choisir, payait et s'en allait. Mais aujourd'hui, elle était déterminée à parler au coursier.

En plein carême, sa conscience de catholique tenaillait Émilienne, mais son mari lui disait qu'il n'y avait pas de mal à vendre des friandises. Un sac de papier kraft à la main, elle s'était penchée vers la petite Emma hésitante, son visage empâté collé sur les pots de réglisse. À la fin de la journée, elle avait les jambes enflées, mais son amour des enfants l'inclinait à la patience.

— Et puis, Emma, t'as fait ton choix, ma belle ?

— J'aime beaucoup les caramels puis les bonbons roses, mais je vas prendre cinq pipes de réglisse noire.

— T'es sûre que c'est ça que tu veux, Emma ? s'enquit Amandine. Prends ton temps. Madame Sansoucy n'est pas pressée, elle veut juste te faire plaisir. As-tu vu, il y a des bâtons forts, des jujubes aux fruits, puis de la réglisse rouge aussi ?

— Oui, puis elle est fraîche de ce matin, précisa l'épicière. Ça peut pas être ben ben plus frais.

« Il arrive-tu, coudonc ? Maman va trouver que je lambine », pensa Amandine.

La porte du camion de livraison claqua.

— Tiens, si c'est pas mademoiselle Desruisseaux! s'exclama Léandre. Un beau brin de fille, hein, la mère? Dommage que je sois marié parce que…

— Voyons, Léandre, Amandine est de l'âge de Marcel.

Le visage de la jeune fille s'empourpra.

— Voyez, la mère, je lui fais de l'effet.

Amandine se ressaisit.

— J'ai deux mots à dire à Marcel, si vous voulez savoir; je voudrais lui demander comment ça allait depuis son accident. As-tu fini, Emma?

— Finalement, je vas prendre des bonbons durs de différentes couleurs.

L'épicière prit une petite pelletée qu'elle versa dans le sac et le mit sur un plateau de la balance en cherchant du regard l'approbation de la grande sœur. Dehors, Marcel déneigeait son triporteur avant de le rentrer. Amandine régla avec l'épicière et saisit la main d'Emma qui croquait sa friandise sucrée comme on mord dans une pomme. Puis elle interpella le livreur.

— Allô, je voulais juste savoir comment ça allait.

— Pas trop pire, mademoiselle.

— Marcel vous le dira pas, mais c'est son anniversaire de naissance aujourd'hui, lança Émilienne.

Dans un geste inattendu, Amandine délaissa la main d'Emma et fit claquer une bise sonore sur la joue du livreur, bise qui retentit dans tout le magasin. Puis elle reprit la main de sa sœur et quitta le commerce.

— Ouan, Marcel, tu pognes pas ordinaire! commenta Léandre. Puis vous laissez faire ça, la mère, railla-t-il. Votre plus jeune qui est en train de vous échapper…

Émilienne eut un sourire jaune. Elle réalisait que son Marcel avait seize ans et qu'il n'était plus tout à fait un enfant. Ce dernier lui demanda si elle savait où la jeune fille demeurait. L'épicière aimait bien connaître l'adresse de ses clients; les Desruisseaux habitaient très précisément dans l'immeuble voisin de la boutique de cercueils O'Hagan.

L'heure de la fermeture avait sonné. Elle retira l'argent de la caisse et entreprit de le compter. Pour dissimuler son embarras, Marcel avait empoigné le balai qu'il poussait avec ardeur. Mais le cœur lui battait fort dans la poitrine.

Le benjamin de la famille n'avait jamais été dans les bonnes grâces de son père. Le tardillon était né après Simone, «petite perle» qui luisait aux yeux de l'épicier comme son bien le plus précieux. L'homme avait parfois essayé de camoufler sa préférence pour sa plus jeune fille qui accourait jadis tout naturellement vers lui en secouant ses tresses. Mais il s'y prenait mal. Il n'avait jamais fait sautiller son dernier-né sur ses genoux et le renvoyait à sa grande, qui avait l'art de remédier au manque d'affection. Irène elle-même n'avait pas bénéficié d'une tendresse paternelle débordante. À la défense de son père, elle n'avait cependant pas subi les traitements qu'il infligeait à Marcel. Néanmoins, elle savait ce que son frère pouvait ressentir. À l'orée de ses seize ans, il ne viendrait plus se réfugier dans ses jupes; il irait ailleurs pour combler son besoin d'amour.

Alida éprouvait de l'attachement pour son neveu. Il était le plus empressé des garçons de la famille pour l'aider à s'asseoir ou à se relever, ou encore pour faire traverser son fauteuil roulant dans les embrasures trop étroites de la maison. Placide était absent, Édouard était imbu de lui-même et Léandre ne pensait qu'à ses plaisirs.

Sans en dire un mot à Émilienne, l'impotente avait fait dresser les couverts dans la salle à manger. Héloïse sortait un gâteau du fourneau et le déposait sur la boîte à pain pour le faire refroidir. Les colocataires seraient aussi parmi les convives pour l'événement. Dans les circonstances, Alphonsine n'étant pas rentrée de son travail, Alida avait demandé à Héloïse de faire cuire du boudin et des saucisses rôties dans la poêle. Le plat servi avec des patates pilées crémeuses ferait les délices de Marcel.

— Qui c'est qui a fait brûler ma saucisse de même ? s'indigna Sansoucy. C'est noir comme tout, c'est dur comme de la roche. C'est pas mangeable !

— D'habitude, c'est Phonsine qui la fait cuire, mais comme elle était pas revenue du magasin, j'ai proposé à Héloïse de s'en occuper, rétorqua Alida.

— Regarde, le beau-frère, as-tu vu, t'es le seul à chialer ! se défendit Héloïse.

— Ben oui, Théo, Loïse a fait pour ben faire, faut pas la chicaner parce qu'elle se mêlera plus de rien dans la cuisine. Et puis, les jours de fêtes, on se force pour être de bonne humeur.

— Quel âge que ça te fait, donc, Marcel ?

— Voyons, le père, vous avez pas honte ? commenta Léandre. Pas savoir l'âge de ses enfants…

La remarque avait jeté un froid dans la pièce. Irène tenta de ramener adroitement les choses en excusant son père pour ses quelques trous de mémoire pardonnables.

Au dessert, pendant qu'on devisait sur la grossesse de Simone et le mariage d'Édouard, Marcel s'absorba dans son doux souvenir heureux. Sa joue était encore chaude du baiser volé d'Amandine.

Quelques jours s'égrenèrent sans que la jeune fille ne se présente à l'épicerie. Tous les soirs, avant d'enfiler son pyjama, Marcel se déshabillait devant le petit miroir terni au-dessus de la commode. Non, il n'était pas si mal. Il n'avait pas la joliesse et le corps sculpté de Léandre, mais il plaisait à quelqu'un. Et ce quelqu'un l'attirait. Il se devait de revoir Amandine.

Les Desruisseaux habitaient au deuxième étage d'un bâtiment dans l'avenue Jeanne-d'Arc. Marcel venait de livrer les «ordres» chez les O'Hagan qui encourageaient l'épicerie depuis le mariage de leur fils avec la fille Sansoucy. Il profiterait de l'occasion pour cogner chez les Desruisseaux. Une jolie dame habillée d'une veste noire qui lui étriquait les épaules ouvrit lentement et jeta un regard circonspect.

— Bonjour, madame. Je suis le livreur de l'épicerie Sansoucy de la rue Adam. Je viens livrer une fois par semaine chez vos voisins O'Hagan et je me demandais si vous seriez pas intéressée à commander chez nous.

— D'habitude, je fais ma *grocery* sur Pie-IX et, de coutume, j'ai un bon service, répartit-elle. Puis, pour la viande, je la prends au marché Maisonneuve.

Un tic nerveux tirait ses lèvres et déparait un peu les traits de son joli visage. Un gros homme aux cheveux et à la barbe hirsutes parut. René Malbœuf vivait en concubinage avec la mère d'Amandine.

— T'as compris la madame, dit-il sèchement de sa voix de matou irrité. Bon ben, va te faire voir ailleurs…

— Je veux bien, monsieur Desruisseaux, balbutia Marcel.

— Desruisseaux est mort et enterré. Mon nom est René Malbœuf.

— D'abord, est-ce que je peux parler à Amandine une petite minute? osa-t-il.

L'homme referma sans ménagement.

Quelques jours s'écoulèrent, aussi longs que les interminables soirées d'hiver, aussi ennuyants que les sermons du curé Verner, aussi dénudés que le désert, à attendre un mot, un signe, pour lui rappeler qu'elle ne l'avait pas oublié. Il l'avait revue pendant ses nuits de rêve, à contempler son regard bleuté, son corps frêle, mais son visage s'était évanoui comme un mirage, comme un songe au réveil. Et le jour béni se présenta, aussi imprévisible que le baiser qui avait éclaté sur sa joue.

La petite Emma Desruisseaux avait été mandatée par sa grande sœur pour surveiller le livreur. Lorsqu'elle verrait le triporteur de l'épicerie Sansoucy chez les O'Hagan, elle n'avait qu'à lui transmettre le message. Pour la remercier, Amandine lui achèterait d'autres friandises. C'est ainsi que le samedi soir Marcel s'était couché avec le dessein de se lever tôt pour assister à la première célébration du matin.

— Tu nous attends pas! s'exclama Émilienne.

— Pâques s'en vient ; je pars tout de suite, je dois aller à confesse avant la messe.

Marcel marchait d'un pas rapide dans la rue Adam avec le sentiment coupable d'avoir menti à sa mère. Amandine ne fréquentait pas le même lieu de culte que lui. Elle guettait son arrivée devant l'église du Très-Saint-Nom-de-Jésus.

Les paroissiens s'engouffraient dans la chaleur du temple. Sous le portail, elle le voyait s'approcher, tête nue, les mains sur les oreilles, dépasser les fidèles sur le trottoir. Il l'aperçut. Elle n'était pas seule. Blottie contre elle, Emma trépignait dans ses petites bottes fourrées.

— Je pensais pas qu'il ferait aussi froid. Avoir su, je t'aurais donné rendez-vous en dedans.

— Je vous aurais trouvée, craignez pas!

Amandine conduisit la petite Emma dans l'enceinte. Avant de l'abandonner sur un banc, elle lui rappela qu'elle devait communier et qu'elle n'avait pas à s'inquiéter de son retour puisqu'elle reviendrait la chercher à la fin de la messe. Puis elle ressortit.

— Suis-moi, décida-t-elle, on va être plus à l'aise chez Blandine.

Elle l'entraîna dans un restaurant où elle était certaine qu'on ne la reconnaîtrait pas. Ils n'avaient que le temps de la célébration pour parler en sirotant un chocolat chaud.

Amandine avait déjà remarqué le jeune homme lors d'une de ses livraisons, le samedi, chez le fabricant de cercueils. La semaine, elle était au service de la biscuiterie Viau. Son travail consistait à tremper des bonbons ou des biscuits dans le chocolat. Elle se disait très vive à l'ouvrage et semblait adorer son métier. Elle n'avait que son petit frère Florent, et sa sœur Emma, qui était proche d'elle. Son beau-père, un veuf sans enfant, travaillait comme boucher au marché Maisonneuve. Il s'était acoquiné avec sa mère alors veuve, une pauvre ménagère soumise aux sautes d'humeur de son concubin colérique.

Le poêle de fonte rougeoyait au milieu de la pièce. Ses mains se réchauffaient autour de la tasse de boisson réconfortante. Il l'écoutait, buvant ses paroles, ses yeux noyés dans son regard bleuté. Il aimait son visage expressif, sa manière de raconter, sa voix aux inflexions caressantes. Elle l'avait devancé sur le terrain de l'intimité. Elle le tutoyait comme s'ils se connaissaient depuis toujours, et se confiait comme à une amie. Peu à peu, il se sentait près d'elle et délaissa son ridicule vouvoiement. Les choses allaient vite avec Amandine. Et la messe qui allait se terminer. Elle devait retourner à l'église et ramener Emma à la maison. Ses parents viendraient à la prochaine cérémonie et elle devait garder le petit dernier. Il sentit l'urgence de faire sa demande :

— Pourrais-tu m'accompagner au mariage de mon frère le lundi de Pâques ?

* * *

Marcel avait anticipé à tort la réaction de sa mère après la messe. Émilienne avait pressenti quelque secrète amourette et elle avait préféré taire l'absence de son fils à leur côté. Elle avait dit à son mari que la file était longue au confessionnal et que, après s'être confessé, Marcel s'était sûrement glissé dans un autre banc à l'arrière de l'église. Cependant, le mariage d'Édouard était imminent et Marcel serait tenu de dévoiler son intention d'être accompagné. S'il avait eu le cran de rencontrer Amandine, il l'aurait pour faire sa déclaration à sa famille. Le dimanche suivant, après sa «messe» à Saint-Nom-de-Jésus, il avait eu l'audace de raccompagner Amandine et sa sœur un peu plus loin. L'heure de la célébration ne leur accordait que peu de temps pour se connaître. Il les avait laissées devant la maison des O'Hagan. Amandine n'avait pu se retenir de lui donner un autre baiser furtif, même si elle risquait les foudres de son beau-père. Après, Marcel avait déambulé lentement vers la boulangerie, un bonheur indéfinissable fleurissant sur ses lèvres.

— T'es lambineux pas pour rire! lança le père.

L'omelette réchauffait sur le bout du poêle. Héloïse libéra les mains de Marcel et apporta le pot de bines sur la table avec le pain, le beurre, la mélasse et les cretons.

— On t'a pas vu à la messe ce matin, affirma Sansoucy. Viens pas me faire accroire que t'es encore allé te confesser à l'abbé Dussault. À part de ça, tu reviens pas mal tard de la boulangerie, l'omelette est après coller sur le rond du poêle.

— Pour tout vous dire, je suis allé à l'église Saint-Nom-de-Jésus, dans notre vraie paroisse, expliqua Marcel.

— Il y aurait pas quelque chose ou plutôt quelqu'un qui t'attire là? ricana le père.

— On ne peut pas lui en vouloir, papa, le défendit Édouard. À seize ans, j'en connais qui sont pas mal plus délurés que lui, si vous me permettez l'expression.

Marcel crut que le moment était opportun pour dire ce qui le tracassait et empêcher les railleries déplaisantes.

— J'ai demandé une fille pour le mariage, exprima-t-il, la voix altérée.

— Tiens donc ! persifla l'épicier. Il va se marier, asteure. J'espère que ce sera un mariage double et que ta prétendante te fera pas faux bond…

— Théo ! s'écria Émilienne. Tu dis n'importe quoi.

La physionomie d'Alphonsine changea : son menton trembla et ses yeux s'embuèrent d'une infinie tristesse.

— Je pensais pas que mon beau-frère pouvait être aussi méchant ! commenta l'impotente.

Alida tira un mouchoir coincé entre sa robe et le côté de son fauteuil roulant, et le tendit à sa sœur éplorée.

— Je vas emmener Amandine Desruisseaux au mariage d'Édouard. C'est pas une Colombine, elle a pas beaucoup d'instruction. Vous saurez que c'est juste une fille de mon âge qui vient de temps en temps à l'épicerie et qui travaille dans le chocolat, à la biscuiterie Viau…

— Une sauceuse dans le chocolat, asteure, coupa l'épicier, sur le ton d'une insultante badinerie. Avez-vous entendu ça ?

— Son père est mort, mais le monsieur Malbœuf qui vit avec la famille est boucher au marché Maisonneuve et Amandine gagne presque aussi cher que lui.

La répartie avait refroidi le maître de la maison. Affectée par le chagrin d'Alphonsine et remuée par les platitudes de son incorrigible mari, Émilienne changea de propos. Elle avait vu des annonces de réfrigérateurs dans *La Patrie*. Depuis le temps qu'elle désirait se débarrasser de sa vieille glacière…

* * *

Marcel n'avait jamais tant espéré les dimanches du carême. Mais le temps trop court dont il disposait après la messe pour mieux connaître Amandine l'affamait. De plus, les excursions de son amoureuse avec sa petite sœur à l'épicerie concordaient toujours avec ses tournées de livraison. Amandine misait sur les soirées du samedi. Elle résolut de présenter son *chum* à ses parents.

C'était le troisième dimanche du carême. Les tourtereaux étaient devenus des «réguliers» du restaurant Blandine. Dès qu'on les voyait entrer, on leur servait leur boisson chaude. Marcel réglait aussitôt l'addition. Et avant de se lever, il jetait un pourboire à la serveuse. Ce jour-là, Amandine était décidée à le retenir quelques minutes à la maison. Sa mère devait connaître celui qui la rendait si joyeuse. Mais quand ils repassèrent par l'église, Emma était en larmes sur le parvis. Ils s'empressèrent vers le logement.

Le manteau sur le dos, les lèvres serrées, madame Desruisseaux replaçait son chapeau devant un miroir pendant que le petit Florent chialait. Assis sur un banc d'entrée, sa tête hérissée de cheveux droits penchée sur son gros ventre pressuré par ses genoux, Malbœuf était à mettre ses couvre-chaussures. Amandine poussa délicatement la porte du vestibule.

— Un peu plus, puis on manquait notre messe à cause de toi, affirma la mère. Viens t'occuper de Florent!

— Je vous emmène mon ami Marcel, risqua Amandine d'une voix fluette.

Le boucher releva brusquement sa tête ombrageuse.

— Bout de viarge ! explosa-t-il, t'as choisi ton moment pour nous l'amener, ma petite véreuse. Ta mère puis moi, on a pas le temps de bâdrer avec lui ; on s'en va à l'église. Dis à ton *chum* de sortir, puis rentre garder Florent !

Amandine se cambra.

— Je vas rentrer pour le garder, Florent. Mais avant, vous allez m'écouter !

La jeune fille déballa son ballot de frustrations contre son beau-père qui tenait trop solidement les rênes de la maison et qui l'empê-chait de sortir la fin de semaine. Elle n'était pas la couventine qu'il fallait diriger et avoir à l'œil dans ses moindres déplacements. Après tout, elle gagnait son pain à la biscuiterie, elle contribuait au bien-être familial en payant une pension élevée, et si elle acceptait de s'occuper d'Emma et de Florent, c'était parce qu'elle le voulait bien, par pure générosité de sa part. Bref, elle n'était plus d'âge à se faire dicter sa ligne de conduite.

Le beau-père l'avait écoutée sans l'interrompre avec une irrita-tion croissante qui atteignit son point culminant. Il s'élança et lui asséna une solide taloche au visage.

— Va dans ta chambre, puis que j'en entende plus parler, fulmina-t-il.

Amandine embrassa Marcel d'une étreinte brusque et obtem-péra à l'ordre de son beau-père.

Chapitre 8

Le cavalier avait quitté prestement le domicile des Desruisseaux, profondément bouleversé, horrifié par le comportement du beau-père. Il avait passé le reste de la journée du dimanche à se persuader que, si ses amours naissantes avaient mal tourné, c'est qu'Amandine n'était pas faite pour lui. Il irait seul au mariage d'Édouard et Colombine. D'ici là, il s'efforcerait de paraître heureux, comme Léandre qui sifflotait en regarnissant les tablettes en ce lundi matin.

L'image d'Amandine le hantait. Malbœuf avait été dur avec la fille de sa concubine, et l'homme au tempérament bilieux devait à présent l'accabler de refus et d'empêchements. Marcel avait mal pour elle, il avait mal pour lui. Il aurait aimé la préserver de l'intransigeance de l'homme, mais il s'était écrasé sous le coup d'assommoir. Lui-même n'était-il pas qu'un piètre combattant devant son père, lent à réagir, toujours prêt à courber l'échine, incapable de se défendre ? À l'heure qu'il était en ce début de semaine, Amandine avait dû retourner à son boulot de sauceuse. Lui aussi avait repris son ouvrage.

Il s'absorbait à gonfler les pneus de son triporteur avant de le sortir du magasin. Son père quitta sa boucherie et s'approcha de Léandre. Il se racla la gorge.

— Va falloir que j'augmente ton loyer, annonça-t-il.

— Vous êtes pas obligé, le père, ricana Léandre.

— Ben va falloir que tu te fasses à l'idée, mon garçon, parce que les taxes municipales vont monter, le déneigement des rues coûte de plus en plus cher…

Léandre argumenta. À présent, il lisait le journal et il était parfaitement au courant de ce qui s'était produit l'année précédente. Des familles entières avaient été jetées sur le pavé parce qu'elles ne pouvaient pas absorber les hausses exigées par les propriétaires trop âpres au gain. Les logements s'étaient vidés de leurs locataires en mai et ils s'étaient à nouveau remplis en octobre avec une baisse du loyer. Entre-temps, les familles s'étaient regroupées à deux ou trois pour s'entasser dans un même logis.

— Vous serez pas ben ben regagnant, le père. Rendu au mois de mai, Simone va avoir accouché et vous allez nous voir déménager chez vous avec le petit pour quelques mois, puis réemménager au mois d'octobre dans notre logement pour moins cher. C'est-tu ça que vous voulez, coudonc ?

Le boucher regagna ses quartiers. Léandre décocha une œillade au jeune livreur, qui esquissa un sourire apaisant. Marcel repensa à Malbœuf qu'il aurait dû affronter, à l'exemple de Léandre qui avait la répartie facile et la vigueur nécessaire pour se défendre. Il s'imagina commettre le rapt d'Amandine qu'il emmenait dans le logis vacant de Philias Demers, ce misérable vieillard refoulé au veuvage par un mariage raté. Mais il renonça à l'idée saugrenue qui s'était emparée de lui. Il n'avait pas la trempe d'un brave chevalier prêt à sauver sa bien-aimée des pires dangers.

« Quand on pense au loup, on lui voit la queue ! » se dit-il. Philias Demers venait de paraître et de traverser le magasin. Léandre alla vers son frère.

— Pauvre homme, j'espère qu'il s'en remettra, commenta-t-il. Coudonc, Édouard t'a-tu demandé de l'aider à déménager ses affaires ?

— Ben sûr que oui. P'pa veut que je monte des boîtes vides à sa chambre. Édouard s'est toujours foutu de moi, lui, sauf quand il avait besoin de quelqu'un pour cirer ses chaussures ou pour aller faire une commission à la blanchisserie. Comme si j'étais toujours à son service. Ben ce petit temps-là achève, je peux te le dire.

* * *

Pendant que ses frères transportaient les nombreuses boîtes dans le camion, Édouard soulageait les tablettes de sa bibliothèque au son de l'opéra *Roméo et Juliette*. Parfois, comme s'il avait tout son temps, insouciant de ceux qui l'aidaient, il feuilletait un livre, lisait un paragraphe.

Même si la besogne ressemblait un peu à leur travail quotidien, Léandre et Marcel étaient contents de disparaître de la pièce pour ne pas avoir à supporter trop longtemps les longues tirades désespérées des protagonistes. Ils en étaient à leur huitième voyage quand le dilettante baissa le volume du gramophone et intercepta ses frères.

— Écoutez-bien le passage qui va suivre, dit-il. C'est divin !

Dans un ravissement inexprimable, il leur fit entendre un extrait qui les fit grimacer de douleur. Puis, comme pour ajouter à son exaltation, il alla vers son secrétaire et en revint fièrement avec un article daté de janvier qu'il avait conservé. Une jeune Allemande d'origine juive s'était suicidée en retournant à son appartement après avoir assisté à l'opéra *Roméo et Juliette* où elle avait été fortement impressionnée par la scène du poison. Exilée à Londres, elle était follement attachée à un Allemand qu'elle ne pouvait épouser à cause de l'interdiction du chancelier Hitler qui défendait à ses sujets de marier des Juives.

Léandre s'intéressait depuis peu à la lecture des nouvelles internationales. Il savait que les jeux politiques d'Adolf Hitler défrayaient de plus en plus les manchettes et représentaient une menace pour la paix en Europe. Quant à Marcel, son univers se bornait encore aux bandes dessinées de *La Patrie* ou du *Petit Journal*.

— C'est tout ce que ça vous fait ? s'enquit Édouard.

— Qu'est-ce que tu veux, on a pas tous la même sensibilité, commenta Léandre. Bon, envoye, Marcel, moi j'en ai plein mon casque de l'opéra…

Après les boîtes de livres et d'objets personnels, ce furent les vêtements qu'il fallait descendre du logement. Il y en avait de pleines brassées à sortir du placard et à déménager avec précaution.

Quand ses trois fils furent dans la rue, Émilienne se rendit à la chambre. Elle s'arrêta sur le pas de la porte et contempla le dépouillement de la pièce. Le souffle oppressé, elle alla à la fenêtre et écarta une latte du store vénitien. Édouard reviendrait coucher quelques soirs avant son mariage, mais déjà elle mesurait la profondeur de son attachement.

Le camion de l'épicerie Sansoucy recula dans l'entrée. La résidence des Crochetière semblait endormie. Édouard alla soulever le heurtoir. Un bonnet de dentelle parut dans la porte entrouverte.

— Il est tard, mademoiselle Colombine ne vous attendait plus, monsieur Édouard, dit la domestique. Elle a besoin de repos si elle veut être fraîche comme une rose le jour de ses noces.

— Ah! ben, ça parle au verrat! s'exclama Léandre. On a tout fait ça pour rien!

— Un peu dommage pour vous, les gars! accusa Édouard. On reviendra demain.

Martha avait refermé. Avec la soumission des êtres rampants, le jeune notaire regagna le camion. Léandre se rebella.

— Non, par exemple! riposta-t-il. Je repartirai pas d'ici sans avoir déchargé mon stock.

Enragé, Léandre retourna actionner le heurtoir. Martha rouvrit.

— N'insistez pas, dit-elle.

— Marcel, on débarque le stock, lui intima Léandre. À cette heure-ci, c'est pas une commande d'épicerie qu'on est venus livrer, c'est des boîtes de savoir puis du linge, taboire !

Fermement décidé, Léandre commença à transporter des amoncellements d'habits qui encombrèrent bientôt les bras d'Édouard, sous le regard affolé de Martha qui avait lâché la poignée de la porte pour se prendre la tête à deux mains, tandis que Marcel rentrait les caisses qui s'empilèrent dans le vestibule en passant sous le nez de la domestique.

Dérangés par le bruit qui faisait rage au rez-de-chaussée, les Crochetière parurent en haut de l'escalier.

— Je descends, dit madame Crochetière.

Une porte claqua. Drapée dans sa robe de chambre saumon, la dame précéda son mari et retrouva l'espace surchargé où Édouard se tenait droit comme un porte-manteau avec les vêtements empilés.

— Pauvres garçons ! s'exclama-t-elle. Martha, il faut absolument leur offrir un petit quelque chose avant qu'ils ne repartent.

Les déménageurs cédèrent sous les effusions cordiales de l'hôtesse qui avaient détonné par rapport à l'accueil peu chaleureux de la servante. Et pour excuser le comportement inhospitalier de leur fille, les Crochetière invitèrent les frères Sansoucy à se déporter au salon, où Édouard se délesta de sa charge. Pendant que la domestique servait du café avec des beignets et des petits gâteaux, Wenceslas Crochetière alla mettre son nez dans les caisses de livres et entraîna son futur gendre dans sa bibliothèque.

Les longues minutes salutaires au sommeil s'écoulaient. Ravie de faire connaissance avec d'autres membres de la famille, Margaret Crochetière raconta qu'elle avait connu son mari lors d'un voyage du notaire en Angleterre. Son père avait été tué pendant la Première Guerre mondiale et elle avait coutume de visiter sa vieille mère anglaise à Londres tous les ans. Selon elle, cela expliquait en partie la fascination que les «vieux pays» exerçaient sur Colombine et le voyage de noces en Europe qu'elle projetait.

Wenceslas Crochetière avait agrippé Édouard et passait en revue les bouquins de sa volumineuse bibliothèque personnelle. À son tour, il l'entretenait de ses lectures préférées, même s'ils en avaient abondamment discuté auparavant. Édouard avait remarqué cette tendance à la redondance et aux redites du tabellion qui aspirait à la retraite. Bien intentionné, ce dernier lui conseillait de se départir des exemplaires qu'ils avaient en commun et de les redonner à son frère Léandre, qui avait l'air un peu plus allumé que le plus jeune.

Les deux hommes s'étaient justement déplacés vers l'amoncellement de boîtes pour faire l'inventaire. Léandre entendait le vieil homme et son frère qui devisaient. À ses côtés, Marcel s'assoupissait, la tête renversée sur le dossier du fauteuil. «J'ai pas envie de dormir dans cette maison», pensa Léandre.

— Vous allez m'excuser, madame Crochetière, c'est bien intéressant, mais je dois m'en retourner. Je vous remercie pour vos politesses.

Léandre secoua Marcel et ils se rendirent à la garde-robe d'entrée. Wenceslas avait commencé à retirer des titres du nouvel arrivage. Il devait y en avoir une dizaine empilés sur le guéridon. Les deux notaires semblaient absorbés par leur interminable entretien. Les livreurs quittèrent le domicile.

Au matin, Marcel se leva comme s'il se réveillait au milieu de son sommeil. Les membres gourds, il s'achemina avec indolence vers la fenêtre. Il souleva le store. Des lueurs grisâtres s'immisçaient dans la pièce; le jour s'était levé avant lui. Il poussa la porte de sa chambre. Une agréable odeur de café se répandait dans l'appartement. Il avait refusé celui de la veille chez les Crochetière, mais une bonne tasse le tirerait de sa torpeur. Vêtu de son pyjama, il alla s'engouffrer dans la salle de bain et referma la porte derrière lui. Puis il se pencha devant le miroir: il avait la tête de quelqu'un qui avait passé la nuit sur la corde à linge. Son visage étiré et les poils frisottés qui ornaient son menton lui déplurent. Il fit une grimace à son miroir.

Dans la cuisine, l'épicier s'énervait. Marcel s'éternisait-il dans sa chambre? Émilienne l'avait appelé trois fois et il n'avait pas répondu. Héloïse, elle, l'avait vu. Il n'avait pas déjeuné et il s'était enfermé en pyjama dans la salle de bain. «Quelle honte de traîner au lit!» Le bas de la figure barbouillée de mousse à barbe, les joues gonflées, Marcel glissait le rasoir sur sa peau d'adolescent. Son père avala sa dernière gorgée de café et se dirigea vers la petite pièce intime.

— Marcel! s'écria-t-il, en sondant la porte verrouillée.

La surprise imprima un faux mouvement à la main de l'adolescent. L'instant d'après, sa face mouchetée parut dans l'entrebâillement de la porte.

— Ça sera pas long, p'pa!

Du sang rosissait le savon à barbe et conférait au jeune homme un aspect rebutant.

— T'es ben sans-dessein, donc! brama l'épicier. Es-tu après te saigner, coudonc! T'es même pas habillé, par-dessus le marché. Envoye, déguédine…

Marcel s'empressa de se laver la figure et de revêtir pantalon et chemise avant d'aller s'asseoir pour déjeuner en se tamponnant le menton avec un mouchoir. Il enfourna vitement son repas et dégringola l'escalier.

La journée commençait. Comme à l'accoutumée, pendant la Semaine sainte qui précédait Pâques, on aurait dit que le ciel avait déployé ses gros nuages sombres et ses vents mauvais pour allonger l'hiver et mortifier les chrétiens; le temps maussade portait davantage au recueillement qu'aux réjouissances. Il ne restait que quelques jours avant le sommet de l'année liturgique. Une fébrilité palpable s'emparait des ménagères. Plusieurs s'étaient présentées tôt à l'épicerie. Certaines, qui commandaient d'habitude par téléphone, avaient choisi de se rendre sur place. Au comptoir des viandes, Sansoucy n'en finissait plus d'emballer des jambons. On se disputait les plus beaux morceaux d'épaules et les plus belles fesses. À tel point que le boucher devait doubler de vigilance afin que l'ordre d'arrivée des clientes soit respecté.

Léandre était parti pour une première tournée de livraison. De temps à autre, Sansoucy allongeait le cou pour s'assurer d'un bon roulement à l'avant du magasin. Tout allait rondement à la caisse. Par contre, près des vitrines, le jeune livreur recomptait les pièces qu'il utilisait pour rendre la monnaie. Sur le plancher, les petites commandes s'entassaient. Le boucher sortit de son coin et fendit la nuée de clientes.

— Qu'est-ce que tu fais, toi, ce matin, maudit branleux? À l'heure qu'il est, tu devrais être sur ton bicycle depuis une secousse.

Sans mot dire, Marcel enfouit sa petite bourse en moleskine dans sa poche. Puis il chargea son triporteur, en prenant soin de bien balancer ses paquets, et l'enfourcha.

La journée n'était pas soleilleuse et la vue du dégoûtant pavé *slocheux* alourdissait son esprit peu alerte. Marcel pédalait machinalement dans les rues, aussi morose que le temps, avec le flegme du cheval efflanqué de la laiterie Joubert qu'il croisait parfois. Que devenait Amandine? Maintes fois, son visage s'était esquissé et, maintes fois, il s'était évanoui. Se pouvait-il que les traits de ceux qu'on aime disparaissent comme un croquis dessiné sur le sable balayé par la mer? Ils avaient bien failli se revoir, mais les événements en avaient décidé autrement. Dommage! La seule fille qui lui avait manifesté de l'intérêt. Était-ce le signe qu'il n'avait pas les atouts pour plaire? Bien sûr, il ne faisait pas tourner les têtes comme Léandre, qui aimait se pavaner et faire de l'œil à toutes celles qui s'aventuraient à le regarder. À bien y penser, une seule lui suffirait ; elle s'appelait Amandine.

Une lumière diffuse éclairait l'intérieur du commerce. Le livreur revenait de sa dernière tournée avec le sentiment qu'il avait résisté à deux journées de travail. Sa mère s'entretenait avec une jeune fille. Elle était seule. Amandine tourna les yeux vers lui.

— J'ai à te parler, Marcel ; je t'emmène au restaurant.

Embarrassé, le garçon interrogea sa mère du regard. Elle sembla approuver en abaissant muettement la tête. Le temps qu'il remette l'argent des livraisons et qu'il rentre le triporteur dans le magasin, Amandine entraînait son copain sur le trottoir.

Après son travail à la biscuiterie Viau, la jeune fille avait fait un crochet chez ses parents. Elle avait troqué son uniforme de sauceuse contre une tenue plus seyante en annonçant qu'elle allait souper au restaurant avec une amie. Son beau-père avait alors poussé les hauts cris en alléguant absurdement qu'il fallait s'abstenir de telles libertés durant la Semaine sainte. Elle avait eu l'audace de bafouer l'autorité de son parâtre et de s'évader de la maison. Elle entra chez Blandine en tenant le garçon par la main. Elle consulta le menu affiché sur une ardoise accrochée au mur.

— Je vas prendre un hot-dog avec un Coke, dit-elle, et toi ?

— Deux hot-dogs avec une orangeade Crush.

Marcel avait le sentiment d'avoir été l'objet d'un rapt, tellement les dernières minutes s'étaient vite écoulées. Amandine raconta que son beau-père s'opposait de plus en plus à ses sorties, qu'il craignait son dévergondage avec des garçons peu recommandables et que, parfois, il se laissait aller à de terribles colères qui faisaient trembler la maison.

— De la manière que tu parles, Amandine, tout le monde a l'air de passer par là avec lui. Chez nous, c'est toujours moi qui mange les coups. Façon de parler. P'pa m'a jamais touché. Que des claques en arrière de la tête. C'est un gros grognon. Même ma mère le trouve un peu malcommode, mais elle l'aime ben, son Théo.

— Qu'est-ce que t'attends pour te défendre, Marcel ? T'es pas mal bonasse, je trouve. Moi, ça fait pas ben ben longtemps que j'ai appris à répondre. Le beau-père fait sa crise, puis après il se calme. Le pire, c'est quand il s'en prend à ma mère. Je sais pas comment elle fait pour l'endurer. Coudonc, qu'est-ce que t'as au menton ?

— Je me suis coupé en me rasant ce matin. Rien de grave, c'est pas moi qui se marie lundi.

La jeune fille allongea la main et caressa le visage du garçon en poussant un long soupir de résignation. Son tour à elle aussi viendrait. Déjà elle sentait qu'elle avait conquis le cœur de son copain.

* * *

C'était la veille du mariage. Le soleil avait aspiré toute la neige que ses rayons avaient pu câliner. Il n'avait pas rejoint les taches éparses et les petits amoncellements embusqués à l'ombre des clôtures et dans le fond des cours. Pour la messe dominicale, les petites madames avaient exhibé leurs souliers neufs, leur bibi emplumé ou leur chapeau fleuri. À l'encontre de son mari, Émilienne avait tenu à réunir les siens pour le repas pascal. L'épicier avait manifesté son désaccord en disant qu'un tel dîner n'était pas nécessaire, étant donné que tout ce monde-là se verrait le lendemain pour le mariage. Cependant, sa femme ne voulait pas rompre avec la tradition familiale, c'était sacré !

Amandine ne s'était pas fait prier pour faire son entrée dans la famille. Elle avait bravé l'interdiction de son beau-père, qui avait trouvé inconvenant qu'une fille de son âge accepte d'être reçue chez des étrangers. Sous la gêne qui lui colorait le visage, Marcel sentait confusément qu'il délaissait l'adolescence. Il était fier du jeune homme qu'il devenait. Des fréquentations s'amorçaient qui le conduiraient dans le monde des adultes.

Édouard était seul. Sa fiancée n'avait pas voulu se montrer à sa belle-famille la veille de ses noces ; c'était inconvenant. Elle se réservait pour le grand jour. L'oncle Elzéar et la tante Florida avaient récupéré Placide au collège de Saint-Césaire. Ils étaient partis de bon matin avec leur nouveau camion. Le Gardangeois avait accepté de venir chez sa sœur Émilienne, par « pur esprit de famille », lui avait-il confié. Néanmoins, il avait conservé un souvenir repentant du séjour de Simone à la campagne et plus encore d'amers reliquats de l'épisode du Fargo dont Léandre s'était emparé effrontément. D'ailleurs, le fanfaron ne l'avait pas invité à son mariage et le fermier en avait été offusqué. Celui-là, il ne pouvait l'envisager sans durcir sa physionomie. Il posa son regard sur sa nièce enceinte dont le ventre rebondi le fascinait en essayant de formuler une niaiserie.

— Coudonc, madame O'Hagan, avez-vous l'intention de battre le record des jumelles Dionne ? ricana-t-il platement.

— Même si j'en porte juste un, c'est mieux que de pas en avoir pantoute, rétorqua Simone.

— Ben répondu ! commenta Léandre.

La remarque avait atteint Édouard. Le lendemain, il allait s'engager dans une vie à deux avec une femme qui ne désirait pas d'enfants. Parviendrait-il à la persuader que les petits sont les plus grands porte-bonheurs de la terre ? Avec leur avenir à l'abri des problèmes financiers, ils pourraient se payer une gouvernante. Il n'avait pas particulièrement entretenu les relations familiales, mais avoir un enfant, cela, il y tenait.

Chapitre 9

Un soleil timide, muselé derrière les nuages, dorait néanmoins de reflets irisés les pierres grisâtres de l'église Saint-Léon. Comme des spectateurs grimpés sur une estrade, de nombreux invités occupaient des marches du large escalier. Des enfants endimanchés de costumes et de robes aux teintes pastel s'amusaient en s'agrippant aux rampes des gradins. En haut, sur le parvis, des messieurs élégants grillaient ensemble une dernière cigarette pendant que les femmes déambulaient en bavardant sous la brise légère qui soulevait le bas de leurs resplendissantes toilettes.

Envahie par le nombre grandissant de personnes qui affluaient au mariage, la famille Sansoucy s'était massée à un bout de l'esplanade. Édouard, le futur marié, était arrivé en taxi avec son père et semblait étranger à la foule. Vêtu d'un complet marron, d'une cravate violette qui jurait avec sa chemise jaune et d'un mouchoir de poche orange, il espérait sa Colombine. Les sœurs Grandbois s'extasiaient devant la galerie de tenues impeccables et les toilettes jaunes, roses et mauves. À Pâques, dans leur paroisse, il ne leur avait pas été donné d'admirer tant de beauté à la fois. Immobile comme un réverbère, Marcel se trouvait embarrassé ; dans sa robe de lin blanc, Amandine était blottie contre lui et battait inlassablement des paupières. Elzéar et Florida s'embêtaient avec Irène et Placide. Alphonsine ravalait des larmes de regret en se remémorant son désengagement avec Philias Demers. Léandre et David reluquaient les belles jambes et détournaient le regard vers les voitures décorées de banderoles quand leurs proies s'en apercevaient. À tout moment, Simone plissait les yeux en essayant de réprimer les petites douleurs qui la taquinaient depuis le matin. Quand le tiraillement se faisait trop insistant, elle se pendait au bras de Paulette, qui fléchissait en craignant le pire. « C'est son premier, puis elle est quelques jours en avance ; c'est quand même pas aujourd'hui qu'elle va accoucher ! » avait déclaré sa mère avant de partir pour la cérémonie.

Une Oldsmobile se stationna au bord de la rue. Le chauffeur, un cousin de la mariée, se pressa pour ouvrir la portière. Colombine parut au bras de son père. Elle portait une robe en fin lainage couleur coquille d'œuf et arborait un immense chapeau en feutrine jaune garni de plumes qui ombrageaient son visage déjà légèrement assombri d'une voilette de dentelle. Deux autres portes claquèrent. Un petit neveu et une petite nièce habillés comme des princes se précipitèrent pour soutenir la longue traîne. Après quelques pas, quand ils virent batifoler leurs cousins, ils laissèrent tomber la queue de la robe et s'élancèrent vers eux. Colombine s'en offusqua. « Vous jouerez plus tard ! » s'écria le chauffeur. La mine boudeuse, le page et la bouquetière reprirent leur rôle. Dans les marches et les hauteurs de l'esplanade, on s'engouffra vite dans la nef. Altière, la promise, qui avait repris contenance, s'avança vers l'escalier qu'elle gravit avec la dignité d'une reine. Édouard jeta des regards incandescents à sa fiancée qui lui adressa un sourire discret.

Dans l'allée centrale, au son des grandes orgues, Sansoucy marchait la tête haute, les moustaches relevées, heureux d'accompagner le fils dont il était le plus fier. Il évoluait entre les bancs de noyer ornés de petits bouquets qui jalonnaient chacun de ses pas vers les chaises rembourrées qu'on avait placées au pied du maître-autel flanqué d'innombrables arrangements floraux. Cependant, il sentait confusément peser sur lui le regard observateur et entendait les voix chuchotantes de toute cette nef de gens qui l'intimidaient. Il avait le curieux sentiment que lui et les siens formaient une poignée négligeable de représentants du petit peuple de l'est de la ville qui s'étaient déplacés parce qu'un des leurs était devenu une bouture prometteuse, transplantée dans le jardin florissant de l'ouest de Montréal. Décidément, le groupe de l'épicier ne faisait pas le poids dans cette balance à deux plateaux dont les masses ne s'équilibreraient jamais. Quant à Émilienne, elle pleurait, écrasée par cette cérémonie en grande pompe chargée d'émotions qui commençait à peine. Elle voyait venir le moment de l'échange de promesses et celui, plus pathétique, de la longue marche des mariés sur le tapis rouge que son mari venait de fouler. Rien que d'y penser, elle sentait les chaleurs parcourir son corps et monter en elle ; elle se sentait défaillir.

Les grimaces de Simone étaient de plus en plus fréquentes. Au beau milieu d'une douleur, des eaux ruisselèrent et mouillèrent ses bas.

— On devrait prendre l'air, proposa David.

Simone se contenta de s'asseoir. Elle tentait de réguler sa respiration et de contenir ces petits mouvements brusques qui faisaient onduler son ventre rebondi. Les secousses qui l'agitaient n'avaient rien des fausses contractions. Paulette s'était assise avec elle, comme pour la soutenir et se mettre à son écoute, alors qu'elle blêmissait d'une inquiétante manière. Entre les paroles du célébrant, un prêtre de la famille honoré de célébrer le mariage de sa nièce, elle essayait de lui murmurer sa présence, son réconfort. Il n'y avait pas si longtemps qu'elle-même avait eu besoin de ces mots apaisants dans la minuscule salle d'un sous-sol du faubourg Saint-Henri où elle attendait pour se faire charcuter, pour qu'on lui enlève le fœtus dont elle avait choisi de se débarrasser.

Ce serait bientôt l'échange des consentements. Simone espérait tenir. David avait des sueurs froides et Paulette allait s'évanouir. Entre les voix d'un chœur qui s'élevaient dans la voûte céleste et celle du prêtre, Simone priait. Elle balbutiait des bribes de prières mal apprises, mais avec la sincérité des grandes supplications. Elle ne connaissait rien aux accouchements et son corps ne lui donnait aucun répit. Les douleurs étaient maintenant régulières, aux quinze minutes. Le bas du dos lui tirait les traits ; elle eut le besoin de s'allonger.

Au pied des marches qui conduisaient à l'autel, après une exhortation émue du célébrant et la bénédiction des anneaux, Colombine allait glisser l'alliance dans l'annulaire d'Édouard. Simone poussa un cri qui la fit s'incliner, la tête appuyée sur le dossier du banc devant. Décontenancée, Colombine suspendit son geste. Des centaines de pupilles se braquèrent sur la future maman.

— Simone ! s'exclama sa mère, en se retournant. Mon Dieu ! Aidez-la, quelqu'un !

Un homme de petite taille, replet, se détacha d'un banc du côté des Crochetière et s'empressa vers Simone.

— Faites-moi confiance, je suis le docteur Bonnier, amenez-la à la sacristie !

Pliée en deux, soutenue par Paulette, David et Léandre, et devancée par le médecin et sa femme qui l'avait rejoint, Simone sortit de son banc et progressa jusqu'à la petite annexe où les vases sacrés, les vêtements sacerdotaux, les objets de culte et les registres étaient conservés. Dans la pièce imprégnée d'une forte odeur d'encens, elle s'effondra sur une chaise recouverte de velours entre des images saintes, près d'une statue de saint Joseph. Le soignant chercha nerveusement un endroit où la jeune femme pouvait s'allonger.

L'étole au cou, le curé Gauthier avait quitté le chœur en catastrophe. Le corpulent ecclésiastique apparut dans l'encadrement de la porte, offrant son visage poupin étouffé par un col romain trop serré.

— Mademoiselle ne peut pas donner naissance à son bébé dans un lieu saint ! Ce serait un véritable sacrilège…

— Je me suis mariée dans une sacristie, je vois pas pourquoi je pourrais pas accoucher dans une sacristie ! rétorqua Simone entre deux contractions. Ayez pas peur, monsieur le curé, avec saint Joseph qui veille sur moi, ça sera pas une traînerie : mon petit Jésus va naître par l'opération du Saint-Esprit.

— Transportez-la au presbytère! ordonna le docteur Bonnier, et préparez-vous à baptiser après le mariage, monsieur le curé, railla-t-il.

Sur ces entrefaites, comme une mère éperdue, Émilienne s'était élancée vers sa fille avec Héloïse qui ne voulait rien manquer. Alphonsine avait surgi dans la pièce. Elle avait attribué au ciel le concours de circonstances qui lui permettait de se soustraire à la scène des consentements.

— Maman est là, pleurnicha Émilienne, en prenant la main de sa fille. Tout va bien se passer, t'es pas la première qui accouche.

Le docteur Bonnier et David devancèrent tout le monde. Manifestement contrarié, le curé Oscar Gauthier s'engouffra dans le couloir qui menait à l'habitation des pasteurs, entraînant derrière lui les envahisseurs de la sacristie.

Une grande maigre à la figure ravagée accourut à la porte.

— Laissez-nous rentrer, intima le médecin, et mettez de l'eau à bouillir.

— N'entre pas qui veut dans cette maison, rétorqua la bonne.

— Eille, cibole, faites de quoi! ragea David.

L'abbé Gauthier sursauta au gros mot, mais il céda à la détermination du docteur.

— C'est une urgence, Honorine! précisa-t-il. Un enfant va naître.

Désemparée, la vieille servante promena autour d'elle des yeux de grenouille ahurie qui se fixèrent sur l'escalier.

— Suivez-moi, dit-elle.

— Non! intervint le curé. Occupez-vous plutôt de mettre l'eau à chauffer et je vais conduire la jeune femme au deuxième.

Simone soupira. On ne l'amènerait pas au troisième étage du bâtiment, cette espèce de pigeonnier perché dans les hauteurs qu'elle avait remarqué en arrivant à l'église. Péniblement, elle entreprit de gravir les degrés du long escalier à la suite du curé et pénétra avec sa mère dans une chambre étroite fortement imprégnée d'une odeur de renfermé. Émilienne s'étonna de l'austérité de la pièce : outre la couche de fer au-dessus de laquelle était cloué un crucifix de bois, un chiffonnier et une chaise dure composaient le mobilier. L'abbé Gauthier se retira. Le médecin entra avec sa femme en faisant signe aux autres de refouler dans le couloir. Gémissante, Simone s'allongea sur le lit. Émilienne ouvrit toute grande la fenêtre qui donnait sur la rue Maisonneuve. « Le curé y a pas pensé ben longtemps ; ils vont l'entendre crier ! songea-t-elle, mais on est toujours ben pas pour déménager dans une chambre à l'arrière du bâtiment, asteure ! Et puis, après tout, il est temps que les curés comprennent un peu la souffrance des femmes ! »

Dans l'église, par les portes grandes ouvertes, les notes solennelles de la « Marche nuptiale » de Mendelssohn se mêlaient aux lamentations de Simone.

Dehors, les cloches carillonnaient. Les mariés s'embrassèrent sous une pluie de confettis. Peu après, les invités se distribuèrent sur les marches pour immortaliser l'événement devant le photographe. Édouard, qui avait vu passer une partie de sa famille le long de la balustrade avant la fin de la cérémonie, repéra les lambeaux qui en restaient. Ils étaient regroupés près de lui. Des bénévoles avaient descendu Alida dans sa chaise d'impotente au pied des marches. Elle était entourée d'Irène, qui n'avait pas voulu quitter son père qui paraissait très agité, de Placide et des Gardangeois, ainsi que d'Amandine solidement accrochée à Marcel.

Une luxueuse limousine se stationna devant l'église. Bientôt, des voitures s'alignèrent dans la rue et les gens commencèrent à déserter les lieux.

— Asteure, je m'en vas à la sacristie, dit l'épicier.

— On pourrait peut-être se rendre au presbytère, proposa Marcel.

— Tu me diras pas quoi faire, toi ! répliqua platement Sansoucy.

Le marchand s'agrippa à la rampe, remonta les marches, traversa le parvis en saluant l'organiste et les choristes, et alla se buter contre des portes closes et verrouillées. Éminemment offusqué, il proféra une volée de jurons. Quelqu'un ouvrit. Le bedeau, un homme de taille moyenne, parut et, les lèvres serrées, jeta de gros yeux indignés. La compagnie était déménagée dans la maison d'à côté. Sansoucy vacilla comme un bœuf assommé d'un coup de masse. Il rebroussa chemin et, sans mot dire, repassa devant les siens qui lui emboîtèrent le pas en direction du presbytère.

La petite société s'amenait sur le trottoir. Des badauds étaient immobilisés devant l'imposant bâtiment de briques rouges et commentaient les cris qui fusaient d'une fenêtre à l'étage. L'épicier se pressa sous le porche, un balcon de pierres grises qui reposait sur quatre colonnes. Il tourna la sonnette de cuivre. La bonne mit un temps avant de répondre. Elle était occupée à préparer le dîner.

— Vous venez pas manger, toujours ? demanda-t-elle à travers la moustiquaire.

— Non, non, on va rejoindre le reste de la noce tout à l'heure. On est juste venus s'informer de ma fille, puis on va repartir aussitôt.

— Très bien !

Sansoucy entra en laissant claquer la porte reliée à un ressort. Puis Placide s'avança pour la retenir, le temps que le fauteuil roulant et les autres franchissent le seuil.

David arpentait le long corridor emboucané de l'étage. Des cris transperçaient les murs et le faisaient se crisper. La tête renversée, Simone était cramponnée à deux mains au lit de fer qu'elle secouait de toutes ses forces. Le futur papa paraissait très nerveux.

Léandre, Paulette et lui avaient grillé deux paquets de Turret et s'apprêtaient à réquisitionner les Sweet Caporal dans le sac à main de Simone.

— Ça va-tu finir, coudonc ? exprima-t-il d'une voix pleurante.

Héloïse se pencha à l'oreille d'Alphonsine. « La petite paye pour son péché ! » dit-elle. Puis il y eut une accalmie.

Le médecin sortit de la chambre, le front en sueur.

— Et puis, docteur Bonnier ? s'enquit David.

L'enfant tardait à naître, la petite était en nage, elle était épuisée et ce pouvait être long.

Paulette eut faim. Elle supplia Léandre de se rendre à la fête et Marcel était prêt à les suivre, tandis que Placide, absorbé dans ses invocations à l'autre bout du corridor, désirait faire pénitence. Elzéar s'impatienta :

— On est pas venus à Montréal pour assister à un accouchement, tornon ! Puis j'ai besoin de quelqu'un pour me guider parce que je saurais pas quel chemin prendre pour aller à la salle. De toute façon, j'aurais l'air d'un vrai *codinde* d'arriver là tout seul avec Florida.

Les cris reprirent, plus perçants, et se changèrent bientôt en hurlements. Une odeur de cuisine monta, qui taquina les estomacs affamés. Les yeux de Paulette implorèrent Léandre.

— Je sais pas quelle heure il va être quand on va partir du presbytère, mais je vas aller voir ce que la bonne peut nous offrir pour nous soutenir un peu, suggéra Léandre. Tant pis s'il reste plus rien à manger quand on arrivera à la fête ; au moins, on aura quelque chose dans le corps.

Léandre dévala l'escalier et surgit dans la vaste salle à manger en se campant sur le seuil. La bonne déposa un grand plat de faïence rempli de légumes devant les trois vicaires et l'abbé Gauthier, qui arrêta de saper le fond de sa soupe en suspendant sa cuiller.

— Avez-vous des petites réserves, monsieur le curé ? Tout le monde commence à avoir pas mal faim en haut.

La servante ouvrit la bouche d'étonnement et roula ses yeux de batracien vers le curé.

— Bon, le réfectoire, asteure ! bougonna l'ecclésiastique. J'ai bien assez de convertir une des chambres de mon presbytère en salle d'accouchement sans vous donner à manger.

— Vous avez pas fini, monsieur le curé ; après, ça va être la pouponnière. Et puis je voudrais pas vous enlever le pain de la bouche. C'est juste un petit geste charitable que je vous demandais…

Léandre tourna les talons et amorça un pas dans le couloir. L'opulent curé marmonna quelques mots à ses vicaires, ôta vitement sa serviette de table souillée d'éclaboussures rouges et s'écria :

— Attendez, jeune homme !

Une quarantaine de minutes plus tard, le curé et ses vicaires s'étant retirés, plusieurs membres de la famille Sansoucy s'atta-blaient autour d'un repas vite cuisiné ; Émilienne, pour sa part, était demeurée à l'étage avec le docteur Bonnier et sa femme, qui l'assistait auprès de la parturiente. Honorine, la servante, avait déployé tout son savoir-faire pour apprêter un reste de jambon pascal avec des patates bouillies, confectionnant aussi une petite *cossetarde* au caramel, afin de nourrir les quêteurs de la rue Adam. À tout moment, les conversations se suspendaient par des entre-coupements de regards au plafond chargés d'inquiétude et de déglutitions troublées.

Le dîner tardif s'achevait dans des hurlements.

— Je pense que je vas virer folle! déclara Paulette.

— On est pas obligés de supporter ces geignements-là jusqu'à la fin, commenta Héloïse. On devrait s'en aller…

L'enfantement s'éternisait. Les heures s'étiraient, longues et insupportables, et personne n'entrevoyait la délivrance de Simone qui n'avait rien voulu avaler, mais à qui on avait fait mordre dans une débarbouillette humide pour lui humecter la gorge.

***

Des roulements de voitures emplissaient le débarcadère. Des portières se refermaient bruyamment. Sansoucy descendit du taxi.

Dans le hall bleu et or dallé de marbre, quelques hommes élégamment vêtus trônaient sous des lustres de cristal dans des fauteuils de velours grenat en prenant un digestif. Debout, une grosse femme sanglée dans un corset, la gorge ruisselante de bijoux, bavardait avec un petit groupe de dames dont la plupart éclataient dans leur corsage. Elle interpella l'épicier :

— Il ne reste que nous, mon cher monsieur. Et puis, est-ce que le grand-père se porte bien ?

Aux noces, on avait parlé davantage de l'accouchement que du mariage. La cérémonie avait été interrompue momentanément par un événement inusité dans les annales des paroisses. Les lamentations de la jeune femme, ses accès de douleurs avaient détourné les regards de l'assistance avant que la tribu se précipite dans la demeure du prêtre, convertie en hôpital de fortune. La table d'honneur à moitié déserte, le marié qui n'avait aucun représentant de sa famille, le curé aux abois, tout cela avait donné prise à des commentaires. Des histoires couraient, des plaisanteries circulaient comme une rumeur chez les Crochetière et leurs deux centaines d'invités.

La dame faisait tourner avec ostentation un gros diamant à son doigt. Elle paraissait s'amuser de tous ces racontars qui avaient pris naissance pendant la cérémonie et qui n'avaient pas connu encore, semblait-il, leur aboutissement. Et la mariée qui était retournée en pleurs dans la limousine avec son mari désenchanté ferait encore jaser d'elle, la pauvre.

* * *

Stanislas O'Hagan avait poussé ses premiers cris vers quatre heures de l'après-midi. Le poupon pesait huit livres et sept onces, et il était très vigoureux. Il tenait sa chevelure roussâtre de son père et les traits de sa mère, avec ce petit sourire moqueur qui, déjà, fleurissait aux commissures de ses lèvres.

Le docteur Bonnier avait ordonné une période de repos au presbytère. La bonne avait dégoté des oreillers supplémentaires dans la lingerie pour appuyer le dos de la mère qui allaitait son fils. Elle était redescendue à la cuisine en appréhendant le surplus de travail que la présence des «pensionnaires» occasionnerait. Mais elle avait ressenti un bonheur indéfinissable en réalisant qu'un ange du bon Dieu était né dans une résidence de vieux garçons. Émilienne ne cessait de regarder l'adorable petit être conçu avant le mariage, une âme que le curé Gauthier s'était empressé de baptiser. Quant à David, il demeurait un artisan fier de son œuvre d'art. Il avait téléphoné à ses parents pour leur annoncer la nouvelle.

Les O'Hagan surgirent sur les lieux en même temps que le reste de la famille Sansoucy, qui revenait de la salle de noces avec une montagne de boîtes. Honorine délaissa son ouvrage de cuisinière et alla répondre. Elle huma l'odeur agréable qui se dégageait des cartons. Un large sourire illumina son visage.

— Cette fois, vous avez apporté votre souper, monsieur Sansoucy! s'exclama-t-elle.

— Allez retirer vos chaudrons du poêle, mademoiselle Honorine, et mettez à chauffer ce qu'il y a là-dedans. Il y en a pour les fins et les fous. Le bébé est-tu arrivé, toujours ?

Les deux familles se rassemblèrent à l'étage des chambres. La porte de celle de Simone était ouverte sur le couloir et, deux par deux, on entrait pour voir de près le chérubin. À contempler le nouveau-né, chacun lui trouvait des airs, des ressemblances, mais tous s'entendaient pour dire que sa mine rieuse laissait présager un avenir prometteur. La servante sortit de la cuisine en agitant une cloche.

— C'est mademoiselle Honorine qui nous appelle, dit l'épicier. Le souper est servi. On va manger ce qu'on a rapporté de la salle de réception.

— Cette fois-là, ce sera pas de refus, j'ai rien avalé depuis le matin, j'ai l'estomac dans les talons, commenta Émilienne. Puis toi, Simone, grouille pas, Marcel va te monter quelque chose.

La joyeuse compagnie se retrouva dans la salle à manger. Le curé Gauthier avait consenti à recevoir à sa table et il avait accepté, à la demande de sa servante, qu'on souligne la naissance avec des bouteilles de Saint-Georges des deux couleurs. Depuis son arrivée dans la paroisse en 1904, il n'avait jamais assisté à une telle exaltation de la nature, à un tel épanchement d'émotions. Et toute cette belle famille venue d'une autre paroisse qui se regroupait autour d'un innocent. Selon lui, il fallait lire les signes ; c'était la volonté de Dieu qu'un tel événement se produise dans la maison. Il admit cependant que, au plus fort du travail, ses trois vicaires – ne pouvant rester insensibles à la souffrance – avaient déserté la place, et que lui-même était allé prendre quelques bonnes bolées d'air pour converser avec les paroissiens sur le trottoir en face du presbytère. D'ailleurs, certains s'étaient élevés contre la décision du prêtre, l'accusant d'avoir courbé l'échine pour permettre à l'inconnue d'accoucher chez lui. Ç'aurait été plus simple d'expédier la parturiente à l'hôpital. On était allés jusqu'à prétendre que la jeune sans cervelle était probablement une fille-mère qui avait oublié de compter les jours de sa gestation, et qu'elle était venue se montrer imprudemment dans le grand monde de Westmount. Eh bien, elle l'avait eue, sa cérémonie !

Vers la fin du souper, alors qu'on entamait les fondations de l'immense gâteau de noces à quatre étages, on sonna au presby-tère. La vieille Honorine se pressa à la porte. On entendit un fracas dans l'escalier. Le curé allait se lever pour s'enquérir de ce qui se passait dans sa maison.

— Ça doit être vos vicaires qui reviennent un peu éméchés !

— Voyons, Léandre, ça se dit pas, des affaires de même, le rabroua sa mère.

Le prêtre se rassit et acheva son morceau de gâteau. Une vingtaine de minutes après, la servante revint dans la salle à manger.

— C'est le mari de ma nièce qui vient d'apporter des commodi-tés pour bébé Stanislas et sa mère, annonça-t-elle, la voix enjouée. Si vous voyiez le moïse et le beau petit linge…

Une ombre de contrariété passa sur le visage de l'ecclésiastique. Émilienne et la mère de David avalèrent une autre gorgée de café et montèrent à la chambre de Simone ; elles entrèrent sur la pointe des pieds.

Le nourrisson dormait dans un berceau en osier capitonné, des boîtes s'empilaient dans un coin.

— Ah ! Mon doux ! s'exclama Émilienne.

— Oh ! *My dear !* dit l'Irlandaise, d'une voix altérée.

Au logis, Simone avait déjà tout ce qu'il fallait, lui semblait-il, et le berceau supplémentaire serait donné à Paulette. Rayonnante, elle regardait les deux grands-mères qui s'employèrent à vider les caisses. Comme deux petites filles excitées, elles examinèrent et classèrent chaque vêtement selon l'âge, selon la couleur. Il y en avait des bleus, des roses, des jaunes, des blancs, en tricot ou en tissu, pour les tout-petits et les bambins jusqu'à deux ans. Dans une ambiance de rires étouffés, les morceaux les plus appropriés au nouveau-né furent placés sur le chiffonnier et les autres, remisés dans les boîtes. Émilienne, qui n'entendait rien à l'anglais de Betty O'Hagan, sauf *yes*, *no*, *thank you*, et quelques rares mots choisis du vocabulaire de la langue de Shakespeare, était dans un état de ravissement que toutes les mères du monde pouvaient comprendre.

Le soleil faiblissait par les grandes fenêtres de la salle à manger déjà assombries par les boiseries acajou, les meubles en noyer et les lourdes tentures lie-de-vin. Épuisé par la journée riche en rebondissements, Sansoucy décréta qu'il était temps de partir. Il se leva de table.

— On vous remercie pour toutes vos bontés, monsieur le curé, proféra-t-il. Pour ne pas vous embarrasser, on va rapporter les restes. Je vas *rapailler* mon monde. Ben sûr, je vous confie ma Simone et mon petit-fils, le temps qu'il faudra, comme l'a recommandé le docteur Bonnier.

— Avec Honorine, il n'y a pas de doute qu'ils seront en de bonnes mains, répondit le prêtre. On dirait qu'elle les a pris en affection…

Le presbytère enfin débarrassé de ses visiteurs, Honorine récura la vaisselle sale et roula sa Bissell dans la salle à manger ; la compagnie avait laissé des miettes de pain et de gâteau sur le tapis autour de la table. Elle avait été heureuse de voir les deux grands-mères refranchir le seuil de la maison. À présent, elle aurait tout le plaisir de s'occuper de la maman et de son enfant. Pendant la nuit, en quelque sorte, elle assurerait le service de garde. Elle ne dormirait peut-être pas assez, peu lui importait : elle aurait le petit Stanislas pour elle seule.

Afin de ne pas réveiller la maisonnée de prêtres, de sa chambre voisine, elle accourait aux moindres vagissements du nouveau-né.

À la lueur d'une lampe jaunâtre, la tétée terminée, elle prenait le nourrisson et le gardait de longs moments dans ses bras avant de le remettre dans son berceau. Et là encore, elle le caressait de ses gros yeux doux. Puis elle demandait à Simone si elle avait besoin de quoi que ce soit. Parfois elle glissait dans le corridor vers les toilettes pour en rapporter un verre d'eau, quand ce n'était pas de descendre à la cuisine parce que la petite maman avait une fringale.

Au matin, Honorine était crevée. Elle avait dédié plus d'heures aux deux pensionnaires qu'elle n'en avait consacrées à son sommeil, et les nombreux allers-retours dans l'escalier l'avaient considérablement amortie.

Les vicaires avaient déjeuné et ils étaient allés à leur ministère. Le curé avait attendu pour être seul avec sa servante. Il retenait depuis l'aube les commentaires qu'il ne pouvait plus endiguer. Il tamponna ses lèvres serrées et s'adressa à elle.

— Il y a eu pas mal de va-et-vient cette nuit, Honorine.

— Ah oui! Madame O'Hagan s'est levée quelques fois pour aller aux toilettes, et puis…

— Il n'y a pas seulement la fille de l'épicier qui s'est promenée cette nuit, Honorine. À quelques reprises, j'ai entrouvert la porte de ma chambre et c'est vous que j'ai vu redescendre ou remonter les marches.

La bonne eut un toussotement nerveux.

— Il faut savoir se dépenser auprès de son prochain, c'est ce que vous-même enseignez en chaire.

— Oui, mais pas au détriment de sa propre santé, Honorine. On dit aussi que charité bien ordonnée commence par soi-même.

— Merci de me le rappeler, monsieur le curé, je ne l'oublierai pas.

Un coup de sonnette éraillé retentit au vestibule ; la servante alla répondre. Les lèvres pincées, deux femmes exigèrent de parler à l'abbé Gauthier, qui les reçut dans son bureau. Après une demi-heure de doléances rapportées derrière des portes closes, les deux paroissiennes tournèrent les talons, avec des airs de pharisiens scandalisés.

Honorine avait deviné le sujet de l'entretien. Elle était persuadée que des plaintes concernant les événements de la veille avaient transpiré entre les murs. À certains moments, elle avait failli céder à la tentation d'écouter à la porte du bureau, mais elle avait résisté. Dès qu'elle le pouvait, elle délaissait sa besogne pour aller entrouvrir la porte de la chambre de Simone et s'enquérir de ses besoins. Au bout de quelques minutes, prise d'une culpabilité grandissante, elle se remettait à son ouvrage avec le dessein de retourner au plus vite auprès des invités de passage.

Dans sa rencontre avec les plaignantes, le curé avait fait valoir que la situation était exceptionnelle et que tout rentrerait dans l'ordre sous peu. Il n'y avait pas matière à tempêter ; la jeune accouchée regagnerait bientôt son milieu. Cela dit, l'abbé Gauthier demeurait préoccupé par la représentation des paroissiennes. Au cours de l'avant-midi, il avait croisé la servante et ses vicaires en faisant mine de rien. Mais Honorine connaissait assez bien les hommes de la maison pour savoir qu'on ne s'adonnerait pas plus longtemps à ce petit jeu du chat et de la souris.

Au dîner, alors qu'elle desservait la table, le sujet refit surface. L'abbé Galarneau, le plus hardi des trois vicaires, aborda la question.

— Pardonnez-moi, monsieur le curé, osa-t-il, vous n'êtes pas sans savoir que certains de nos paroissiens sont en désaccord avec la permission que vous avez accordée à la jeune fille et son enfant de demeurer au presbytère.

— Chaque fois qu'il se produit un événement qui sort un peu de l'ordinaire, il se trouve toujours quelqu'un pour contester ma décision. Rappelez-vous la fois que nous avons donné le gîte à une famille qui venait de passer au feu. J'ai dû subir pendant un gros mois les reproches de mécontents.

— Cette fois, il ne s'agit pas de sinistrés, argua le vicaire. Le cas est beaucoup plus sérieux : une fille-mère qui accouche dans un presbytère, c'est du jamais vu !

— Vous rapportez des cancans, monsieur l'abbé, s'indigna le curé, Madame O'Hagan n'est pas une fille-mère : c'est une honnête fille !

Un sourire de ravissement parut sur les lèvres de la servante. La sonnette d'entrée se fit entendre. Honorine perdit son air victorieux. Le curé recula sa chaise, se leva brusquement et alla répondre. Une délégation d'une douzaine de paroissiennes attendait au bas des marches. « Ah ! non, j'aurais dû m'en douter, cette histoire n'est pas finie », se dit le prêtre. Celle qui semblait représenter le groupe prit la parole :

— Ça tombe bien, monsieur le curé, commença-t-elle, c'est justement vous que nous sommes venues rencontrer.

— Entrez donc, mesdames.

Un petit détachement de déléguées emboîta le pas au curé, qui les entraîna dans la salle de réunion, adjacente au bureau. Les dames se distribuèrent autour de la table. La meneuse sortit une longue liste de noms et la braqua sous le nez du pasteur. L'ecclésiastique considéra avec gravité la teneur de l'écrit qui tombait comme un couperet.

— C'est une pétition ! s'exclama le prêtre.

— Oui, monsieur le curé ! C'est tout à fait inconvenant d'héberger…

Madame Hervieux exposa tous les arguments de sa requête, fortement appuyée par de nombreux paroissiens qui souhaitaient ni plus ni moins le départ immédiat des deux intrus.

— Vous ne me laissez guère le choix, mesdames, commenta-t-il, en déposant le document.

— Sinon nous irons cogner à la porte de l'archevêché, précisa l'instigatrice de la démarche.

Honorine avait pressenti le pire ; elle s'excusa auprès des vicaires et monta à la chambre de Simone. En bas, au pied de la galerie, on déblatérait des insultes. La jeune maman était à la fenêtre ; elle se retourna.

La servante s'approcha de Simone, prit ses mains dans les siennes et promena ses yeux globuleux sur le visage défait de la jeune maman.

— Si ce n'était que de moi et de monsieur le curé, tu pourrais demeurer aussi longtemps que tu le voudrais, exprima-t-elle d'une voix décomposée. En même temps, nous savons que ta place n'est pas dans cette maison. Je crois que tu dois te résoudre à partir, mon enfant…

— Le docteur Bonnier m'a recommandé quelques jours de repos au presbytère, mais je resterai pas une journée de plus, lança-t-elle. Je m'en vas aujourd'hui même, Honorine.

— Tu ne peux pas savoir tout le bonheur que toi et ton enfant m'avez apporté ; je ne l'oublierai jamais.

Des larmes coulèrent sur les joues de la vieille servante. Simone se pencha à la fenêtre. Dehors, on criait au scandale. Des mauvaises langues proféraient d'insupportables méchancetés. Les unes éclataient en paroles furibondes, les autres, plus pacifiques, étaient rentrées dans l'église pour allumer des lampions. On en entendait de toutes les sortes. La jeune femme était une irresponsable, trop jeune pour être mère, c'était une ancienne serveuse d'un restaurant minable venue gâcher le mariage de la fille du notaire Crochetière. À cause d'elle, on avait vu sortir la mariée en pleurs de l'église. Les plus dévotes se demandaient s'il ne fallait pas procéder à la purification du presbytère. Et il fut un siècle où l'on aurait fait brûler la mère indigne et son enfant.

Simone n'en pouvait plus ; elle descendit au rez-de-chaussée pour téléphoner. Les paroissiennes quittant la salle de réunion lui jetèrent des regards dédaigneux, comme si elle était une ordure. Elle eut envie de les abreuver d'un flot de grossièretés. Le curé Gauthier parut dans le corridor, l'air atterré.

— J'appelle à l'épicerie, mon frère va venir nous chercher, moi et mon petit…

Chapitre 10

Entre deux tournées de livraison, Léandre avait ramené sa sœur et son neveu dans la rue Adam. Pendant qu'il transportait le moïse et le reste du linge au logement, sous l'insistance de sa mère, Simone avait daigné faire un crochet par l'épicerie. Elle avait déposé son enfant comme un colis sur le comptoir, bien emmitouflé dans une couverture bleue. Des clientes contemplaient le nourrisson, formulant leurs commentaires en empruntant des voix enfantines.

Sansoucy sortait de sa glacière. Il se précipita à l'avant du magasin pour voir son petit-fils ; il se mit à babiller des mots incompréhensibles.

— Voyons, Théo, mentionna Émilienne, t'es en train de faire un fou de toi ! Devant les clientes, en plus…

— Chicanez-le pas, madame Sansoucy, intervint mademoiselle Lamouche ! Votre mari retourne à l'enfance quelques minutes, ça durera pas…

Madame Gladu avait vu débarquer la précieuse cargaison du camion et s'était empressée au magasin. Elle s'adressa à Simone.

— T'as vraiment accouché au presbytère de l'église Saint-Léon de Westmount ?

— J'étais toujours ben pas pour accoucher dans la sacristie. D'ailleurs, ça me surprend que vous soyez pas venue écornifler au mariage.

Près du téléphone, Paulette griffonnait en silence sur une tablette, troublée par la présence des clientes qui admiraient l'enfant. Émilienne se rappela que sa fille avait besoin de récupérer.

— Je vas monter avec Simone, dit-elle.

Enfin parvenue au troisième étage, Simone confia Stanislas à sa mère et alla s'étendre sur son lit. Les bras remplis de son trésor, Émilienne se cala confortablement dans un fauteuil.

Le logis s'animerait à présent autour de ce petit être tout neuf qui nécessiterait des heures de soins, d'attention, d'amour. Elle-même en avait élevé six; elle savait ce qu'il en était. Mais elle redoutait les capacités de sa fille à s'adapter à sa dure réalité, à s'occuper convenablement de son enfant. Que ferait Simone quand elle serait laissée à elle-même des journées durant, alors qu'Émilienne ne pouvait censément l'assister dans ses relevailles parce que, justement, elle la remplaçait au magasin? Comment se dérouleraient les interminables soirées et les nuits au sommeil écourté, et comment s'accommoderait-elle à la fatigue accumulée, à ces lendemains qui reviendraient trop vite, si semblables à la veille? Le bébé se mit à pleurer. La mère n'avait pas entendu son fils. La grand-mère se leva et poussa doucettement la porte de la chambre.

— Pas déjà, m'man!

— Je peux pas l'allaiter, moi. C'est ton petit, ma Simone, il faut que tu t'en occupes.

Simone s'achemina avec indolence dans le salon. Puis elle se laissa choir dans le fauteuil. Émilienne lui donna le bébé et lui apporta un oreiller afin qu'elle soit plus confortable. Mais l'enfant ne se calmait pas et Simone s'énervait.

— Il me semble que je suis pas mal *sans-dessine*, m'man.

— Je vas t'aider de mon mieux, ma fille. Mais comme je te connais, tu voudras pas m'écouter. Faudrait que t'ailles à la Goutte de lait. L'infirmière va te donner des conseils.

— Au presbytère, le docteur Bonnier m'a dit que mon enfant était en santé. Ça me tente vraiment pas d'aller poireauter avec mon petit pour me faire répéter la même affaire.

— Tu feras à ta tête, ma Simone. Mais viens pas te plaindre après si t'as des problèmes puis si ton bébé attrape des maladies. En tout cas, le dispensaire est ouvert demain après-midi. Pour le moment, je vas préparer le souper ; les trois autres vont arriver avant longtemps.

Stanislas s'apaisa. Émilienne alla à la cuisine, fouilla dans la glacière et le garde-manger. Puis elle descendit à l'épicerie et remonta après quelques minutes avec deux paquets ficelés et un sac d'oignons. Les patates et les carottes épluchées, elle les mit à cuire et jeta dans un poêlon une motte de beurre et le foie de bœuf.

Le nourrisson avait régurgité. Au désespoir, Simone appela sa mère à l'aide pendant que la cuisson se poursuivait sur le poêle.

— Pouah ! s'exclama Simone. Ça sent le lait suri à plein nez. Prenez-le, je vas mettre ma robe de chambre.

— T'es pas mieux de finir de l'allaiter avant de te changer ?

Faisant fi de la recommandation de sa mère, Simone alla troquer sa robe contre une jaquette légère et se réinstalla dans le fauteuil. Émilienne repassa dans la cuisine pour piquer ses légumes et retourner les tranches de foie. Elle revint au salon. Stanislas avait souillé la robe de nuit de sa mère.

— Je te l'avais ben dit, ma Simone, mais des fois, c'est comme si je parlais au mur ; endure-le, asteure.

Il n'en fallait pas plus pour que la petite mère se mette à pleurer en même temps que se firent entendre les criaillements aigus de l'enfant. Émilienne reprit Stanislas et commença à arpenter la pièce. Au bout de quelques minutes, le calme était revenu au logis. David, Léandre et Paulette entrèrent.

— Ça sent le brûlé ! s'écria Léandre, en se précipitant à la cuisine.

Émilienne déposa Stanislas dans les bras de son père et s'empressa vers ses chaudrons. Léandre regardait d'un air découragé ce qui avait raidi dans le poêlon.

— C'est juste un peu calciné, vous ôterez ce qui est dur, c'est tout ! expliqua la cuisinière. Mets donc la table, on va s'approcher.

Stanislas s'était endormi et David l'avait couché dans son moïse. Simone s'était relevée et se déportait dans la salle à manger. Émilienne servait les assiettes.

— C'est du bon foie de bœuf avec du bacon, dit-elle.

— Vous savez que j'haïs ça, du foie de bœuf, m'man, renâcla Simone. Moi puis les abats ! La langue, les tripes, tout ce qui grouille tout seul dans la poêle, ça me lève le cœur.

— Ben voyons donc ! C'est toi qui me parlais du docteur Bonnier tout à l'heure. Souviens-toi de ce qu'il a recommandé : du foie, c'est bon pour les relevailles, il y a beaucoup de vitamines, là-dedans. J'ai enfariné les tranches, puis avec le bacon et les oignons, le foie va goûter moins fort. Puis fais-moi pas choquer, je me démène assez pour toi…

Paulette ruminait des idées sombres. Contrairement à elle, Simone avait mené son bébé à quelques jours de la date prévue et il était là, dans son berceau, à dormir à poings fermés. Son corps avait pansé ses plaies, mais elle était incapable de chasser les idées qui grandissaient et qui revenaient comme de lancinants remords, chaque fois plus forts, plus insistants. Elle écoutait distraitement les autres raconter leur journée. Simone prenait le temps de relater les représentations des paroissiennes de Saint-Léon qui s'étaient liguées contre elle, de rapporter les paroles offensantes qu'on lui avait adressées, les pressions qui avaient eu raison du curé Gauthier. David était content d'avoir rapatrié sa petite famille avec la contribution de son beau-frère, et Émilienne trouvait infiniment plus commode de gravir quelques marches de plus pour aller visiter sa fille et son petit-fils, plutôt que de retourner dans l'ouest de la ville. Quant à Paulette, elle s'enfermait avec ses tourments et personne ne semblait s'en préoccuper. Léandre avait ramené le moïse du presbytère et l'avait placé au pied de leur lit ; cela ne faisait qu'exacerber son ressentiment.

Émilienne était tellement fière de son petit-fils qu'elle aurait désiré partager son bonheur avec tout le quartier. Elle savait qu'à l'étage en dessous Irène et les tantes trépignaient d'impatience pour revoir Stanislas. À l'heure qu'il était, les membres de la famille devaient être rendus au dessert. On n'avait qu'à apporter ici les restants du gâteau de noces d'Édouard et Colombine. Léandre et David furent mandatés pour aller prévenir les autres et transporter Alida.

On allait bientôt s'attabler autour du dessert que Marcel était allé chercher. Comme des pèlerins, avec recueillement, on entrait dans la chambre de Simone par petits groupes. Paulette servait le café en jetant à la dérobée des regards étranges sur ceux qui en ressortaient et prenaient place à la table, le visage illuminé d'un sourire de ravissement. On avait arraché son enfant de ses entrailles et aucun d'entre eux n'en avait rien su. Si cela était à refaire, elle n'aurait pas rejeté ce fruit qui mûrissait dans son ventre. Léandre en avait été choqué, mais il avait rapidement oublié ce qu'elle avait pu endurer. Elle éprouvait à présent le besoin de hurler sa douleur, de déverser sa rage.

Sans crier gare, elle ouvrit la porte qui donnait à l'arrière. Puis, sous les yeux des convives, elle s'élança vers sa chambre, agrippa le berceau du presbytère et alla le projeter par-dessus la rambarde de la galerie. Léandre s'empressa vers elle.

— Qu'est-ce qui t'a pris, coudonc ? C'est épouvantable, ce que t'as fait là…

Les mains appuyées à la balustrade, le corps ployé au-dessus du vide, la pauvre femme était secouée de terribles sanglots. Derrière, on s'était agglutinés à la porte, médusés.

— Allez manger votre dessert, on va vous rejoindre, ordonna Simone.

Irène acheva de servir le café et Émilienne distribua les morceaux de gâteau.

— Voulez-vous ben me dire, lança l'épicier, j'ai jamais vu une chose semblable.

— Changement de propos, exprima Émilienne, Édouard et Colombine sont à la veille de prendre l'avion pour l'Angleterre. Puis ils vont revenir en paquebot sur la reine des mers, le *Queen Mary*, s'il vous plaît. J'espère qu'ils vont nous envoyer des cartes postales.

— Je veux pas te faire de peine, Mili, dit Héloïse, mais je compterais pas là-dessus. Si j'étais à leur place, je ferais la même *mosus* d'affaire! Après ce qu'on leur a fait subir aux noces, ils auront pas le goût de nous écrire. Puis trois mois, c'est pas de trop pour oublier ce que personne ici dedans aurait pu imaginer.

— C'est ben pour dire à quel point c'est fort, le destin, commenta Alida. Faut croire que c'était écrit dans le ciel.

— En tout cas, on aura pas de misère à se souvenir de la date de naissance du petit Stanislas : lundi de Pâques, 13 avril 1936, rappela Alphonsine.

Héloïse mentionna qu'on n'aurait pas plus de difficulté à se remémorer la date du mariage simple qui avait résulté de l'union prévue de deux couples. Alphonsine avait ravalé ses paroles avec l'arrière-goût saumâtre des réminiscences douloureuses. Alida avait de la peine pour sa sœur qu'elle avait vue fondre sur sa chaise en tentant de cacher son visage contrit. Héloïse était allée trop loin. Le temps ne pouvait pas toujours oblitérer des paroles aussi cinglantes. Un jour, la mégère se repentirait de toutes ses méchancetés!

Pendant que Simone consolait Paulette en essayant de comprendre ce qui l'avait poussée à se débarrasser si violemment du berceau, Léandre avait ramassé les débris du moïse et les avait rangés dans le hangar. Ils s'installèrent à la table. Reprise par la présence de la visite qui avait eu connaissance de son emportement, Paulette s'était apaisée.

— Je m'excuse pour le dérangement, exprima-t-elle, la voix étranglée.

— Si t'avais voulu un enfant dans ton berceau comme ta belle-sœur, il aurait fallu que tu le conçoives avant ton mariage, commenta Héloïse.

— Tu parles d'un commentaire! dit l'épicier. Il y a ben assez d'Émilienne qui remplace Simone au magasin sans que j'aie été pris pour trouver quelqu'un pour Paulette en plus.

— Encore une fois, vous en démordez pas. Vous pensez juste à votre *business*, le père, s'indigna Léandre. Avez-vous une roche à la place du cœur, coudonc? La vérité, c'est que…

Les convives n'avaient rien entendu. Paulette, Simone et David appréhendaient la suite. Autour de la table, on connaissait Léandre pour ses mensonges et ses entourloupettes, mais on le savait aussi capable de la plus grande franchise. Il allait leur livrer les faits dans toute leur crudité. Paulette avait été enceinte et elle n'avait pas voulu garder son enfant. Elle avait obtenu une adresse pour subir un avortement dans le faubourg Saint-Henri et, depuis, elle était enveloppée de regrets. Recevoir un petit lit vide avait contribué à aviver sa souffrance et le geste qu'elle venait de poser traduisait avec éloquence le tourment qui l'habitait.

Pour terminer son plaidoyer, il en appela de la compassion de chacun.

— Ça explique pourquoi elle mange comme une ogresse, affirma Héloïse.

— Matante, vous avez rien compris ! s'offusqua Léandre.

— Tu peux ben parler, toi, Loïse, rétorqua sèchement Alphonsine, t'es grosse comme une allumette.

— Tourne donc ta langue de vipère sept fois avant de parler, renchérit Alida.

Émilienne avait été foudroyée par les révélations de Léandre, et la chicane qui avait suivi la renversait. Elle recula sa chaise et se rendit au moïse pour contempler une dernière fois son petit-fils avant de s'engager dans l'escalier.

* * *

La nuit suivante avait été plutôt dérangeante pour les coloca-taires. Bébé Stanislas hurlait sa faim aux trois heures, et le temps de l'allaitement s'étirait, laissant à la petite mère très peu de répit entre deux boires. Aussitôt étendue auprès de David, Simone se relevait et s'empressait vers le berceau, les seins gonflés de lait, en souhaitant que les vagissements du nouveau-né n'aient pas traversé les « murs de carton » et entravé le sommeil des autres. À chacune de ses séances de tétée, elle revivait le grand coup de théâtre de Paulette et les révélations de Léandre qui avaient fait frémir la tablée ; sa belle-sœur lui avait volé la vedette. Elle réalisait qu'elle et son enfant avaient été la cause d'affreux tourments intérieurs plus graves qu'elle ne l'avait pressenti. Devait-elle à présent redou-ter un nouvel accès de crise ? Et sous quelle forme imprévisible et bizarre se manifesterait-elle, cette fois ? Avant de se coucher, dans l'intimité de leur chambre, David avait traité sa belle-sœur de folle. « S'il fallait qu'elle s'en prenne au petit ! » avait-il exprimé.

Simone s'était vite recouchée après le départ des trois travail-leurs. Incapables de dormir plus longtemps, David, Léandre et Paulette avaient déjeuné en même temps qu'elle allaitait Stanislas. En matinée, elle tenterait de combler le manque de sommeil et, au cours de l'après-midi, elle se rendrait à la Goutte de lait.

Son enfant douillettement enrobé dans une couverture de laine, Simone descendit sur le trottoir et entra au magasin. L'épicière mettait dans un sac les denrées d'une cliente.

— Oh! Mon petit chou! s'exclama Émilienne. Viens le montrer à madame Sylvestre.

La dame, une bacaisse aux yeux verts et à la mine soucieuse, jeta un regard consterné sur le poupon.

— Je te souhaite la meilleure des chances, ma fille, dit-elle, avant de ramasser son sac de provisions et de disparaître.

L'infortunée avait élevé seule ses trois fils, de véritables canailles qui lui en avaient fait arracher depuis que le père était parti sans laisser d'adresse. L'aîné purgeait deux ans de prison après avoir commis une série de vols dans des magasins du centre-ville. Le deuxième, paresseux comme un âne, ne gardait pas ses emplois et préférait traîner dans les endroits publics avec des voyous. Quant au plus jeune, il venait d'être renvoyé de l'école pour la troisième fois dans un semestre et ne promettait rien de bon. La mère n'en finissait plus de s'arracher les cheveux.

Simone continua à bavarder avec sa mère en attendant qu'un de ses frères revienne au magasin.

— Comme ça, t'as décidé d'aller à la Goutte de lait, dit Émilienne. Hier encore, tu voulais rien savoir, puis aujourd'hui t'as viré ton capot de bord.

— Vous allez pas me le reprocher asteure, m'man. Vous savez ben que je veux tout faire pour Stanislas.

Marcel gara son triporteur sur la devanture. Simone saisit l'occasion pour lui demander de descendre le landau, un cadeau offert par les parents de David qu'elle s'apprêtait à étrenner en se rappelant la poussette reçue pour promener sa poupée à un Noël pas si lointain.

— Au lieu du carrosse, je pourrais vous donner une *ride* de bicycle, badina le livreur.

— Arrête donc tes *folleries*! rétorqua Simone. Je viens d'accoucher, j'ai pas le goût de me faire brasser sur ta bécane!

La maman déposa son bébé dans la voiturette et s'achemina à l'école Baril dans la rue Adam, pas très loin de l'épicerie. Depuis 1911, la Goutte de lait avait ouvert des cliniques dans presque tous les quartiers de Montréal, parce que trop d'enfants mouraient en bas âge. Certains dispensaires étaient établis dans des soubassements d'église, d'autres dans des sous-sols de presbytère, alors que celui du faubourg occupait un local partagé avec la caisse populaire d'Hochelaga. Simone gara son landau à côté d'un carrosse vide. Des cris d'enfant maltraité fusèrent par les fenêtres ouvertes du bâtiment. Elle grimaça de peur et songea à rebrousser chemin. «Qu'est-ce qu'on va faire à mon petit?» Elle s'alluma une Sweet Caporal et entra avec son fils, bien serré contre elle.

Une mère au visage convulsé de peur rhabillait son bébé hurlant étendu sur une table. Une infirmière d'une maigreur squelettique vêtue d'un uniforme blanc tourna vers elle son visage anguleux, brandissant une seringue d'une longueur effrayante.

— Assoyez-vous, madame, je suis à vous dans quelques instants. Puis éteignez donc votre cigarette, on étouffe ici dedans.

L'infirmière déposa sa seringue et prit place derrière son bureau en invitant Simone à s'approcher.

— Je suis garde Moquin, commença-t-elle. Avec le nourrisson que vous tenez dans vos bras et vu l'âge que vous avez, je ne vous demanderai pas si c'est votre première visite. Madame?

— O'Hagan. Simone O'Hagan. Mon enfant s'appelle Stanislas.

La trentenaire débita son boniment pour informer Simone des services offerts à la clinique. Elle s'occupait de dépistage et de vaccination, donnait des conseils d'hygiène aux mamans, et leur expliquait comment soigner et nourrir leur enfant. Elle mentionna aussi qu'une fois par mois un médecin faisait une visite au dispensaire.

Garde Moquin prit la plume pour remplir un dossier et demanda à Simone de déshabiller son bébé pendant qu'elle répondrait aux questions. Puis elle se leva et s'approcha de Stanislas pour l'examiner. Simone allait enlever la couche quand un vrombissement et un gargouillement sourd se firent entendre, immédiatement suivis d'une coulée jaunâtre qui déborda sur la table d'examen.

— Vous auriez pu attendre que le petit fasse sa selle avant de vous présenter à la clinique, madame O'Hagan. Avez-vous apporté une couche de rechange, au moins?

— Maudite marde! éclata Simone. Je pouvais pas prévoir, moi. Si vous pensez que j'ai traîné ma réserve de couches dans mon carrosse. Puis c'est pas ma faute si le petit s'est lâché lousse de même, garde Moquin.

— Choquez-vous pas, madame O'Hagan. On va arranger ça.

Dans la puanteur concentrée du petit local, pendant que Simone décrottait les langes de son fils dans l'eau des toilettes, l'infirmière procéda au nettoyage des fesses, mesura et pesa Stanislas en consignant les données dans le dossier.

Le retour à la maison pressait. Dans le fond de son landau, Simone déposa son poupon directement sur le piqué et le recouvrit de la couverture bleu lavande tricotée par sa tante Alida. Sur le trottoir, elle poussa la voiturette aussi vite qu'elle le put. Les piétons s'écartaient en voyant venir de loin la petite mère solidement agrippée au guidon qui semblait d'une implacable détermination. Simone fonçait. À peine ralentissait-elle aux intersections pour descendre dans la rue et la traverser en coupant la voie aux automobiles et aux voitures à cheval. On n'avait qu'à lui céder le passage en priorité. Si un autre dégât survenait, elle serait la seule à écoper de la salissante besogne. Elle n'avait pas que cela à faire, torcher son petit et lessiver du linge souillé !

Elle abandonna Stanislas sur le trottoir et entra en catastrophe à l'épicerie. Paulette notait une commande au téléphone et sa mère revenait de l'arrière du magasin.

— Qu'est-ce qui te prend, Simone, puis où c'est que t'as mis ton petit ? proféra Émilienne. L'as-tu perdu, coudonc ?

La marchande remarqua le toit pliant du landau qui dépassait par-dessus les caisses empilées sur la devanture.

— Arrêtez de vous énerver, puis allez donc surveiller Stanislas pendant que je vas monter chercher des couches de rechange au plus sacrant.

Émilienne sortit précipitamment. Dehors, elle contempla son petit-fils qui dormait. La course effrénée de la mère avait endormi le nourrisson, qui reposait à poings fermés sur le dos.

Simone revint avec une pile de langes qu'elle tamponna au pied de l'enfant. Tout en mettant une couche propre à son fils, elle expliqua à sa mère la situation embarrassante qu'elle avait vécue et résuma les informations qu'elle avait recueillies à la Goutte de lait.

À l'intérieur du magasin, Paulette s'était approchée de la vitrine et fixait de son regard trouble la mère et son bébé. Sa belle-sœur repartait à présent pour une autre promenade. Il faisait si beau, en cet après-midi d'avril…

Les roues du carrosse roulèrent jusqu'à l'*Ontario's Snack-bar*. La mère pressa contre elle son enfant et s'engouffra dans le restaurant. Elle déposa son bébé sur une table, se glissa sur la banquette et s'alluma une Buckingham. Derrière le comptoir, une serveuse manipulait de la vaisselle sale avec fracas. Le nourrisson éclata en pleurs.

L'ancienne compagne de travail s'amena.

— Il est donc ben braillard, ton petit, Simone! commenta-t-elle.

— T'es ben à pic, Lise, tu pourrais commencer par me dire bonjour, au moins. C'est ben simple, on dirait que t'es pas contente de me revoir. La dernière fois qu'on s'est vues, j'étais avec ma belle-sœur Paulette. Tu sais, celle qui a fait passer son bébé à l'adresse que t'avais recommandée. T'étais pas mal plus *smatte*. En tout cas, je trouve que t'es pas mal plate! Dis-moi pas que t'es jalouse, toi aussi…

La mère écrasa sa cigarette dans le cendrier et prit son enfant en le blottissant contre elle. Sous les yeux ahuris des clients, au milieu de la tempête de cris, la conversation se poursuivit.

— Il doit avoir faim, ce bébé-là, exprima la serveuse. D'après ce que je peux voir, t'en as encore à perdre, t'as en masse de quoi le nourrir…

— Tu connais rien là-dedans, l'échalote. Laisse-moi donc m'occuper de mon petit comme je l'entends. Toi, t'en voulais pas avec ton *chum* de quarante ans qui en a déjà deux sur les bras! Ça fait que, lâche-moi…

Simone promena un regard dans la grande pièce. Le patron ne semblait pas présent. Elle aurait aimé lui présenter son fils et lui dire qu'elle ne comptait pas retourner au travail de sitôt. Mais l'accueil de la serveuse la rebuta. Elle retraversa le seuil.

Stanislas se calma dès que reprit le cahotement du carrosse sur le trottoir. À bien y penser, Lise n'était pas jalouse. Les braillements n'avaient qu'augmenté son aversion pour les nourrissons. La serveuse n'était certainement pas prête à enfanter. Manifestement, elle n'était pas comme Paulette qui n'avait pas assumé sa décision de se faire avorter. Quoi qu'il en soit, la petite mère se délectait de sa promenade printanière qui l'emplissait d'un bonheur ineffable à déambuler sur le trottoir de ciment qui réchauffait sous l'intensité d'un soleil de plus en plus ardent. Non, elle ne s'enfermerait pas à longueur de journée avec son poupon et elle ne se démènerait pas non plus pour les trois autres, à s'échiner pour leur préparer des repas succulents et voir à l'ordinaire du logis chaque jour! Ils devraient comprendre qu'une mère qui vient d'enfanter a besoin d'aide et qu'elle a le droit de penser un brin à elle.

Foi de Simone, elle ne peuplerait pas le logis qu'avaient occupé les Laramée, cette bande de pouilleux qui avaient poussé dans la misère et qui avaient piétiné au-dessus de sa famille des années durant. Contrairement à sa mère, elle ne se dépenserait pas comme une forcenée, à torcher une demi-douzaine de morveux, à élever une trâlée de rejetons dont la moitié des membres étaient des êtres résignés, d'ailleurs. En somme, elle n'aspirait pas à une existence paisible comme Irène, Placide et Marcel qui, au fond, menaient une petite vie peu encline à l'exaltation. Au moins, Édouard, qui semblait cracher sur ses origines modestes, menait une vie plus palpitante, et Léandre était fait du même pain qu'elle. Pour l'instant, il n'était pas lui non plus sur la voie des grandes réalisations, mais il était à profiter de ce que la vie lui offrait. En ce qui la concerne, elle verrait si elle reprendrait son travail de serveuse. Sa mère la remplaçait à l'épicerie pour une période indéterminée. Elle choisirait en temps et lieu. Rien ne pressait.

La promenade avait grugé ses maigres réserves d'énergie. Elle gara son landau sur la devanture de l'épicerie-boucherie, entra les bras libres au magasin avec un air de grande lassitude. Le boucher servait des clientes régulières. Paulette était au téléphone, un carnet de commandes devant elle et un crayon en main. Près de la caisse, sa mère et sa tante Héloïse s'entretenaient avec un petit homme dans la cinquantaine, vêtu d'un complet gris cendre et coiffé d'un feutre marron à larges bords. Émilienne clama son indignation:

— Que c'est que t'as pensé donc encore, Simone, pour abandonner ton petit sur le trottoir? Je te l'ai dit, pourtant, s'exaspéra-t-elle.

— Je pense que je me suis poussée un peu à bout, m'man. J'ai plus de forces ; je vas m'écraser quelques minutes avant de monter.

Émilienne se précipita à l'extérieur pour surveiller l'adorable poupon. Sa fille s'échoua sur le tabouret derrière le comptoir-caisse.

— Monsieur Lagimonière vend des produits Familex, expliqua Héloïse. Ça doit faire trois quarts d'heure qu'on le fait patienter en attendant que tu reviennes. Je lui ai dit que t'avais sûrement des besoins comme nouvelle maman et ménagère. Nous autres, dans l'appartement, on a tout ce qu'il nous faut…

— J'ai besoin de rien, déclara Simone.

— Ah ! ma petite dame ! s'exclama le colporteur, on dit ça souvent, mais les clientes changent d'avis quand elles voient ce que j'ai à leur offrir, affirma-t-il, en désignant sa mallette sur le comptoir.

— Vous tombez plutôt mal, monsieur Lagimonière, rétorqua Simone. J'ai juste besoin de m'effoirer et qu'on me laisse tranquille.

La grand-mère entra avec son petit-fils.

— Il a chaud sans bon sens, ce petit-là, dit-elle. Regarde-le donc, la sueur sur le front. Pauvre petit ange ! D'après moi, il a assez pris de soleil aujourd'hui. Tu devrais monter avec lui avant qu'il fasse des cloches sur la peau ou qu'il se réveille pour de bon.

— Tu vas prendre le petit, moi je vas m'occuper de la valise, puis le monsieur va se faire une joie de transporter ton carrosse, avança Héloïse. N'est-ce pas, monsieur Lagimonière ?

— Avec le plus grand des plaisirs ! s'exclama-t-il.

Les tantes Héloïse et Alida avaient d'abord retenu le colporteur dans l'appartement de l'épicier aussi longtemps qu'elles avaient pu, mais sans rien acheter. Ensuite, Héloïse l'avait accompagné au magasin en lui faisant miroiter des ventes auprès de sa nièce.

La jeune maman alla ouvrir la porte de l'épicerie et jeta un œil à la rue. Le camion de livraison et le triporteur n'étaient pas en vue. L'air résigné, elle rentra, prit Stanislas des bras de sa mère et s'engagea dans l'escalier. Derrière elle, Héloïse et le vendeur la suivaient. Le veston détaché, la langue tirée, Lagimonière – gravissant les degrés – semblait regretter son geste généreux. Une fois Stanislas dans son moïse et le landau sur la galerie, Héloïse proposa :

— Je vais guetter le petit pendant que monsieur Lagimonière t'ouvre son coffre au trésor.

La femme au foyer s'alluma une première cigarette et tira vers elle une soucoupe. Le colporteur repoussa les assiettes sales du déjeuner, épousseta de la main la nappe cirée, enleva son chapeau et le plaça sur la table. Brusquement, avec une familiarité enjouée, il posa sa lourde mallette défraîchie. Différents produits bien rangés dans des compartiments apparurent. Dans des gestes d'une lenteur excédante, mais avec une volubilité étourdissante, le détaillant étala un assortiment d'échantillons qu'il nomma avec un plaisir consommé.

— Comme vous pouvez le constater, nous avons des produits pour la cuisine, la toilette, l'hygiène ou même la ferme. Vous n'avez pas besoin de vous déplacer, ma chère dame. Chez Familex, nous voulons être près des gens : c'est un magasin à domicile.

Dans des contenants pratiques de deux onces pour trente-cinq cents, un escadron de flacons d'essence de vanille, d'érable, de citron, de banane, d'ananas, de fraise, d'orange, de menthe et de ratafia se rangèrent comme des soldats au garde-à-vous. Des épices, que ce soit du poivre noir, du poivre blanc, de la cannelle, du clou de girofle, de la muscade, du gingembre ou de la moutarde, s'offraient à cinquante cents pour cinq onces dans de petites boîtes. Également, on pouvait se procurer, à prix modique, du cacao Familex, du germicide Familex pour combattre la fumée et la mauvaise odeur, et un petit livre de secrets culinaires recelant des conseils et des menus modèles pour un prix dérisoire.

— Notre mission est de donner entière satisfaction à la clientèle et de la servir rapidement. Si vous commandez aujourd'hui, vous aurez vos produits dans deux jours. Alors, qu'en dites-vous, ma petite dame ?

Simone avait écouté sans intérêt le détaillant en secouant sa cendre dans la soucoupe. Sa physionomie se moula un air de grande lassitude et elle déclara :

— Je vas laisser faire.

— Je vous ai espérée pendant trois quarts d'heure en bas, puis je viens de prendre une demi-heure de mon temps pour vous présenter les produits de la maison Familex, une entreprise canadienne-française du quartier, puis c'est tout ce que vous trouvez à me dire…

— J'ai pas besoin d'essence, d'épices, puis de votre livre de recettes, monsieur Lagimonière. D'abord, je cuisine presque pas, puis ensuite, quand j'ai besoin de quelque chose, j'ai juste à descendre à l'épicerie ou demander à ma tante Héloïse de me l'apporter. N'est-ce pas, matante ?

Héloïse surgit dans la pièce.

— J'ai entendu mon nom, dit-elle.

— C'est pas mal le temps de souper, matante, décida Simone. Paulette puis les hommes vont arriver d'une minute à l'autre. Iriez-vous me chercher une canne de Paris Pâté, un pain, puis un pot de mayonnaise ? Vous avez juste à faire marquer, conclut-elle, en expirant une prodigieuse bouffée.

Elle éteignit sa Sweet Caporal dans sa soucoupe. Puis, le regard insistant, la jeune mère dévisagea sa tante qui alla s'engager aussitôt

dans l'escalier. Désarçonné, le colporteur rassembla précaution-
neusement ses petites boîtes et ses flacons, et referma sans ménagement le couvercle de sa mallette. Héloïse remonta avec la petite
commande de sa nièce. Le vendeur remit son chapeau, empoigna
sa valise et quitta le logis en faisant claquer la porte laissée entrouverte. Stanislas se réveilla.

Paulette monta la première avec une boîte de biscuits. Simone
nourrissait son enfant.

— Ouan ! j'ai vu ce qu'on va manger ce soir, exprima-t-elle d'un
air contrarié. Ça fait que je vas me reprendre avec le dessert.

— Tant qu'à faire, Paulette, vide donc la table, puis lave donc
la vaisselle. Je peux pas tout faire dans cette maison-là. Puis ces
maudits *peddlers*-là, ça pense qu'on a juste ça à faire, les écouter…

Chapitre 11

Paulette promenait sa douleur résignée depuis l'incident du moïse balancé par-dessus la rambarde de la galerie. Elle parvenait à travailler au magasin, à s'abriter derrière un sourire mièvre, s'efforçant d'être gentille avec tout le monde, servant du mieux qu'elle le pouvait une clientèle souvent exigeante et peu encline aux remerciements. Certes, elle ne regrettait pas son ancien emploi à la St. Lawrence Sugar, à s'abrutir près des machines assourdissantes, à sentir cette odeur sucrée qui lui soulevait le cœur, mais il lui manquait cette étincelle qui allume les petits bonheurs et qui chasse la sombre mélancolie qui l'affligeait. Au milieu de sa débâcle de sentiments, elle essayait de comprendre ce qui lui arrivait, de se comprendre. Car elle admettait qu'elle avait agi sur un coup de tête avec le berceau fracassé dans la cour.

Léandre se morfondait ; Paulette le repoussait. Lui qui se croyait si séduisant, si irrésistible, était à présent relégué dans un purgatoire qui ne faisait qu'entretenir les braises de sa concupiscence. Heureusement qu'il se trouvait des admiratrices auprès de la clientèle. Combien de fois avait-il résisté à des invitations à ranger la *grocery*, à prendre un thé sur le coin de la table, sachant qu'il pouvait facilement céder à la tentation de satisfaire sa cliente dans une pièce plus invitante du logis ? Cependant, chaque fois, le souvenir d'Arlette Pomerleau lui revenait dans une débauche effrénée de plaisirs interdits. Et, comme un passé ineffaçable qui vient attiédir les moments heureux, le fantôme de *La Belle au bois dormant* revenait le hanter. L'affaire n'était pas réglée. L'agent de la Sun Life se chargeait de lui rappeler ses obligations, et du nouveau était survenu ; Hubert Surprenant parut au logis.

Stanislas blotti dans ses bras, David se rendit à la porte.

— Pas toi, maudit fatigant! Ah! si j'avais les mains libres, tu déguerpirais assez vite, le moron.

— Voyons, voyons, l'Irlandais, t'es ben mal engueulé, donc! Choque-toi pas de même, faut pas que tu montres à ton fils à japper après les visiteurs. À part de ça, t'es plutôt mal placé pour me faire débouler dans l'escalier.

— Qui c'est? s'écria Simone.

— Rien d'important! Léandre! répondit David, quelqu'un pour toi.

Subodorant la visite du représentant de la Sun Life, Léandre fit irruption en camisole dans le vestibule, le visage hostile, la lèvre tordue.

— T'aurais pu venir me voir à l'épicerie au lieu de me déranger dans ma vie privée, Surprenant!

— J'ai déjà poireauté une couple de fois dans le magasin de ton père parce que t'étais pas revenu d'une tournée de livraison. Asteure, je prends plus de chances; je viens te voir directement. Surtout qu'il y a eu des développements dans l'affaire avec Maximilien Quesnel. Entre toi et moi, j'aimerais mieux qu'on aille discuter de ça ailleurs.

Des rides de contrariété plissèrent le front de Léandre, mais il ne pouvait pas s'esquiver. Il rédigea un chèque pour son versement mensuel, enfila une chemise et consentit à suivre le visiteur en demandant à Simone d'aviser Paulette de son absence.

Hubert Surprenant l'entraîna à la taverne Archambault, sur la rue Ontario, à l'angle de Létourneux. Au cours de la marche qui les avait conduits au débit de boissons, il avait agrémenté la conversation d'anecdotes relatant des faits cocasses survenus chez les frères de Sainte-Croix. Étonnamment, Léandre lui avait trouvé une certaine sympathie. Mais cela devait cacher des déclarations qu'il brûlait d'entendre.

L'agent laissa à son ancien camarade de l'école Baril le soin de lui ouvrir la porte brune que des milliers de doigts crasseux avaient touchée. Dans l'ambiance lourde et enfumée, une nuée de lampes luisaient dans la noirceur comme autant d'étoiles lointaines. L'endroit n'était pas aussi calme qu'il l'avait espéré ; on parlait fort. Mais, en revanche, on conserverait l'anonymat. Il désigna une table libre et commanda deux bières.

— As-tu remarqué la petite affiche « Barman demandé » dans la vitrine ? s'enquit Surprenant. T'aimerais pas ça travailler ici pour arrondir tes fins de mois ?

— Jamais de la vie ! rétorqua Léandre. Pas dans une place de pouilleux de même ! Asteure, vas-tu aboutir ? Tu m'intrigues.

Surprenant adopta cet air énigmatique de détective et déclara qu'il suivait le procès de Maximilien Quesnel, l'auteur présumé de l'incendie à *La Belle au bois dormant*. En tant que représentant de la compagnie d'assurances, l'affaire l'intéressait au plus haut point. Le propriétaire était accusé d'avoir mis le feu au commerce, mais, bien évidemment, il cherchait par tous les moyens à mettre son associé dans le pétrin. Pour cette raison, Léandre pourrait être appelé à se défendre à la cour.

— Taboire, j'ai rien à voir dans ce feu-là !

— Quesnel a essayé de convaincre le juge en disant qu'il regrettait de s'être associé à un jeune blanc-bec et que t'avais mis le feu à la cabane parce que la *business* ne rapportait pas assez à ton goût.

— Les enquêteurs ont dû s'apercevoir qu'il y avait aucune bouteille de boisson dans les décombres ; Quesnel avait pris soin de les transporter chez sa blonde. Toi, au moins, tu me crois quand je dis que je suis pas coupable, j'espère ?

— À l'école, t'étais capable de jouer des mauvais tours, mais j'ai jamais mis en doute ton honnêteté, Léandre. Surtout que Maximilien Quesnel était bien connu pour ses activités souterraines, si tu vois ce que je veux dire…

Une bonne poignée de main scella la rencontre. Hubert Surprenant régla l'addition et Léandre laissa un pourboire au serveur.

Dans la rue, le fils de l'épicier considéra la petite affiche qu'il n'avait pas remarquée avant d'entrer. Puis il s'alluma une cigarette et s'éloigna de la taverne Archambault. Il déambulait lentement sur le trottoir, reconnaissant de l'entretien cordial qu'il avait eu avec l'agent d'assurances, mais tracassé par ses déclarations. Il avait eu tort de croire que cette histoire sombrerait d'elle-même dans les cendres de l'oubli. Pendant quelques mois encore, il paierait ses primes comme de l'argent jeté au feu. Une partie de son salaire était destiné à ces versements. Ce n'était pas la première fois qu'il s'en offusquait, et le fait d'entrevoir une comparution en justice le ramenait brusquement à ses obligations et augmentait singulièrement son indignation. Il se devait de rencontrer son père.

Le lendemain, avant que le magasin s'anime de sa clientèle matinale et que la sonnerie du téléphone se fasse entendre, Émilienne causait avec Paulette pour l'arracher à son état d'abattement en comptant les billets qu'elle déposait dans son tiroir-caisse. Marcel était à classer des bouteilles vides au sous-sol. Léandre saisit le moment opportun pour s'acheminer à l'arrière de l'épicerie. La porte de la glacière était entrebâillée et il entrevoyait des viandes rouges suspendues à des crocs d'acier.

— Le père, j'ai à vous parler, proféra-t-il.

— Que c'est que tu veux, toi, à matin ? regimba Sansoucy.

L'air maussade, le boucher décrocha une pièce de viande, fit claquer la lourde porte de la glacière et flanqua le morceau sur son étal. Son fils se carra les épaules et l'envisagea.

— Il me faut une augmentation, le père. Je pense que je la mérite, vous trouvez pas?

— C'est hors de question, mon garçon. C'est à peine si je fais un peu de profits. T'as pas envie de jeter mon épicerie à la rue puis qu'on devienne des indigents comme certains de nos clients qui font bouillir trois, quatre fois le même os pour la soupe et qui mangent le gras des assiettes avec du pain noir! débita-t-il.

Léandre exposa sa situation financière précaire en reconnaissant qu'il regrettait d'avoir claqué la porte de l'épicerie pour s'engager aveuglément dans une aventure hasardeuse.

— Je t'avais prévenu de pas t'embarquer dans cette histoire de café interlope, s'emporta l'épicier. J'ai donc ben fait de pas te prêter d'argent et d'utiliser de mon prestige pour faire bloquer un emprunt à la caisse populaire d'Hochelaga. Puis j'ai tout fait pour te décourager. Mais comme t'as une tête de cochon, t'as refusé de m'écouter. Ben t'as juste à payer pour! Endure, asteure!

La figure durcie, le boucher ajusta son hachoir à viande. Émilienne et sa belle-fille jetèrent des regards ahuris sur les deux hommes qui s'affrontaient. Blessé dans son orgueil et ne pouvant supporter qu'on l'observe, Léandre alla ouvrir la porte de l'arrière-boutique, s'alluma une cigarette et s'appuya sur le chambranle en exhalant la fumée avec rage. Paulette décrocha le cornet acoustique. L'épicière partit retrouver son mari.

— Qu'est-ce qu'il y a ce matin? La journée commence puis vous êtes déjà à couteaux tirés.

— C'est ben simple, Mili, je vas l'étriper! Il vient encore de me demander une augmentation de salaire, l'enfant de nanan…

Marcel émergea de la cave. Dans le cliquetis de son classement de bouteilles vides, il n'avait rien perçu de l'emportement de son père au tempérament ombrageux. Avant sa première cliente de la journée, le marchand avait la fâcheuse habitude de montrer son humeur bilieuse. Une envie démangeait le commis. Il s'était retenu d'en parler devant ses tantes au déjeuner. Il s'adressa à sa mère :

— Je pourrais-tu aller au théâtre ce soir avec Amandine Desruisseaux ?

— T'es trop jeune pour avoir une blonde *steady*, coupa sèchement le boucher.

— Théo, c'est juste des amourettes ! Il y a rien de dangereux là-dedans, commenta Émilienne d'une voix suppliante.

— J'en connais qui ont commencé ça jeune, les fréquentations, puis regarde où ça nous a menés…

— Marcel a toujours été à ses affaires, il est capable de se tenir…

— P'pa ! se lamenta le fils.

— C'est non, puis c'est mon dernier mot ! Ils vont-tu ben me lâcher à matin avec leurs demandes pas d'allure.

— T'es trop sévère, Théo.

— Où c'est qu'il travaille donc, son beau-père ?

— Au marché Maisonneuve, balbutia le fils.

— Bon, ben, attends un peu, on va régler ça une fois pour toutes. Léandre !

Sansoucy alla raccrocher sa pièce de viande dans la glacière et jeta son tablier sur sa table de travail. Léandre parut.

— Tu vas me reconduire au marché Maisonneuve ; je vas parler au bonhomme Malbœuf.

Sans protester, Léandre aspira une dernière bouffée de sa Turret et il écrasa son mégot en noircissant le plancher de bois. Il fouilla le fond de sa poche et, le regard provocateur, brandit la clé de son camion qu'il s'amusa à faire sautiller à la face de l'épicier.

— Tiens, le père, allez-y donc tout seul…

Sansoucy fulminait. Sur ces entrefaites, l'ancien prétendant d'Alphonsine survint, les yeux grands d'étonnement comme des trente sous.

— Envoye, Philias, j'ai besoin de toi à matin, on va faire une commission au marché Maisonneuve !

Demers se débattit un moment. Il n'avait pas conduit de voiture depuis qu'il n'habitait plus Saint-Pierre-les-Becquets. Néanmoins, il consentit à accorder une faveur à son ami.

Le moteur du Fargo tourna, toussota et cala. Il redémarra et ronronna un court instant, avant d'étouffer en crachant une fumée bleutée. Après plusieurs essais, dans une ultime tentative du chauffeur, le véhicule avança en hoquetant.

Le camion roula dans Adam jusqu'à l'avenue Morgan, qui s'ouvrait sur le majestueux immeuble de pierres grises. Large comme un boulevard avec son terre-plein enjolivé d'arbres, dans un plan d'aménagement ambitieux, l'artère se voulait une adaptation locale des Champs-Élysées de Paris et créait cette impression de grandeur de la Ville lumière. Sansoucy avait le sentiment de s'éloigner à des lieues de son commerce, de sortir de son quartier en appréciant des beautés architecturales, dont son œil ne pouvait se régaler dans son antre de boucher.

Le camion stationné, les compères déambulèrent sur la grande place dallée du marché au son de «La lune de miel», nouvelle chanson de La Bolduc que crachaient puissamment les haut-parleurs. Ils s'arrêtèrent devant la fontaine ornée d'une fermière aux formes prodigieusement belles.

— Dommage que j'aie pas le temps de m'attarder, Philias !

— Tu le sais, Théo, que je veux plus rien savoir des femmes depuis mon mariage raté avec ta belle-sœur. Ça fait que, achale-moi pas…

Sansoucy repartit en entraînant son compagnon. Dehors, des marchands offriraient bientôt des produits sous les appentis de toile. Les étals réfrigérés se trouvaient à l'intérieur ; ils s'engouf-frèrent dans le bâtiment. Sansoucy s'immobilisa et promena un regard circulaire sur les multiples commerces établis en perma-nence dans cette vastitude apeurante qui servait parfois pour des assemblées politiques.

Chaque fois que Sansoucy pénétrait dans l'enceinte du marché, la même sensation d'étourdissement le prenait. Il s'imaginait dans ce grand espace frais et humide au plancher cimenté, à courir comme un perdu pour servir une clientèle trop nombreuse, incapable de répondre à l'un et à l'autre. Pourtant, il rêvait d'augmenter son chiffre d'affaires et d'ouvrir éventuellement d'autres épiceries, sortes de succursales de sa société mère de la rue Adam. À essai-mer comme cela, son nom circulerait alors dans toutes les rues du faubourg. À cause de lui, de petites épiceries du coin fermeraient leurs portes, il les écraserait toutes, tuerait la concurrence. C'est lui qui donnerait à manger à tout Maisonneuve, il serait sa nourrice, il serait la mamelle du quartier.

— T'es dans la lune, Théo.

— Il est de trop bonne heure, c'est pas ouvert partout, puis je sais pas où travaille monsieur Malbœuf ; on va s'informer.

Sur la gauche, une petite épicerie tirait son jour des hautes fenêtres grillagées. Devant l'une d'elles, trois énormes comparti-ments vitrés contenant des biscuits assortis. Tout près, à portée de main, des sacs en papier brun vides de différentes grandeurs accro-chés à des fils de fer. Sur le mur du fond, des étagères regorgeant de conserves et de boîtes rangées dans un ordre irréprochable montaient jusqu'au plafond. À droite, derrière un large comptoir sur lequel reposaient une balance et un téléphone, des pots de verre et un assortiment de cafés et d'épices remplissaient les tablettes. Au milieu pendaient de grosses ampoules qui jetaient une lumière aveuglante dans tout le magasin.

Le commis s'affairait dans une échelle, sa casquette touchant presque le plafond. Il se tourna.

— Une minute, je descends, dit-il.

— C'est pas nécessaire, rétorqua Sansoucy. Je veux juste savoir où se trouve René Malbœuf.

— Ah! Le boucher, ce gros malcommode, lança-t-il. Allez donc voir au numéro 13.

À cette heure matinale, le marché n'était pas grouillant de monde. Sansoucy devait se dépêcher. Du travail l'attendait lui aussi à son commerce. Philias Demers l'encourageait à dire sa façon de penser au père de la petite allumeuse. «Les femmes sont toutes pareilles; elles commencent jeunes à nous énerver le poil des jambes, puis un beau jour, elles nous laissent tomber!» avait-il commenté à son compagnon Théodore.

Les deux amis entrèrent à la boucherie et trouvèrent René Malbœuf, les reins appuyés sur son étal, un Coke à la main.

— Vous direz à votre *agace-pissette* de laisser mon petit gars tranquille.

Le boucher à la figure sang de bœuf leva sa tête hirsute et détailla l'inconnu d'un œil torve. Il avala une lampée de son liquide brun pétillant et s'essuya les lèvres du revers de la main.

— Vous êtes le père de ce trognon-là? Ben ça s'adonne que je veux pas le voir non plus. Arrangez-vous donc pour le garder dans votre cour pour qu'il s'amuse avec ses bébelles. Ces enfants-là sont ben trop jeunes pour jouer aux fesses, ricana-t-il. Qu'ils prennent donc le temps de se ramasser de l'argent chacun de leur bord, puis ensuite ils pourront commencer à se fréquenter et penser à fonder un foyer.

— Je ne vous le fais pas dire, monsieur Malbœuf. Bon, ben je dois m'en retourner au boulot puis mon fils va avoir besoin du camion. À bon entendeur, salut !

Le bref entretien s'était déroulé sans anicroche avec les mots qui formulent des ententes solides et durables. Sansoucy venait de trouver un homme qui partageait son idée. Conforté dans sa conviction, il regagna le Fargo et rentra à son commerce.

Théodore Sansoucy éprouva une grande satisfaction lorsque le camion de livraison parut devant son épicerie-boucherie. Pendant que Philias Demers manœuvrait pour garer le véhicule, il demeura un moment à contempler sa devanture. Comme il allait débarquer, il vit le postillon pénétrer dans son commerce.

« Comment ça se fait qu'il rentre au magasin, celui-là ? dit-il pour lui-même. À l'accoutumée, il met le courrier dans la boîte aux lettres… »

Avant même que le camion soit complètement immobilisé, l'épicier descendit de l'habitacle et s'engagea à sa suite. Au milieu de la place, Léandre s'était emparé de la lettre et semblait statufié devant le facteur. Paulette et Marcel s'étaient aussitôt approchés de lui et fixaient avec circonspection l'adresse de l'expéditeur. Émilienne, qui avait pressenti la calamité qui s'abattait sur son fils, revenait avec un couteau de boucher pour ouvrir l'enveloppe. Sansoucy les retrouva.

— Taboire, le père, la cour municipale ! s'exclama le destinataire.

— Vous devez signer, monsieur, déclara le postillon.

L'intéressé griffonna son nom au bas d'un formulaire. L'employé des postes rangea son document et prit congé. Léandre décacheta la missive et lut. Demers, qui avait fini par garer convenablement le camion, se joignit à la petite société.

— Ça a pas l'air de ben aller, commenta-t-il.

— Mon gars est convoqué à la cour, déclara l'épicier.

— Cette histoire de *Belle au bois dormant* est donc pas finie! larmoya Émilienne.

— Faites-vous-en pas, la mère, je vas me défendre sans problème.

Les moustaches de l'épicier manifestèrent un léger tremblement. L'homme soupira comme si un écueil de plus se dressait devant sa famille. Il se tourna vers Marcel.

— Monsieur Malbœuf est d'accord avec moi : on met le holà à vos fréquentations, mes petits amis. Vous avez toute la vie devant vous. Commencez donc par vieillir un peu puis travailler chacun de votre côté. Après on verra…

Marcel abaissa un regard attristé vers le plancher. Après la missive assommante de Léandre, le glas venait de sonner sur sa relation avec Amandine. L'heure n'était pas au rechignement et aux protestations. Mais il ne resterait pas là à se morfondre des années durant.

— Bon, à l'ouvrage! décréta le marchand.

Environ une heure après le petit rassemblement, Marcel, ayant enfourché son triporteur et livré trois commandes, s'arrêtait à la pharmacie Désilets pour téléphoner à la biscuiterie Viau. Après une dizaine de minutes d'une attente fiévreuse au bout du fil, il réussit à joindre Amandine.

— Je te parlerai pas longtemps, Marcel, parce que je suis pas supposée recevoir d'appels à la manufacture.

Le livreur narra la visite de son père au marché Maisonneuve et l'entente intervenue entre les deux bouchers. Les tourtereaux convinrent d'une désobéissance. On n'allait pas s'opposer à leur bonheur aussi facilement !

* * *

Marcel avait regagné le logis sitôt la clé tournée dans la porte de l'épicerie. Il avait escaladé vitement les marches et avait signalé à sa mère qu'il ne souperait pas à la maison. Émilienne avait réagi en disant que le garçon s'exposait à une montée de lait de son père. L'amoureux troqua sa tenue de travail contre un pantalon beige et une chemise orangée, et traversa le seuil par la porte d'en arrière.

Amandine l'attendait au coin de Sainte-Catherine. Elle était désirable, sanglée dans sa robe jaune pâle, resplendissante dans la lumière tombante de cette fin d'après-midi. La jeune fille l'embrassa d'un baiser furtif sur la joue et, les yeux rieurs, il lui saisit la main et l'entraîna sur le trottoir d'un pas pressé. Ils se permettaient une escapade enchanteresse, loin de leur domicile, sous le regard complice des passants qui esquisseraient un sourire en les voyant heureux. Un peu plus loin, ils s'arrêteraient pour souper dans une gargote. Par la suite, ils prendraient le tramway et s'enfonceraient vers l'ouest pour atteindre la salle de cinéma.

La vue de ruines noircies assombrit la physionomie d'Amandine.

— *La Belle au bois dormant* n'existe plus, répartit Marcel d'une voix attristée.

— Tu viens souvent te promener par ici, coudonc ?

— Non, non, c'est juste que je connais un peu l'histoire.

— Tu lis des contes pour enfants, asteure…

Marcel prit un air de désolation et rapporta ce qu'il savait du défunt restaurant interlope avec lequel son frère Léandre avait eu un lien regrettable. Ce dernier avait justement reçu le jour même une obligation de se présenter à la cour pour témoigner de son implication dans le commerce illicite.

— Je savais pas que ton frère avait eu un passé douteux avant de se marier.

— Léandre est un bon garçon, le défendit Marcel. C'est pas un bandit, il a jamais été malintentionné. Il a connu une mauvaise période, c'est tout.

— Je voulais pas t'insulter, réagit-elle ; je disais ça de même.

La jeune fille comprit que le sujet était délicat et que, si Marcel avait délibérément consenti à lui raconter ce qu'il savait de ce triste épisode, il ne fallait pas pour autant conclure à des mœurs dissolues. Son frère demeurait un modèle de détermination et savait se défendre devant l'autorité parfois abusive de leur père. D'ailleurs, n'était-il pas en train d'emprunter un peu de cette audacieuse impertinence caractéristique de son aîné pour s'esquiver ainsi de son domicile ? Sans doute s'en repentirait-il. Pour l'heure, il savourait sa défilade.

La chaleur du restaurant s'échappait par la porte grande ouverte sur la rue Sainte-Catherine.

— On va manger là, décida Amandine.

— Pourquoi pas, dit Marcel, on a assez marché.

Le repas terminé, le couple monta dans le tram qui les conduisit à proximité du Capitol. Semblable à une chenille, une file serrée de cinéphiles s'étirait devant le guichet sous les marquises clignotantes qui annonçaient *The Bohemian Girl*, un film comique mettant en vedette les inimitables Laurel et Hardy.

— Tu vas aimer ça, Marcel, les filles à la biscuiterie m'ont dit que c'était ben bon. Le deuxième est pas mal moins drôle, par exemple. C'est l'histoire d'un roi de la finance américaine qui abandonne les affaires pour se consacrer à l'éducation de ses enfants mal élevés. Mais si c'est vraiment plate, on va s'arranger pour agrémenter la fin de notre soirée…

— Je veux pas m'en retourner trop tard, sinon je vas me faire ramasser par le père. Déjà que je suis sorti sans permission…

— Moi c'est pas mon vrai père ; ça fait que je m'en sacre pas mal, lança-t-elle avec indifférence.

Comme d'autres «lutineurs» venus se peloter dans l'intimité que procurait la noirceur, les tourtereaux s'installèrent dans les derniers rangs de la salle et assistèrent aux deux films.

Marcel avait reconduit Amandine dans l'avenue Jeanne-d'Arc et revenait par la ruelle, son pas éclairé par un croissant de lune qui égayait la nuit, à la fois rempli d'une délicieuse ivresse et troublé par la semonce qu'il appréhendait. Drapé dans une couverture de laine, l'épicier avait résolu de guetter le retour de son insoumis et de l'intercepter avant qu'il regagne le logis. Depuis une heure et demie qu'il fumait la pipe et combattait le sommeil en faisant craquer les arceaux de sa berçante, les yeux fixés dans l'obscurité sur la porte de la palissade.

Une odeur de tabac parfumé taquina les narines de Marcel. «P'pa!» se dit-il, en voyant la fumée qui dansait dans les lueurs de la nuit. Il rebroussa chemin, contourna le pâté de maisons et accéda au logis par la rue Adam. Puis, à la faveur des pièces sombres du logement, il glissa tout rond sous les couvertures.

Au matin, le bruit qui émanait de la cuisine réveilla Marcel. On discutait autour de la table. Émilienne était aux abois et son mari se promettait d'apostropher leur fils pendant qu'Irène et les tantes commentaient l'événement, chacune à sa manière.

— Il est pas rentré de la nuit ! pesta l'épicier.

— Il est pas mal jeune pour découcher, dit Héloïse. Vous avez assez de Simone et de Léandre qui vous ont filé entre les pattes, faudrait pas manquer votre coup avec lui en plus, ajouta-t-elle.

À ce moment, Marcel émergea de sa chambre et progressa avec indolence vers la salle de bain. Toutes les paires d'yeux se tournèrent en même temps.

— Marcel! s'écria la mère, la voix étranglée.

— Une apparition! dit Alphonsine. Il me semblait ben qu'il avait passé la nuit sur la corde à linge.

— Regardez qui c'est qui est là, popa! observa Irène.

Les moustaches de Sansoucy furent prises d'un incontrôlable frémissement nerveux.

— Taboire! éclata-t-il. Je le vois ben que c'est Marcel. Où c'est que t'étais donc?

— Comment ça, où c'est que j'étais? Dans ma chambre, c't'affaire.

— Fais pas ton effronté, asteure! intervint Héloïse. Oublie pas que tu parles à ton père.

— Je suis allé prendre une marche sur la Sainte-Catherine, puis je suis revenu de bonne heure.

Émilienne remarqua les vêtements froissés de son fils.

— Coudonc, t'as la chemise puis les pantalons tout friponnés, s'exclama-t-elle. T'es pas pour me faire honte au magasin. Enlève-moi ça tout de suite, que je donne un petit coup de fer là-dessus avant descendre.

Marcel tourna les talons et amorça un mouvement vers sa chambre quand le téléphone retentit dans le court silence qui suivit. Irène décrocha.

— C'est pour vous, popa, monsieur Malbœuf veut vous parler.

Sansoucy n'était pas revenu de ses émotions. La mâchoire durcie, il prit l'appareil pour écouter les doléances du beau-père d'Amandine. Puis il raccrocha le cornet acoustique et interpella son fils qui avait regagné sa chambre. Marcel revint dans la cuisine, tremblant dans ses culottes fripées.

— Toi, mon innocent! brama Sansoucy. Viens pas me dire que t'étais pas avec la petite Desruisseaux.

— Théo! s'écria Émilienne, en croisant les mains sur sa poitrine oppressée. Aidez-moi, quelqu'un, je manque d'air…

Chapitre 12

Émilienne avait bien failli craquer. Voilà Marcel qui faisait maintenant des siennes. « Faut croire qu'il est entré dans sa crise d'adolescence, avait observé Héloïse. Il conte des menteries puis il répond à son père. Vous avez pas fini ! » La marchande avait achevé sa semaine au magasin en s'agrippant à tous les petits délices d'épicière que ses temps libres lui permettaient. Dès qu'elle le pouvait, elle allongeait les conversations avec les clientes, épluchait le journal juchée sur un tabouret derrière le comptoir-caisse, prenait un thé avec quelques biscuits secs en plein après-midi et remontait plus tôt au logis. Il y avait bien assez de Paulette qui semblait porter un fardeau et qui avait parfois une humeur à rebuter la clientèle. Mais la carapace de porcelaine sous laquelle Émilienne s'abritait avait subi une fêlure qu'un autre coup, si faible soit-il, pouvait briser en mille éclats.

Les quatre sœurs Grandbois étaient réunies autour de la table à siroter leur deuxième tasse de thé. Émilienne paraissait accablée. Le printemps était arrivé et elle n'avait pas son enthousiasme habituel. Alida avait le pressentiment que sa sœur avait besoin d'un petit relâchement.

— Il me semble qu'une semaine de vacances te ferait le plus grand bien, dit-elle, compatissante.

— Tu le sais ben, Lida, que je peux pas lâcher mon travail de même. Des plans pour faire crever mon Théo ; il a une grosse charge, tu sais. Si je pars, il va tout ramasser, puis c'est lui qui va être sur le dos. À part de ça, où veux-tu que j'aille ?

— Avant que les travaux des champs commencent pour de bon, tu pourrais aller te reposer chez notre frère Elzéar à la campagne, proposa Alphonsine. T'aurais amplement le temps de jouer aux cartes puis de jaser avec Florida. Ça te ferait vraiment du bien de sortir, Mili. Avec tout ce que tu dois supporter dans la maison…

Héloïse recula sa chaise et se dressa comme une chandelle :

— Je vas te remplacer, Mili, décréta-t-elle. Je peux ben faire ça pour toi.

— Ça a pas de bon sens, ce que tu dis là, Loïse, tu connais rien à l'épicerie.

Les trois pensionnaires égrenèrent de longues minutes à parlementer avec leur sœur. Émilienne tergiversait. Elle s'inquiéterait pour Marcel et Léandre, s'ennuierait de son petit-fils et se morfondrait dans l'existence bucolique trop tranquille d'Ange-Gardien. L'épicier, qui avait suivi la conversation d'une oreille hautement perplexe, intervint :

— Qui c'est qui va t'emmener à Ange-Gardien, tu penses, Mili ? Tu vas prendre les p'tits chars de la Montreal Southern, peut-être ? Puis Léandre voudra jamais perdre une journée de congé pour aller conduire sa mère, voyons donc…

— T'as juste à demander à ton ami Philias, proposa Héloïse, en étudiant la réaction d'Alphonsine. C'est lui qui a chauffé le camion quand t'es allé au marché Maisonneuve cette semaine.

— Jamais de la vie ! protesta énergiquement Émilienne.

Le lendemain matin, le camion de livraison bringuebalait sur les routes campagnardes. Philias, l'ancien cultivateur de Saint-Pierre-les-Becquets, était aussi heureux que ses passagers de se fondre dans le paysage et de retrouver ainsi une joie de vivre qu'il avait un peu perdue, lui aussi.

* * *

Une autre semaine commençait au magasin. La veille, Léandre avait consenti à prêter son camion à Philias et à son père pour conduire la voyageuse dans le rang Séraphine. Paulette avait alors été privée d'une promenade dominicale distrayante. Ce qui avait contribué à enfoncer la dépressive dans un état d'abattement plus profond et poussé Léandre vers la taverne Archambault où il s'était fait embaucher comme barman. Il en avait d'ailleurs avisé son père. « Ta mère sera pas contente. Je peux plus te dire quoi faire, mon Léandre, mais au moins, la taverne Archambault, c'est pas *La Belle au bois dormant*! » avait commenté le maître de la maison.

L'épicier s'était retranché derrière le comptoir plus rassurant de sa boucherie et comptait sur son fils et sa belle-fille pour initier Héloïse à la caisse et aux commandes téléphoniques. Sansoucy n'avait ni le temps ni la patience d'enseigner les rudiments du métier à une employée temporaire, même à une bénévole bien intentionnée qui ne lui réclamerait aucune compensation. Du reste, ses relations avec sa belle-sœur provoquaient parfois des flammèches qu'il se devrait d'éviter. Il n'interviendrait qu'en cas de force majeure. Quant à Marcel, il avait besoin de filer doux pour ne pas le faire sortir de ses gonds…

Mis à part quelques bévues pardonnables reliées à son inexpérience, Héloïse se tirait assez bien de ses nouvelles attributions. Une confusion dans les adresses avait entraîné des erreurs dans les commandes acheminées au mauvais endroit, mais vite redistribuées par le camion de livraison. Habituée à la production en usine qui ne requérait qu'un faible niveau de sociabilité allant de pair avec son caractère peu amène, elle éprouvait certaines difficultés à traiter avec la clientèle. Cela dit, elle s'efforçait d'être gentille. Maintes fois, elle avait dû répéter que sa sœur prenait des vacances à la campagne et qu'elle reviendrait le prochain dimanche. Mais elle ne démontrait pas toujours autant de patience avec tout le monde. Après deux jours, tout le quartier Maisonneuve savait que la vieille fille Grandbois remplaçait la femme de l'épicier et qu'elle était un peu sèche. Même les chenapans, qui faisaient des commissions pour leur mère ou qui venaient s'acheter des friandises. Or il s'en trouva un petit groupe qui avait convenu de la faire fâcher…

À cette heure avancée de l'après-midi, le plancher du commerce était allégé de sa clientèle. Léandre et Marcel n'étaient pas revenus de leurs livraisons. Sansoucy avait à faire dans sa glacière dont la lourde porte était restée ouverte. Héloïse venait de raccrocher le cornet acoustique et se préparait à investir les tablettes pour compléter la commande de madame Bergevin. Paulette avait déclaré qu'elle souffrait d'une migraine; elle avait regagné son appartement. Depuis au moins quinze minutes, trois écoliers musardaient sur la devanture et, de temps à autre, jetaient des regards fouineurs à l'intérieur du magasin. Tout à coup, la clochette tinta gaillardement. Héloïse sursauta.

— Vous êtes ben énervants donc, vous autres! commenta-t-elle.

De sa glacière, le boucher avait entendu le son impétueux provenant de l'entrée. Il s'étira dans l'entrebâillement de la porte, ajusta ses lunettes de myope et s'écria:

— Loïse, tu m'appelleras si t'as besoin d'aide.

Les trois galopins s'approchèrent du comptoir en surveillant la porte de la glacière. Puis ils reluquèrent muettement les pots au large couvercle qui recelaient des sucreries. Leurs yeux se déplaçaient d'un bocal à l'autre. Le doigt du plus petit, qui paraissait néanmoins le plus malin, désigna les jujubes.

— On va prendre les rouges, dit-il d'un air effronté.

— J'ai différentes couleurs, vous savez. Si vous choisissez juste des rouges, j'ai pas fini de fouiller dans le pot, puis il est hors de question de le vider pour vos petits caprices.

Le plus insolent fixait le pot de jujubes d'un regard insistant. Contrariée, la commise s'apprêtait à dévisser le couvercle.

— Ça va toujours, Loïse ? reprit l'épicier.

Le petit voyou s'empara subitement du gros contenant et se précipita avec ses comparses vers la sortie. Héloïse poussa un cri et se pressa à la suite des malfaiteurs, qui avaient déjà franchi la porte. Affolée, le visage en sueur, elle courait à présent sur le trottoir de la rue Adam avant de les perdre de vue à l'angle d'une ruelle. Elle s'arrêta, au bout de son souffle, décontenancée, les bras tombés le long du corps, comme si le monde venait de s'écrouler à ses pieds. Elle allait rebrousser chemin quand elle vit son beau-frère s'empresser vers elle, brandissant son couteau de boucher, la langue sortie, haletant comme un chiot.

— Les as-tu identifiés, toujours ? Ils m'ont volé pour au moins une piasse et demie de bonbons, les chenapans.

— Baisse ça, Théo, tu me fais peur avec ton arme. Ils ont réussi à me semer, les petits bons à rien.

— J'ai pas eu le temps de les reconnaître, admit le myope, mais j'ai une bonne idée pour savoir qui c'est.

— Regarde ! s'exclama-t-elle, en indiquant le sol de son doigt crochu. Ils sont passés par ici.

Un éparpillement de jujubes jonchait le trottoir.

— Retourne au magasin, je m'en occupe, lui intima-t-il.

Tenant son coutelas d'une main, le commerçant releva ses manches et entreprit de fouiller la ruelle qui longeait l'arrière des maisons de l'avenue Bourbonnière. La mâchoire tendue, il marchait d'un pas rageur, dominé par le désir de débusquer les coupables et de faire payer leurs parents. Des odeurs de cuisson taquinèrent son appétit. Il s'arrêta pour repérer un immeuble, renifla les arômes et repartit vers la palissade verte qui clôturait la cour. Hésitant, il poussa le portillon et s'engagea sur la propriété. Il n'avait progressé que de quelques pas, son pied foula un autre amoncellement de bonbons aux couleurs variées qui coloraient les brins d'herbe qui perçaient entre les roches. Une dame au deuxième étage se pencha vers l'intrus en appuyant la chair molle de ses bras sur la balustrade.

— On peut vous aider, monsieur Sansoucy?

— Ah! madame Morasse.

— Depuis quand faites-vous de la livraison à domicile? demanda-t-elle, affectant l'étonnement.

— Depuis que des chenapans viennent me voler dans mon magasin...

— Vous devriez chercher ailleurs parce qu'il y a pas de voleurs dans le coin, rétorqua-t-elle.

L'épicier plia l'échine en désignant avec son coutelas le tas de friandises au bout de ses souliers.

— C'est quoi ça, d'abord?

— Vous trouvez pas que c'est dangereux de courir avec un couteau de boucherie après des malfaiteurs? lança-t-elle, en éludant la question.

Sur ces entrefaites, un fourgon cellulaire enfila la ruelle et s'immobilisa devant la palissade. Deux policiers en uniforme en descendirent et se saisirent du malheureux.

— Vous allez nous suivre, monsieur, ordonna l'un.

— Je suis un commerçant respectable, se défendit Sansoucy, la lèvre tordue.

— Vous fournirez vos justifications au poste, dit l'autre agent. Il ne faut pas laisser des individus comme vous en liberté.

Des ménagères étaient sorties de leur cuisine, des travailleurs revenaient de l'usine. Frappés de stupeur, les résidants commentaient la scène. Derrière la porte close du logis de madame Morasse, des enfants riaient.

Au magasin, Héloïse se répandait en explications auprès de ses neveux sur l'événement qui avait marqué la fin de l'après-midi.

— Pendant que Marcel va livrer la commande chez madame Bergevin, je vas aller ramasser le père dans la ruelle, exprima Léandre. Il doit être fatigué sans bon sens.

— T'es pas toujours compatissant de même avec ton père, affirma Héloïse.

— C'est possible, matante, mais on en serait pas là si vous aviez gardé le fort au lieu de vous élancer comme des perdus après des enfants. Pour quelques cennes, en plus…

Le camion de livraison redémarra et atteignit la ruelle dans laquelle il s'engagea lentement. Lorsqu'il fut arrivé à la hauteur de la palissade verte, une porte s'ouvrit sur la galerie.

— À l'heure qu'il est, votre père doit être derrière les barreaux, s'écria madame Morasse. Courir de même avec un couteau de boucher après des innocents : un vrai danger public ! J'espère qu'on l'a enfermé pour une secousse.

Au poste de police du quartier, Sansoucy s'était affaissé sur une chaise, la tête dolente, les yeux fixés sur son couteau de boucher qui reposait sur le secrétaire. Les mains menottées, la lippe pendante, il avait décoléré et clamait son innocence.

— J'ai pas voulu mal faire, lieutenant Whitty. Je suis parti en laissant le magasin sans surveillance pour secourir ma belle-sœur qui essayait d'attraper les chenapans.

— Réalisez-vous maintenant où cette course-là vous a mené ? C'est pas bien bon pour votre réputation, ça, monsieur Sansoucy. Pour une affaire de bonbons mous, en plus.

— À Noël, on a voulu me dévaliser…

— Aux fêtes, c'était une autre histoire, monsieur Sansoucy. Vous étiez une victime. Aujourd'hui, on peut vous considérer comme un agresseur. C'est pas la même chose pantoute, comprenez-vous ?

On frappa à la porte du bureau. Le constable Lefebvre parut.

— Le fils de monsieur Sansoucy demande si ça vaut la peine d'attendre son père, transmit-il.

— Dites-lui que j'en ai pour quelques minutes avant de le relâcher, répondit le lieutenant.

Le boucher avait bénéficié d'un préjugé favorable, mais il avait dû promettre de réfléchir à deux fois avant de s'élancer dans le quartier comme un demeuré. On n'avait pas fini de relater le fait cocasse, on jaserait. Attentionnées à leur sœur éprouvée, encore remuée par l'incident burlesque, Alida et Alphonsine n'avaient manifesté aucune compassion pour ce que Théodore venait de vivre. Émilienne aurait apporté un grand réconfort à son mari, mais elle était absente. En revanche, Sansoucy avait trouvé de la sollicitude chez Irène et ressentait néanmoins le besoin de partager son émoi avec Philias. Il l'appela ; il le prendrait en passant pour aller consommer une bière à la taverne Archambault.

Marcel n'avait pas été secoué par les événements. « Le vieux n'avait qu'à assumer ses responsabilités ! Il avait couru après ses problèmes ; il avait manqué de jugement ! » s'était-il dit. Son père à la taverne, sa mère en vacances et ses tantes occupées avec Irène à ressasser dans tous les sens l'événement du jour, sa sortie passe-rait inaperçue. En quelque sorte, la soirée qui s'offrait lui laissait le champ libre pour une autre escapade avec Amandine. Il lui téléphona et ils se donnèrent rendez-vous au coin d'Adam et de Jeanne-d'Arc.

Le fils de l'épicier marchait d'un pas alerte à la lumière de la fin du jour qui tombait sur le faubourg Maisonneuve. Celle qui le rejoindrait envahissait de plus en plus ses pensées. Elle lui avait même avoué qu'elle avait failli se rendre à l'hôpital pour le voir après son accident. Les convenances l'en avaient empêchée. Elle était la seule à s'intéresser à lui, à l'écouter vraiment, à le comprendre. Dans son entourage, il chercha des exemples de bonheur. Édouard et Colombine vivaient une relation platonique, Simone et David semblaient s'aimer, mais entre Léandre et Paulette, il n'y avait pas d'amour comparable à celui qui le transportait.

Elle lui sauta au cou et l'entraîna dans la rue.

— Tu sais pas quoi, Amandine ? Aujourd'hui, ma tante Héloïse travaillait au magasin pour remplacer ma mère partie se reposer à la campagne…

La jeune fille suivait avec un intérêt croissant la narration de son amoureux. Étonnamment, il s'animait et prenait plaisir à relater l'incident qui avait connu son dénouement au poste de police.

— Tant pis pour ton père ! Pour les fois qu'il a pas été fin avec toi…

— Il est bizarre parfois, p'pa, observa-t-il. C'est la faute à ma tante Héloïse, aussi. Elle aurait jamais dû partir après ces petits morveux-là.

Amandine s'arrêta net et coula son regard bleuté dans les yeux de son amoureux.

— Embrasse-moi, Marcel. Puis donne-moi un baiser prolongé comme on en voit aux vues.

— T'as pas peur que tout le monde nous voie ?

— Je m'en fiche!

On était jeudi. Le temps s'écoulait et, sans Émilienne, l'épicier appréhendait le débordement de la fin de la semaine. Après sa journée éprouvante, au lieu de se coucher tôt pour récupérer, il avait assiégé la taverne Archambault jusqu'à l'heure de la fermeture, de sorte que Léandre les avait ramenés, lui et Philias Demers, à leurs domiciles respectifs, dans un état d'ébriété avancé, il faut bien le dire. Toute la soirée, avachi devant une série de bières, la bouche pâteuse, Sansoucy avait péroré sur l'abandon de ses affaires. D'ailleurs, il avait décliné plusieurs offres. Chose certaine, avec toutes les tuiles qui lui tombaient sur la tête, il ne pouvait tenir bien longtemps. Sourire en coin, Léandre avait choisi de ne pas intervenir, laissant les deux hommes palabrer sur le sujet. Qu'on le veuille ou non, un jour, c'est à lui qu'on confierait les rênes du commerce!

Héloïse paraissait remise de ses émotions et se préparait à affronter d'autres groupuscules de gamins. Le cas échéant, elle ne se mêlerait pas de poursuivre les petits dévaliseurs de bocaux; elle appellerait la police. Sa belle-mère partie, Paulette s'efforça d'aller au travail. Elle avait convenu avec Léandre de faire l'impossible pour soutenir le commerce. Elle présenta son aura migraineuse au magasin. Déjà retranchée derrière le comptoir, Héloïse la vit s'avancer vers elle, traînassant dans ses sandales. Elle s'obligea à l'accueillir.

— Je suis contente de te voir, lui dit-elle. Comme ça, je serai pas toute seule comme hier. S'il fallait que…

— J'aurais dû rester couchée ce matin, j'ai entendu le petit à Simone brailler une partie de la nuit. Mais j'ai promis à Léandre de venir au magasin. Surtout qu'il est convoqué à la cour pour témoigner dans l'affaire de *La Belle au bois dormant*.

Une moue significative passa sur les lèvres de la vieille fille Grandbois.

— Théo m'en a pas parlé, dit-elle, avoir su…

— C'est Marcel qui va être pogné avec les livraisons, compatit Paulette. Pour le moment, c'est tranquille, il est à la cave pour classer des bouteilles.

— Lui aussi, il est rentré pas mal tard hier soir, fit remarquer Héloïse. S'il pense qu'on s'aperçoit de rien, il se trompe royalement !

Une ménagère parut à la porte du magasin. Elle semblait hésitante à traverser le seuil. Puis, comme l'explorateur qui s'engouffre prudemment dans une caverne sombre, elle promena un regard suspect avant de longer le comptoir-caisse et de se rendre à la boucherie. Théodore dépeçait un morceau de viande rouge. Il releva la tête en brandissant son coutelas. La dame recula.

— Bas les armes ! s'écria-t-elle de sa voix grinçante de poulie mal graissée.

— Je ne voulais pas vous effrayer, madame Pitre, rassurez-vous, réagit-il en abaissant son couteau.

— Vous devriez avoir honte, monsieur Sansoucy ! Mon fils n'a pas dormi de la nuit. Puis moi non plus. Il a fait des cauchemars, monsieur. Il a rêvé qu'un ours avec de grosses griffes sortait de sa tanière et le poursuivait jusqu'à la maison. Ce matin, je suis venue voir si vous étiez là. Ben oui ! Comment ça se fait qu'on vous a pas enfermé ?

— Ben parce qu'on m'a innocenté, madame Pitre. C'est la preuve que j'ai rien à me reprocher. J'admets que j'aurais pas dû sortir sur la rue, mais qu'est-ce que vous voulez, quand on veut défendre son commerce contre des malfaiteurs, faut prendre les grands moyens. Le mal est fait, asteure. Puis, croyez-moi, je suis vraiment désolé…

La dame continua de déverser ses doléances en disant que plusieurs voisines du quartier avaient manifesté le désir de boycotter l'épicerie Sansoucy, mais qu'elle avait renversé le mouvement.

— Dans ce cas-là, qui c'est qui m'aurait dédommagé, moi, madame ? J'ai subi des pertes, vous savez…

La cliente bomba le torse en prenant une grande inspiration.

— En tout cas, comptez-vous chanceux que j'aie été là pour calmer les enragées qui avaient pris le mors aux dents, acheva-t-elle, les lèvres pincées.

Madame Pitre tourna les talons et prit congé.

Le téléphone résonna. Héloïse se chargea de répondre. La porte du commerce n'avait pas eu le temps de se refermer ; deux clientes régulières s'infiltrèrent. Elles jetèrent un œil méfiant au boucher, s'adressèrent à Paulette pour leurs achats et repartirent aussitôt. Sansoucy délaissa son étal et se déporta vers ses deux employées. Il était dans un état d'agitation extrême.

— C'est rendu que mes plus fidèles clientes me tournent le dos ! s'indigna-t-il. Juste avant, la bonne femme Pitre qui faisait son hypocrite rapport à son garçon, un voyou qui était sûrement du nombre hier avec le petit Morasse ! Elle a eu le culot de me dire qu'on a ben failli me mettre en quarantaine à cause de ces bâtards-là ! De toute manière, regardez autour de vous asteure, il y a personne dans le magasin. Une commande au téléphone puis trois clientes, dont une qui est venue m'engueuler et les deux autres qui ont quasiment rien acheté. Taboire, ça va-tu mal à matin ! Je m'en vais à la taverne…

L'œil furibond, le boucher ne dérageait pas. Puis, soudainement pris d'un nouvel accès de fureur, il s'en retourna dans son coin, détacha son tablier qu'il accrocha rageusement sur un crochet. Ensuite, il s'assura qu'il avait son portefeuille, roula ses moustaches entre ses doigts et quitta précipitamment les lieux.

Ameuté par les aboiements de son père, Marcel parut sur le plancher.

— Que c'est que le père a à crier de même ?

— T'en fais pas, Marcel, pour une fois qu'il est pas en maudit après toi, répondit Paulette. Il est allé se déchoquer à la taverne Archambault.

— Je suppose que c'est à cause de cette histoire de bonbons d'hier ! Il avait l'air pas mal fâché au déjeuner.

Au milieu de ces paroles chicaneuses, Paulette fut de nouveau harcelée par sa migraine.

— Comme le beau-père est parti puis qu'il y a personne dans le magasin, je vas prendre le reste de ma journée, décida-t-elle.

— C'est ça, laissez-moi toute seule comme une *codinde*, exprima Héloïse d'une voix altérée. Pour le moment, t'as juste une livraison à faire, mon Marcel.

— Inquiétez-vous pas, matante, quand la commande sera prête, je vas livrer puis revenir aussitôt.

Paulette disparut. Héloïse rassembla les articles demandés et Marcel enfourcha son triporteur.

Deux heures s'étaient écoulées et le livreur avait résolu de flâner dans le parc près de la biscuiterie Viau. Au son des sirènes de l'usine, il irait à la rencontre d'Amandine et il l'emmènerait dîner sous le feuillage des ormes.

Au magasin, Héloïse commençait à broyer du noir. Sansoucy semblait prendre racine à la taverne et Paulette ne redescendrait pas. Le téléphone avait sonné et Marcel n'était pas revenu pour livrer les « ordres ». La tante s'embêtait. L'heure du dîner allait bientôt sonner et elle redoutait une affluence subite avec laquelle elle s'empêtrerait. Les trois polissons de la veille parurent. Deux d'entre eux s'approchèrent du comptoir-caisse derrière lequel la vieille épicière tremblait de tous ses membres. Le troisième, le petit Morasse, s'en fut à la glacière.

— On veut des jujubes, exigea avec insolence le garçon de madame Pitre.

— Des rouges, peut-être ? railla Héloïse.

Le jeune Morasse avait ouvert la glacière et s'apprêtait à y entrer.

— Ferme cette porte, petit garnement ! lui intima-t-elle.

L'enfant refusa d'obéir. Héloïse amorça le pas vers la chambre froide. Les deux autres marchèrent sur ses talons. Dès que l'épicière fut dans l'embrasement, ils la poussèrent à l'intérieur. Dans le mouvement brusque, Héloïse fut projetée en avant et son visage alla heurter une pièce de viande suspendue à un croc d'acier. Vitement, Morasse referma la porte de la chambre sombre dans des cris désespérés de la captive.

Emprisonnée dans la noirceur, les mains retenant sa tête affolée, Héloïse avait crié son indignation, une atteinte à sa personne physique. Elle avait ensuite tâtonné convulsivement pour trouver l'ouverture et la chaîne de l'ampoule. Ses doigts agités avaient exploré les murs, s'étaient blessés contre les blocs de glace à force de chercher une issue et avaient fini par repérer la porte impossible à ouvrir. Dès lors, des idées lugubres l'envahirent. La tête bourdonnante de peur, elle se voyait raidir dans le froid qui transperçait sa maigreur jusqu'aux os. À sa place, Paulette aurait eu de quoi se protéger contre ce climat inhospitalier qui la pénétrait insidieusement. Lentement, elle agoniserait, on la trouverait morte, la bouche béante, séchée comme un poisson. Marcel finirait bien par revenir avant qu'elle succombe.

L'épicier s'était rappelé qu'il avait un magasin. Pris d'une honte confuse, il progressait dans la rue Ontario, la démarche vacillante, les idées un peu brouillées, mais encore capable de retrouver son chemin. On le verrait déambuler en direction de son gagne-pain, mais il était prêt à affronter le potinage. Après ce qu'il avait subi d'humiliation la veille, un petit écart de conduite au débit de boissons ne le reléguerait pas au rang des soûlons.

Chancelant, il poussa la porte de son commerce.

— C'est ben tranquille, ici dedans! s'exclama-t-il.

La sonnerie du téléphone le fit tressaillir; il répondit.

— Théo? C'est au moins la dixième fois que j'appelle au magasin…

— Ben la ligne devait être occupée, Mili. À moins que la *switch board* ait mêlé les fils.

— Coudonc! T'as une drôle de voix, me semble…

Émilienne s'était rendue au village pour réclamer qu'on vienne la chercher. Elle s'ennuyait et se fatiguait plus qu'elle ne se reposait, à fabuler, à s'imaginer toutes sortes de péripéties. Son frère Elzéar était toujours occupé et Florida la portait sur les nerfs. Elle comprenait l'exaspération de Simone lorsque son père l'avait expédiée à la campagne pour vivre sa grossesse. Par ailleurs, son mari s'exprimait d'une manière bizarre qu'elle attribuait à la déformation des appareils acoustiques dans le cas des «longues distances». Puis la communication avait coupé court. Une cliente pressée du magasin général attendait son tour pour téléphoner. Il n'y aurait donc pas de changement au programme. Théodore se rendrait à Ange-Gardien dimanche, comme prévu.

Marcel revint alors que le boucher raccrochait.

— Une autre commande?

— Non, c'est ta mère, elle a hâte à dimanche, articula avec peine Sansoucy. Ça a l'air qu'elle se morfond chez ton oncle Elzéar.

— Paulette est remontée avant que j'aille faire une livraison, mais comment ça se fait que matante est pas là? Elle est quand même pas partie à la course après des chenapans. Ah! Puis regardez, p'pa. On s'est fait voler des pots de bonbons.

— Taboire ! Pas encore ! Cette fois-ci, je vas rester ben tranquille dans mon magasin. Si elle pense que je vas courir après, elle a ben menti.

— Je peux y aller, moi, p'pa…

— Que je te voie, elle s'arrangera avec ses problèmes, mâchonna l'épicier. Pourtant, elle aurait dû appeler la police…

Un peu plus tard, repris par une ardeur au travail, le boucher songeur ouvrit sa glacière. Héloïse était là, recroquevillée sur le plancher recouvert de bran de scie, la tête courbée sur sa poitrine fuyante.

— Loïse !

La séquestrée avait tenté d'expulser un dernier cri, elle était restée figée dans un engourdissement qui lui conférait un air statufié. Son beau-frère la regarda avec une rare compassion. La malheureuse avait la mâchoire de travers, dérivée sur la gauche. Elle dessilla ses paupières frimassées et déclara :

— Théo ! Enfin !

Sa voix ralentie, gélatineuse, comme enrhumée et caverneuse, exprimait à elle seule tout le poids de son malaise et de sa profonde frustration.

Sansoucy aboya après Marcel, qui parut dans les dernières vibrations de l'appel de détresse.

— Ça doit faire longtemps qu'elle est enfermée, ta tante. Comment ça se fait que tu te sois aperçu de rien, innocent ?

— Puis vous, vous sentez la tonne à plein nez, rétorqua le fils. Que c'est que vous aviez d'affaire à aller à la taverne pendant votre journée de travail ?

— Bon, pour le moment, il faut secourir ta tante. On va la sortir de là, puis après on verra…

Chapitre 13

Le camion de livraison se stationnait à présent devant l'épicerie-boucherie qu'Émilienne retrouvait avec enchantement. En quittant le rang Séraphine, l'épicière avait tenu à s'arrêter au collège de Saint-Césaire où le supérieur des Sainte-Croix avait insisté pour garder les Montréalais à souper avec Placide. Au cours du voyage de retour, Sansoucy avait reconstitué l'historique de la semaine éprouvante qu'il avait traversée. Les vols et leurs déplorables conséquences sur l'achalandage avaient alimenté leur conversation. Après avoir déclaré un premier incident fâcheux, il avait mis son orgueil de côté en reconnaissant qu'il n'aurait jamais dû s'absenter du magasin une seconde fois : Paulette, la migraineuse, s'était éclipsée, et Héloïse s'était trouvée seule aux prises avec les trois mêmes sacripants qui l'avaient maltraitée en la séquestrant dans la glacière.

Théodore et son ami Philias descendirent. L'épicier empoigna la petite valise cartonnée de la passagère. Émilienne glissa sur la banquette et sortit de l'habitacle en poussant un grand soupir de soulagement.

— Il est temps que je revienne à la maison ! affirma-t-elle.

Le chauffeur du Fargo s'éloigna sur le trottoir. Une voix insistante l'interpella :

— Philias ! s'écria Sansoucy, tu vas venir faire un bout de veillée avec nous autres…

— J'aime autant pas rencontrer Alphonsine, je veux pas la mettre mal à l'aise pour rien. C'est fini entre nous autres…

— Envoye donc, Philias, dit Émilienne, tu sais ben qu'Alphonsine en fera pas de cas. Si ça fait pas son affaire, elle aura juste à aller se cacher dans sa chambre…

— Vu de même, consentit Demers ; c'est toi qui m'invites, Émilienne, parce qu'en temps ordinaire t'aimes mieux pas me voir la face.

— Théo puis moi, on te doit ben ça pour te remercier ; on va faire du spécial, badina-t-elle.

Sitôt qu'Émilienne parut dans la cuisine, elle aperçut son beau-frère et sa belle-sœur. Brusquement, le mari de Georgianna recula sa chaise et se dressa en brandissant un bras allongé comme un étendard.

— Tu parles d'un accoutrement ! lâcha Émilienne. Où c'est que t'as déniché ça, un habit de même ?

Le visiteur était vêtu d'un étrange habit bleu. Son bras était entouré d'un brassard arborant une croix singulière dont les extrémités étaient coudées à angle droit. Autour de la table, Irène et les trois pensionnaires fixaient le frère de Théodore qui refaisait le même salut qu'à son arrivée.

— Il y a longtemps qu'on t'a vu, mon Romuald, dit Théodore. Es-tu rentré dans l'armée, coudonc ?

— Non, non, je suis toujours wattman, conducteur de tramway, si tu préfères. C'est juste que je suis devenu membre du PNSC : le Parti National Social Chrétien.

— Puis qu'est-ce que ça fait dans la vie, le Parti National Social Chrétien ? s'enquit Théodore.

— Moman, popa, monsieur Demers, après un voyage de même, puis à l'heure qu'il est rendu, vous devez être pas mal fatigués, coupa Irène. Je vous prépare un bon thé. Prenez le temps de vous asseoir, mononcle Romuald va se faire un plaisir de reprendre ses explications à zéro. Pas vrai, mononcle ?

Romuald Sansoucy se racla la gorge et, encouragé par ses convictions exaltées, entreprit de brosser un tableau de la formation politique et de son programme. Le PNSC se consacrait à la défense des droits des ouvriers canadiens-français. Dans ses publications, il se réclamait du système politique défendu par Adolf Hitler en Allemagne et, par conséquent, adhérait aux idées antisémites et anticommunistes.

— Il commence à être temps que tu te déniaises, mon Théo, proféra le membre des Chemises bleues. Regarde un peu autour de toi. La plus grande menace à notre économie, ce sont pas les Anglais, ce sont les Juifs, mon Théo. Les Chinois, les Italiens, les Allemands sont ben corrects, mais eux autres, par exemple… À Montréal, de plus en plus de pères de famille craignent pour l'avenir moral de leurs enfants parce qu'ils sont entourés de Juifs. As-tu pensé à ton petit-fils ? Puis c'est pas tout : comme le dit Adrien Arcand, notre chef, nous perdons notre commerce de gros et de détail et un grand nombre de nos industries. Les Juifs ont envahi nos rues : Saint-Laurent, Ontario, Sainte-Catherine Est, Saint-Hubert, Christophe-Colomb, Mont-Royal. Ils s'emparent de nos commerces et nous plongent dans le chômage et la misère en achetant des merceries, des épiceries, des boucheries. Puis ils ont même obtenu du gouvernement du Québec le droit de travailler le dimanche…

Le visage du commerçant devint d'une pâleur livide ; il déglutit.

— Ils vont pas me prendre mon épicerie, toujours ? demanda-t-il.

— Après la semaine que tu viens de traverser, tu pourrais penser sérieusement à la vendre, commenta Héloïse.

— Je suis pas prête à vendre, rétorqua fermement Émilienne. Asteure que je suis revenue à Montréal, ça va marcher comme du monde, ce magasin-là.

— T'es pas mal insultante, Mili, s'indigna la vieille fille. C'est comme si j'avais servi à rien cette semaine. En tout cas, je vas y réfléchir à deux fois avant de m'offrir à nouveau au magasin, conclut-elle, outrée.

— Je voudrais pas que les Juifs se saisissent du magasin de coupons qu'Alida puis moi on a vendu à madame Métivier, dit Alphonsine. Et je suis pas intéressée à ce qu'un propriétaire juif me jette à la rue non plus…

Romuald Sansoucy se réjouissait d'avoir suscité une discussion qui soulevait ses auditeurs. Connaissant les allégeances politiques de son frère, il renchérit.

— À part de ça, les Juifs ont l'intention d'acheter des terres agricoles; il est temps qu'on mette Maurice Duplessis au pouvoir pour se donner des lois qui nous protègent et éliminer du coup les libéraux corrompus d'Alexandre Taschereau.

Il n'en fallait pas plus pour relancer une bataille verbale entre Philias et Théodore.

Émilienne se prit la tête à deux mains. Sa belle-sœur Georgianna se leva.

— Viens, Romuald, je pense qu'on les a assez énervés de même, on reviendra une autre fois, décida-t-elle.

Le fanatique se déplia, prit un air martial et salua la petite société en claquant des talons. Il déboutonna ensuite sa chemise bleue et la donna à sa femme, qui l'échangea contre un vêtement plus ordinaire, avant que le couple franchisse de nouveau le seuil du logis.

De son fauteuil d'impotente, Alida avait suivi d'un œil admiratif celui qui militait pour les petits journaliers. Elle était d'avis qu'il fallait sensibiliser les marchands du quartier de la menace juive, et prendre les moyens pour empêcher que l'épicerie-boucherie et le commerce de coupons et de tissus à la verge passe aux mains des Juifs.

Au matin du lendemain, comme à l'accoutumée, tout le monde était au travail. Marcel surveillerait ses écarts de conduite pendant ses livraisons, mais il se promettait d'autres sorties avec Amandine. À cause de son emploi de barman qui l'amenait à se coucher tard, Léandre éprouvait de la difficulté à s'aligner les yeux vis-à-vis des trous. Paulette avait décidé de reprendre son ouvrage. Son mari lui avait mentionné qu'il se fendait en quatre avec ses deux emplois et qu'elle devait apporter sa contribution elle aussi. Quant à Sansoucy, le bonheur secret qu'il ressentait à voir tout son personnel en fonction valait bien son pesant d'or.

L'épicière n'avait pas aussitôt mis le pied au commerce que le téléphone retentit. Elle décrocha l'appareil.

— Épicerie Sansoucy, bonjour ! répondit-elle, en empruntant sa voix la plus joyeuse.

La clochette grelotta. Émilienne avait commencé à raconter sa semaine de congé, mais elle dut s'excuser et raccrocher. Dora Robidoux devança mademoiselle Lamouche et les dames Grenon, Gladu et Thiboutot. Elle s'exprima en leur nom.

— On est ben contentes que vous soyez revenue, madame Sansoucy. Votre sœur Héloïse a des croûtes à manger pour vous remplacer. Votre mari a dû vous rapporter que des petits voyous ont essayé de dévaliser votre commerce.

Madame Robidoux fit une pause pour s'assurer que l'épicière avait bien saisi que rien n'avait échappé aux résidants du quartier. Elle enchaîna.

— Puis, avez-vous ben profité de vos vacances, toujours?

— Après deux jours à tourner en rond dans la maison, j'ai commencé à m'ennuyer de ma routine, des gens que je rencontre à tous les jours, de la vie du magasin. Je suis pas habituée à rien faire, vous savez. Puis quand on est pas chez nous, c'est pas pareil pantoute non plus. Florida, ma belle-sœur, pensait que je l'aiderais un peu plus à la cuisine puis au ménage parce que les travaux du printemps ont débuté à la ferme. On s'est chicanées quelques fois. Moi qui ai horreur des chicanes… Changement de propos, vous avez pas coutume de venir d'aussi bonne heure le lundi matin.

— Je vas aller faire mon petit lavage, décida mademoiselle Lamouche, condescendante.

— On sait ben, répliqua madame Gladu, quand on a juste à prendre soin de sa petite personne…

— Bon, la bisbille est en train de pogner, dit madame Thiboutot. Madame Sansoucy vient de nous dire qu'elle aimait pas ça, la chicane; on serait mieux de partir.

Les dames se saluèrent civilement et quittèrent le magasin. La sonnerie du téléphone retentit de nouveau. Paulette répondit.

L'épicier avait remarqué la démonstration tangible de ses clientes à l'égard de sa femme. Même si on ne lui avait pas témoigné autant de sympathie à la suite du hold-up des fêtes, il reconnaissait qu'Émilienne était l'âme de son commerce et qu'avec elle les affaires devraient reprendre leur cours normal.

* * *

Un autre dimanche revint, ramenant avec lui le conducteur de tramway et sa femme au domicile de l'épicier. Afin de ne pas intriguer inutilement les voisins, mais voulant néanmoins créer l'effet le plus saisissant chez son frère, Romuald s'était enfermé dans le hangar pour se changer. Il en ressortit avec son uniforme du

PNSC, rempli du même enthousiasme délirant. Avec le sourire contenu qui précède parfois les grandes surprises, il cogna doucettement à la porte de la galerie. Irène le fit entrer.

— Bonsoir la compagnie! lança-t-il, en faisant son salut d'un air martial.

Émilienne sentit qu'ils auraient droit à une envolée oratoire en règle. Elle se leva et prit la précaution de fermer les persiennes. L'oncle Romuald avait toujours été un homme aux opinions bien tranchées. Mais revêtu de sa chemise bleue au brassard distinctif, il incarnait un personnage aux idées révolutionnaires. Le renversement du système démocratique et du capitalisme ainsi que l'expatriation hors du pays des Juifs et des communistes étaient devenus son credo politique. Et il appuyait ses avancées par des exemples concrets qui gagnaient progressivement Alida.

Après une demi-heure à entendre son beau-frère exposer son propos avec emportement, Émilienne manifesta sa lassitude.

— Tu trouves pas qu'on devrait changer de sujet, Romuald? commenta-t-elle. Où c'est qu'on s'en va avec des idées pareilles, veux-tu ben me le dire?

— Mili, t'as aucun patriotisme, répliqua platement l'épicier. Laisse donc parler mon frère. Depuis qu'Édouard est marié, il y a plus grand-chose d'intelligent qui se dit dans cette maison-là…

— Théo, je te ferai remarquer que toi aussi tu vis dans cette maison-là, dit Héloïse. On sait ben, nous autres les femmes, on est des bonnes à rien ici dedans, ajouta-t-elle, blessée.

La rencontre tournait au vinaigre. Irène, qui avait observé la réaction de sa mère et de ses tantes, ne pouvait plus tolérer ce qui s'apparentait à une assemblée de cuisine pour informer et recruter des partisans. Contrairement à ses sœurs, Alida semblait intéressée à écouter l'homme qui l'impressionnait et qui prenait la part des petits.

— Mononcle Romuald, s'excusa Irène, si ça vous fait rien, matante Héloïse, matante Alphonsine, moman puis moi, on va aller prendre l'air.

Les femmes parties, le conducteur de tramway en appela au patriotisme de son frère, d'une mobilisation pour sauver la race canadienne-française, rien de moins. Il réussit à le convaincre de participer à un rassemblement au Monument-National.

* * *

Sansoucy allait franchir le seuil de son logement. Sa femme espérait jusqu'à la dernière minute qu'il revienne sur sa décision. Elle capitula.

— Tu t'es fait monter la tête, Théo. Vas-y, asteure, à ta réunion.

— J'attends que Philias sonne en bas, puis je vas descendre.

Les deux camarades atteignirent le boulevard Saint-Laurent et s'acheminèrent à l'immeuble où s'était tenue l'assemblée inaugurale du parti. À l'entrée, Romuald Sansoucy bavardait avec deux membres en uniforme assis à une table dont l'un d'eux, un homme très petit au corps déformé comme un tronc de pommier appelé Richard-le-bossu, agissait comme secrétaire. Il présenta ses nouvelles recrues et mentionna :

— Il reste des places à une piasse puis quelques-unes à vingt-cinq cennes, affirma le nain. Mais ça vaut vraiment la peine de payer une piasse pour s'asseoir en avant et mieux entendre le chef.

— Nous autres, on est juste des observateurs, on va se contenter de places à vingt-cinq cennes, répondit l'épicier.

Romuald, le fanatique, fouilla dans sa poche et jeta deux dollars sur la table.

— Vous le regretterez pas, commenta-t-il. Suivez-moi.

Des rangées de chaises pliantes disposées de part et d'autre d'une allée centrale étaient déjà occupées. Un bon nombre de participants, des hommes surtout, étaient vêtus de chemises bleues. De chaque côté de la salle, des gardes de sécurité provenant des Casques d'acier – une association nationaliste d'anciens combattants – portaient l'uniforme auquel étaient accrochées leurs décorations de guerre et arboraient le brassard de la croix gammée, symbole de la race blanche. Sur la scène, des officiers du parti devisaient. Derrière eux, quatre lettres immenses constituaient l'acronyme de la formation politique : PNSC. Joseph Marchand, assistant d'Adrien Arcand, se leva et s'avança vers le micro. Moustache en moins, l'imprimeur de journaux propagandistes avait une étrange ressemblance physique avec le führer allemand. Il s'exprima bien et avec beaucoup de conviction, mais, manifestement, son rôle était de « réchauffer » la salle, de la préparer à l'allocution de son chef. Après son laïus de circonstance, il se retira, cédant la place à celui que tous étaient venus écouter : Adrien Arcand.

La rumeur qui se répandit dans l'assemblée s'estompa. On n'entendait plus que le bruit agaçant de toussotements et de voix étouffées qui réclamaient le silence. Des hommes dans une tenue impeccable formèrent une double haie d'honneur de chaque côté du grand escalier central et tendirent le bras droit. Soudain, comme surgissant de nulle part, un homme grand et sec parut et s'engagea d'un pas altier dans l'allée et monta sur l'estrade.

Adrien Arcand prit la parole. Rapidement, devant un auditoire conquis d'avance, il aborda ses sujets préférés. Dans un langage simple qui rejoignait les auditeurs, avec une fougue et une verve peu communes, il souhaitait la création de corporations ouvrières qui remplaceraient les chambres parlementaires dans un nouveau régime fasciste. En faveur de la nationalisation, il voyait l'étatisation des banques, de l'industrie militaire, des compagnies qui exploitaient l'hydroélectricité, des chemins de fer, du téléphone, du télégraphe, des communications postales. À mesure que son discours progressait, ses yeux s'arrondissaient, il devenait furieux et, toujours, comme à chacune de ses montées oratoires, il accusait les Juifs d'être responsables de la crise économique.

Romuald s'enflammait avec l'assistance. Théodore semblait se laisser gagner, mais Philias n'ingurgitait pas avec le même délice les paroles acrimonieuses de l'orateur.

— On s'en va-tu? demanda-t-il.

Le regard de Théodore délaissa la scène et repéra les gardes qui surveillaient de chaque côté de la salle. Il se pencha à l'oreille de son camarade.

— Mon frère a payé le gros prix pour qu'on s'assoie en avant, on peut pas sortir de même, chuchota-t-il. Ça se fait pas…

— T'es un vrai *pea soup*, Théodore Sansoucy! rétorqua son vieil ami.

Demers se leva brusquement. L'orateur fronça les sourcils et, sous les yeux réprobateurs de l'assistance, le veuf se dirigea sans vergogne vers l'allée latérale droite où il s'engagea. Un des mastards adossés au mur l'apostropha au collet.

— Vous allez où de même, monsieur? s'enquit-il.

— Les toilettes sont pas en arrière? demanda Demers, feignant l'ignorance.

— Elles sont barrées pendant les discours pour éviter les dérangements, dit le garde. Faites un nœud dedans, puis allez vous rasseoir.

Embarrassé, Philias revint pénardement sur ses pas et regagna sa chaise. Au même moment, repris par une haine furieuse, comme transporté hors du monde sensible, Arcand fulmina une dernière série d'injures contre les Juifs et acheva sa harangue jusqu'à perdre haleine dans un état presque convulsif, avant de se retirer sous un tonnerre d'applaudissements.

Chapitre 14

Durant toute la semaine qui suivit, l'épicier avait ressassé le discours du redoutable orateur. Au magasin, il en avait parlé avec Demers, qui avait cherché à le dissuader d'entrer dans les rangs de la formation politique aux objectifs discutables. En ce dimanche soir, après avoir soupesé les pour et les contre, il devait rendre le fruit de sa réflexion. Pendant le souper, les femmes de la maison avaient déblatéré contre le fanatique qui reviendrait comme une tradition. Sauf Alida qui l'espérait en silence, elles se désespéraient de le voir survenir, métamorphosé dans son habit et tenace comme une teigne domestique. Accoutré de sa chemise bleue, Romuald Sansoucy revint au domicile de son frère avec un porte-documents, persuadé d'avoir recruté un nouveau membre au PNSC. Après sa révérence martiale, l'admirateur d'Hitler et de Mussolini tira un formulaire de sa serviette et jeta une pièce sur la table.

— Tiens, mon Théo ! On va remplir ensemble une fiche puis je vas te remettre ta carte de membre ; après, il va juste te rester à payer ta cotisation puis à signer ton nom.

— Ça m'intéresse pas vraiment, rétorqua le marchand.

— Comment ça, pas vraiment ? T'as pas aimé entendre notre chef ?

— Il parle bien, mais je vois pas comment le gouvernement pourrait nationaliser les chemins de fer, l'électricité, le téléphone, la radio, etc., puis comment les Juifs pourraient acheter mon commerce. Si jamais il y en a un qui se présentait, j'ai juste à dire non, point final. À part de ça, je le trouve pas mal radical et je suis pas toujours d'accord avec ce qu'il dit, ton monsieur Arcand…

— Ben voyons donc, Théo ! T'as pas compris ? Les trusts de l'alimentation ont fermé des boulangeries et des laiteries pour avoir le contrôle des prix sur le pain et le lait. Avant longtemps, les pauvres travailleurs du quartier seront plus capables de payer. Puis là, les Juifs vont arriver, ils vont acheter ton épicerie pour pas grand-chose. Il commence à être temps que tu te réveilles : un jour ou l'autre, si tu réagis pas assez vite, tu vas te retrouver sur le carreau puis il va être trop tard. Je t'aurai ben averti…

Les mains crispées sur les bras de son fauteuil roulant, Alida se désespérait de l'innocence de son beau-frère. Elle rapporta ce qu'elle avait lu dans le journal : pour sauver leur commerce, des catholiques avaient décidé d'imiter les Juifs en ouvrant leur boutique le dimanche. Ce qui, forcément, avait engendré une concurrence déloyale. Elle l'en avisa et lui fit une mise en garde :

— Si ça continue, tu vas être obligé d'ouvrir ton magasin le jour du Seigneur, toi aussi, affirma-t-elle. Ça te tente-tu de travailler sept jours par semaine ? Puis pense un peu à Mili…

— En plein ça, mademoiselle Grandbois ! approuva Romuald.

— Ah ben non, par exemple ! protestèrent simultanément Émilienne et Irène.

Puis, se tournant vers son frère, le regard suppliant, le partisan ajouta :

— Tu défendrais ta propre cause, Théo, l'implora-t-il.

Il allait battre en retraite quand Georgianna fouilla le sac qui contenait le linge de rechange de son mari. Elle en ressortit une chemise bleue marquée de la croix gammée.

— Regarde, Théo, ce qu'on a apporté pour toi, observa Romuald, pendant que Georgianna tendait le vêtement devant tout le monde.

Les lèvres de l'épicier se plissèrent dans une vilaine grimace.

— Je sais pas si c'est de la bonne grandeur, se demanda Georgianna. On en a presque plus, il faut en coudre d'autres.

— Je pourrais en confectionner, proposa gentiment Alida. Ce serait une manière bien à moi de participer. Monsieur Sansoucy, même si j'assiste pas à vos réunions, accepteriez-vous qu'une handicapée soit membre de votre parti ?

— Volontiers ! répondit le fanatique. On accepte toutes les personnes de bonne volonté. On a déjà Richard-le-bossu comme secrétaire. Pourquoi pas une infirme en fauteuil roulant qui collabore de chez elle ?

Émilienne, Héloïse, Alphonsine et Irène jetèrent des regards étonnés à l'impotente, qui s'empressa de demander qu'on lui apporte son sac à main. Elle paya sa cotisation, remplit un formulaire et signa sa carte verte d'adhésion au PNSC. Désormais, elle serait membre du parti et contribuerait dans l'ombre à la défense des ouvriers et des petits commerçants.

Le lendemain matin, alors que son père conversait avec Philias, Marcel classait les bouteilles vides rapportées au magasin le samedi. Il était rentré assez tôt de sa marche délicieuse avec Amandine. Dans le retrait de sa chambre dont la porte était restée entrouverte, il avait eu connaissance de la visite de son oncle bizarrement accoutré. Ce qu'il avait entendu des Juifs ne l'avait pas remué outre mesure. Il en avait rencontré deux, une fois dans sa vie, et la menace dont Romuald avait parlé représentait bien peu dans sa tête d'adolescent. Cependant, l'engagement de sa tante Alida l'avait saisi d'étonnement : elle travaillerait pour le compte d'une organisation plus ou moins secrète.

Par contre, son père paraissait inquiet. Dans une épaisse fumée de tabac à pipe qui le faisait disparaître derrière son comptoir des viandes, l'épicier se morfondait à attendre son fils Léandre. Il avait une demande particulière à lui formuler. Avec sa mine abattue,

Paulette l'avait informé du léger retard de son mari et il s'était préparé à lui pardonner. Sansoucy poursuivait son entretien avec Demers.

— J'ai résisté, Philias, affirma le boucher. Romuald a pas réussi à m'embobiner dans son parti. Mais Alida, elle, par exemple...

— T'as fini par comprendre le bon sens, Théo !

Le veuf fut rapidement mis au courant de l'engagement de la vieille fille Grandbois sans parvenir à s'en expliquer la raison profonde. Puis il s'inquiéta de son ancienne promise.

— Alphonsine, elle ? Elle s'est pas fait enfirouaper, toujours ?

— Alphonsine, aussi ben qu'Émilienne, Héloïse et ma fille Irène avaient l'air scandalisé. Mais qu'est-ce que tu veux que je te dise, Philias, j'ai rien contre ma belle-sœur Alida, on est dans un pays libre...

— Tu l'as dit, Théo !

Sansoucy avait une révélation qui lui paraissait plus troublante :

— Je t'ai pas tout dit, Philias : mon logis va se transformer en véritable *shop* de couture.

— Comment ça ?

Léandre surgit, les cheveux ébouriffés, les yeux bouffis, les traits tirés par le manque de sommeil. Son père l'interpella :

— Tu vas commencer ta semaine par une commission, lança-t-il.

Léandre dodelina de la tête, secoué par la demande inattendue de son patron. Il fut d'abord informé de l'existence même de la formation politique et apprit avec stupéfaction l'adhésion de sa tante Alida. Une entente était intervenue entre elle et l'oncle Romuald pour aller chercher des pièces à assembler à la permanence du PNSC.

— Faut que tu te fasses à l'idée, Léandre, commenta Philias. Asteure que t'as un camion de livraison…

— Taboire! Drôle de manière de commencer la semaine. Si c'était pour matante Héloïse, je dirais pas la même chose, mais pour matante Alida…

Léandre sortit dans la rue, se traînant les pieds dans un déhanchement relâché. Il monta dans son véhicule, s'alluma une Turret, tourna la clé et enfonça la pédale d'embrayage. Non, il n'allait pas se rendre directement au local du parti. Peu lui importait de prendre quelque peu de retard dans ses livraisons; il s'arrêterait à l'*Ontario's Snack-bar*, le temps de se réveiller complètement.

— Tiens, le beau Léandre! s'exclama la serveuse. Qu'est-ce qui t'amène ce matin?

Des clients achevaient de déjeuner. Un homme d'âge mûr habillé de bleu marine jeta un pourboire sur le comptoir en regardant avec mépris le garçon qu'on saluait d'une manière si gentille, et disparut. Léandre enfourcha un tabouret et s'inclina vers la blonde du patron.

— Je suis en service commandé, répondit le livreur d'un air énigmatique. Oh! une affaire un peu compliquée qui peut pas vraiment intéresser une fille comme toi, ma belle Lise.

L'employée lança un regard oblique vers son patron pour s'assurer qu'il ne l'observait pas.

— Petit cachotier! commenta-t-elle, en esquissant un sourire enjôleur.

— Faut pas que monsieur Plourde te voie me faire de la façon parce que tu vas avoir affaire à lui. Sers-moi donc un café ben fort.

— Dis-moi comment va ta sœur, d'abord, dit-elle, déçue.

— À part de s'occuper de son petit, elle fait pas grand-chose de bon. Elle a l'air de trouver le temps long au logis. Si j'étais à la place de David, je la retournerais au restaurant. Avec le beau temps qui commence, elle devrait sortir un peu plus puis se faire chauffer la couenne au soleil. C'est pas tout le monde qui a la même chance, hein ?

— Puis toi, ta femme, elle travaille toujours à l'épicerie de ton père ?

— Oui, je la verrais pas s'effoirer à rien faire toute la journée. Elle portait un enfant, mais qu'est-ce que tu veux, elle a décidé de le faire passer. Depuis ce temps-là, elle a des hauts puis des bas, puis ses maudites migraines qui l'empêchent de travailler, des fois.

— Je me rappelle que Simone m'avait demandé l'adresse du médecin dans le quartier Saint-Henri. Moi aussi, ça m'est arrivé de me débarrasser de mon bébé. Parce que je voyais pas comment m'arranger avec un enfant sur les bras puis mon *chum* de quarante ans.

— Ah ! Si ç'avait été rien que de moi, elle l'aurait gardé, notre petit ; tu peux en être sûre. Mais Paulette m'avait pas consulté. Elle a agi comme si j'avais rien à voir là-dedans.

— Ça veut-tu dire que t'es libre asteure, mon beau Léandre ?

— J'ai pas dit ça ; je trouve que tu sautes pas mal vite aux conclusions…

Léandre avala le fond de sa tasse d'une lampée, fit rouler une pièce de monnaie sur le similimarbre, pivota sur son tabouret et quitta prestement les lieux.

Le fils de l'épicier s'engagea dans une rue bordée d'immeubles mitoyens et gara son véhicule devant une bâtisse défraîchie. Puis il descendit sur le trottoir, s'alluma une cigarette en faisant courir ses yeux qui se fixèrent sur l'adresse que son père lui avait donnée.

À première vue, rien ne semblait distinguer l'endroit peu invitant. Une toile tirée masquait la fenêtre crasseuse. Il frappa. Un bossu vêtu d'une chemise bleue entrouvrit.

— Qui êtes-vous? demanda-t-il, gravement.

— Léandre Sansoucy. Je viens de la part de mon oncle Romuald.

Derrière une table, sous des portraits de leur chef Adrien Arcand, trois individus portant le symbole de la race blanche s'affairaient à la préparation de brochures propagandistes. Dessinée sur un tableau noir, une immense croix gammée placée devant l'unique fenêtre assombrissait la pièce. Dans un coin, des exemplaires du *Fasciste canadien* s'empilaient.

— C'est là, indiqua laconiquement le bossu.

— Est-ce que je peux avoir de l'aide? demanda Léandre.

— On aimerait ben vous donner un coup de main, mais on évite de sortir en uniforme, si vous voyez ce que je veux dire, répondit l'infirme. La seule chose que je peux faire, c'est de vous tenir la porte.

Neuf boîtes gonflées de tissu jonchaient le plancher. Elles paraissaient lourdes et trop remplies, et les coins avaient commencé à s'ouvrir. « Taboire! » se dit Léandre. Il rassembla ses forces, empoigna la première et la transporta à son camion.

Lorsqu'il souleva la neuvième et dernière caisse, le bossu l'interpella:

— N'oubliez pas de remercier la dame qui travaille à la cause du parti.

— J'y manquerai pas.

Le Fargo enfila la ruelle et se gara derrière le bâtiment qui abritait le commerce et les logements. Le chauffeur descendit de l'habitacle et entra dans le magasin. Son père l'aperçut.

— Et puis, demanda-t-il, les boîtes sont-tu rendues au logis ?

— Énervez-vous pas le poil des jambes, le père, je fais juste revenir de ma commission !

— Ça a été long pas ordinaire, ton affaire…

— Je suis pas habitué d'aller revirer aussi loin ; le local du PNSC est pas à la porte. En plus de ça, pas une des Chemises bleues s'est grouillée le derrière pour m'aider ; il y a juste le bossu qui a tenu la porte. Asteure, j'ai besoin d'un coup de main pour monter le stock au deuxième. Marcel est-tu là ?

— Non, il est pas revenu. Arrange-toi tout seul ! À ton âge, mon garçon, j'en brassais, des boîtes, puis je suis pas mort pour autant, commenta l'épicier.

— Je voudrais ben vous voir à ma place, le père, rétorqua Léandre, la lèvre tordue. C'est juste si vous me traitez pas de femmelette. En plus de ça, commencez donc par vous regarder le nombril avant de parler des autres ; vous seriez même pas capable de soulever une des neuf caisses que j'ai rapportées, tellement elles sont pesantes puis pas solides. Un emballage de broche à foin ! Elles sont toutes éventrées, ça va tout prendre pour que je puisse les monter sans problème au deuxième, acheva-t-il, avant de tourner les talons.

Léandre sortit dans la ruelle et ouvrit les deux battants arrière du camion. Il agrippa une des énormes boîtes et se rendit au pied de l'escalier. Son père surgit, la physionomie soudainement affable.

— Attends une minute, on va prendre chacun notre bord, proposa-t-il.

Sitôt le camion de livraison stationné, Alida était sortie, appuyée sur ses deux cannes. Émilienne et Héloïse parurent.

— Théo! s'exclama Émilienne, ça a pas de saint bon sens de t'échiner de même. Des plans pour que t'écrases là en plein sous nos yeux.

Pendant que son homme gravissait à reculons les degrés, Émilienne surveillait la manœuvre hasardeuse. Le boucher avait le visage rouge comme du foie de veau et poussait des râles inquiétants.

Il en était aux deux tiers de son ascension quand la porte d'un immeuble voisin s'ouvrit brusquement. Deux têtes superposées se montrèrent dans l'encadrement.

— Bougez-pas, monsieur Sansoucy, mon mari va vous remplacer, lança madame Gladu.

Sous l'effet de la surprise, Sansoucy sentit ses doigts glisser de la boîte dont une partie du contenu s'étala dans l'escalier. Réal Gladu descendit vitement du troisième étage et emprunta les marches qui conduisaient chez l'épicier.

— Tassez-vous, monsieur Sansoucy, je vas finir la *job*, lui intima-t-il, en prenant la place.

Dans un état d'agitation extrême, Sansoucy se hâta de rassembler les croix gammées qu'il achemina sur la table de cuisine. La Singer avait déployé ses ailes sous la fenêtre, à l'emplacement même de sa berçante. Il ressortit, la figure convulsée de rage.

— Ah! ben non! par exemple, fulmina-t-il.

— Enlevez-vous, le père, le somma son fils, on va mettre les cartons à côté de la machine à coudre.

— Je vas m'ôter, s'exaspéra le boucher. On dirait que je suis une vraie nuisance ici dedans. S'il y a pas moyen de faire ce que je veux dans ma propre maison, d'abord je vas m'en retourner en bas...

« Bon débarras ! » pensa Léandre. Germaine Gladu surgit sur le balcon, s'excusa devant les dames et pénétra au logis. Sansoucy, qui avait amorcé le pas vers l'escalier intérieur menant à son magasin, s'arrêta.

— C'est quoi, cette bibitte croche là ? proféra Germaine Gladu. J'ai récupéré ça dans les marches ; ça ressemble à une araignée.

— Ça, ma Germaine, c'est la croix gammée d'Hitler, répondit son mari.

Réal Gladu se tourna vers le marchand.

— Coudonc, lui dit le voisin, voulez-vous éliminer les Juifs, les tapettes, puis les communistes ? C'est pas ben ben catholique, ça ! Je vous pensais pas de même, Sansoucy : un fasciste !

Émilienne et Héloïse entrèrent, précédées par Alida qui avait entendu les propos du bon Samaritain. Elle donna ses deux cannes à Léandre et se laissa choir sur le banc de sa machine à coudre.

— Vous saurez, monsieur Gladu, que mon beau-frère n'a rien à voir là-dedans ; c'est moi qui ai décidé de mon propre chef de soutenir la cause des travailleurs pour éviter qu'ils perdent leur *job*. J'ai-tu l'air de quelqu'un qui veut renverser le gouvernement et prendre le pouvoir ? Que ça vous plaise ou pas, je vas assembler des chemises pour les membres du PNSC puis leur coller des croix gammées dessus. À part de ça, comment ça se fait donc qu'on vous voit en camisole sur la galerie, une Molson à la main ou à rouler des cigarettes, puis à rien faire d'autre de toute la journée ? Vous êtes pas retourné à la United Shoe Machinery ? Il me semblait qu'on vous avait *slaqué* juste pour l'hiver. Je trouve que ça s'étire pas mal, votre affaire. Quand on veut travailler, on est capable de se dénicher de l'ouvrage puis on achale pas le monde qui a du cœur au ventre, débita-t-elle.

L'impotente prit sa carte de militante et la brandit à la face des Gladu.

— Gênez-vous pas, si jamais il vous venait l'idée de faire quelque chose de bon pour la société, faites-le-moi savoir. Je vas vous vendre une carte verte du parti.

— Avec tout le respect que je vous dois, mademoiselle Grandbois, j'ai pas envie de passer pour un extrémiste, rétorqua sèchement Gladu, avant de retraverser le seuil avec sa femme.

Le dernier mot de Réal Gladu résonnait encore quand Marcel fit irruption dans la cuisine. Il s'adressa à Léandre :

— P'pa m'a dit que t'avais des boîtes à décharger, ben me v'là, lança-t-il.

— Ça adonne ben parce que le bonhomme Gladu vient de repartir chez lui, commenta Léandre.

— D'après moi, nos voisins sont venus juste pour écornifler, affirma Émilienne. La mère Gladu a le don de venir sentir dans nos affaires.

— Puis là, elle avait une saprée belle occasion, ajouta Héloïse. Asteure, j'ai ben peur que ça va commérer en grand dans le quartier.

Émilienne contempla avec un regard désabusé l'emplacement du chantier qui envahirait bientôt l'endroit le plus agréable de la cuisine. Léandre et Marcel s'affairèrent au déchargement des huit autres caisses qu'ils éparpillèrent, selon ses ordres, sur le plancher, pour mieux en vérifier le contenu.

Alida avait consacré le plus clair de son temps à rassembler des pièces de tissu préalablement coupées pour la confection des chemises. Après des épisodes de démêlage de laine et de tricotage pour les vêtements du petit Stanislas, elle se dédiait maintenant à la cause sociale du parti. Si elle pouvait par son action aider les indigents à s'extraire de leur misère, elle serait contente. Cependant, elle n'avait rien négligé pour autant de ses modestes besognes ménagères.

L'essuyeuse venait de rendre son linge à vaisselle à Alphonsine afin qu'elle le mette à sécher. Elle allait se remettre à sa couture. Quelqu'un se pencha à la porte-moustiquaire en donnant trois petits coups de jointure à l'encadrement.

— Monsieur l'abbé! s'exclama Émilienne. Un samedi soir! Si je m'attendais…

— On ne choisit ni le jour ni l'heure, nasilla le prêtre. Puis-je entrer?

L'ecclésiastique ôta son béret. La maîtresse de maison replaça vitement sa coiffure et se débarrassa de son tablier.

— Mon mari est à la taverne, dit-elle.

— Dommage, j'étais sûr de le trouver ici après sa semaine au magasin.

— Oh! regardez pas le désordre, observa Émilienne, sur la défensive.

L'impotente subodorait le motif du visiteur. Elle demanda:

— Avez-vous quelque chose à me renoter, monsieur l'abbé? Dites-le donc tout de suite que vous êtes venu pour me chicaner…

— Ah! bien. Mettons les choses au net, commença-t-il, en triturant son béret. D'abord, je ne suis que le messager de monseigneur Verner qui désire vous informer de la position de l'Église à l'égard de la propagande antisémite du PNSC et des dangers que vous courez à être membre du parti.

L'abbé Lionel Dussault discourut sur les idées tendancieuses du «führer canadien», qui comptait sur les racines catholiques de ses membres pour faire mousser sa popularité et qui exploitait grossièrement la naïveté de ses militants.

— Me prenez-vous pour une dinde, monsieur l'abbé ? se rebiffa Alida. De la façon que vous parlez, on a l'impression que le chef a recruté une bande de cruches faciles à remplir.

— J'avais pas l'intention de vous insulter, mademoiselle Grandbois. Je fais juste vous transmettre les paroles de monseigneur Verner.

— Ben, vous lui direz qu'il vienne me les dire en face, s'emporta-t-elle, avant de rouler vers le couloir.

Chapitre 15

Théodore Sansoucy n'avait guère l'esprit aux festivités. Il venait de traverser une des pires semaines de son existence. Au magasin, on soupçonnait confusément son allégeance à un groupe révolutionnaire qui soutenait en secret l'Allemagne nazie. Désormais, on ne considérait plus la vieille fille Grandbois comme inoffensive : elle représentait une menace. Les langues les plus venimeuses colportaient à présent des ragots sur la « fasciste » qu'il hébergeait en réfutant mensongèrement que sa belle-sœur n'entretenait aucun lien avec le PNSC. Au surplus, dans la maison de l'épicier, même si la couturière n'avait conservé près de sa machine à coudre que quelques piles de morceaux à assembler et que Léandre et Marcel avaient entreposé le reste des boîtes dans le hangar, on avait sévèrement rogné sur son espace vital. L'air lui était devenu irrespirable. Le plus souvent, il s'était réfugié sur la galerie, au boudoir ou à la taverne Archambault.

Après la dure semaine qu'Émilienne avait vécue, elle avait souhaité que la paix la conforte dans l'intimité de son logis. En ce deuxième dimanche de mai, la maison réunissait la famille dans la salle à manger pour l'incontournable fête des Mères. Émilienne avait toujours tenu à ce qu'on souligne le grand jour qui, n'eût été de l'initiative d'Irène, aurait passé inaperçu. De sa lointaine Angleterre, Édouard lui avait fait parvenir un très bref télégramme pour l'occasion. Placide l'avait appelée à l'heure du dîner, en lui disant qu'il continuait de prier pour elle. Personne ne l'avait oubliée. Elle avait le cœur gonflé de joie. Et cette année, l'événement prenait une teinte toute particulière : Simone était elle aussi une maman qui lui avait donné un adorable petit-fils. On en était au dessert lorsque Romuald, accompagné de Georgianna, parut en rogne dans la moustiquaire.

— Y a quelqu'un dans la cabane? s'époumona-t-il, en se penchant vers le treillis.

Marcel, qui n'avait pu se défiler pour la soirée, se rendit à la porte.

— Vous êtes pas déguisé, mononcle! railla-t-il.

— Que je te voie, rire de moi, mon p'tit torrieu! Envoye, ouvre!

L'épicier s'arracha à sa chaise et se déporta à la cuisine, la physionomie boudeuse.

— Depuis quand on peut plus rentrer dans ta *shed* pour se changer, Théo?

— Depuis que ton parti nous encombre avec ses maudites chemises bleues et ses croix gammées, répliqua vivement le marchand. As-tu vu la cuisine? Une vraie *shop* de couture! Puis c'est pas tout: l'abbé Dussault est venu pour chialer, le monde nous regarde de travers, puis certains malfaisants sont allés jusqu'à lancer des roches dans mes châssis pour protester contre ce qui se déroule ici dedans. Les femmes ont même été obligées de fermer les volets pour pas qu'on se fasse péter des vitres. Je suis ben à la veille d'en pogner un; celui-là, il est pas mieux que mort, il va payer pour tous les autres, c'est moi qui te le dis.

— Prends sur toi, Théo, rétorqua son frère. Quand les gens vont comprendre qu'on veut leur bien, qu'on est du bord des chômeurs puis des gagne-petits, ils vont tous se garrocher pour qu'on leur vende une carte de membre.

— Oui, mais comment tu penses que vous allez les gagner, les sympathisants?

Georgianna esquissa un sourire niais et tendit un exemplaire du *Fasciste canadien* à son mari.

— Avec ça, mon Théo, déclara Romuald. Un organe de propagande vendu par les militants. Asteure qu'elle est membre du PNSC, ta belle-sœur en a dix à écouler…

— Puis comment t'imagines qu'elle va les liquider, ses dix exemplaires, hein ? C'est pas en restant dans le logis ou en se montrant sur la galerie qu'elle va réussir à les vendre…

Émilienne parut dans la cuisine.

— Les hommes, vous êtes pas en train de vous chicaner, toujours ? Georgianna puis Romuald, passez donc dans la salle à manger, on est justement rendus au dessert. Tout le monde est là, il manque seulement Placide et nos grands voyageurs…

Simone semblait parfaitement heureuse à côté de David. La maternité l'avait embellie à la rendre radieuse. Émilienne retenait ses larmes à voir le petit Stanislas dans les bras d'Irène qui, elle, selon toute vraisemblance, n'aurait jamais d'enfants. Au désarroi d'Édouard, Colombine avait renoncé à l'enfantement. Placide avait prononcé le vœu de chasteté. Paulette avait choisi d'interrompre une grossesse non désirée, mais Émilienne ne désespérait pas de voir Léandre devenir père. Pour l'heure, sa bru avalait sa frustration en s'empiffrant de gâteau aux carottes. Quant à Amandine, la jeune fille donnait des signes de maturité pour son âge. Cependant, la mère souhaitait que son fils Marcel ne sorte pas trop vite de son écale.

Cette fois, Romuald-le-militant n'avait pas troqué sa tenue du dimanche contre son uniforme, mais il ne transpirait pas moins de sa fièvre partisane. Il avait de bons mots pour la couturière.

— Au rythme où vous cousez, mademoiselle Grandbois, vous allez habiller toute une armée dans le temps de le dire. Et je suis certain que pas une de nos couseuses vous arrive à la cheville pour ce qui est du travail bien fait.

— Vous en mettez un peu trop, monsieur Sansoucy, tempéra l'infirme d'un air intimidé. J'en ai seulement trois douzaines de prêtes.

— En tout cas, intervint Léandre, la prochaine fois, vous vous arrangerez pour nous préparer des boîtes qui ont plus de corps. Ça se tient pas, des vraies guenilles, parlez-en à Marcel puis à mon père.

— Ah! ça oui, par exemple! Si la caisse de croix gammées s'était pas vidée à moitié dans l'escalier, on aurait pas eu les Gladu sur le dos puis on aurait été tranquilles. Asteure, si j'ai ben lu entre les lignes avec tes histoires de propagande, va falloir que je mette *Le Fasciste canadien* en vente dans mon épicerie.

— Ça te demandera pas un gros effort, Théo, commenta Héloïse. Lida est toujours ben pas pour aller s'installer à un kiosque à journaux sur la rue Sainte-Catherine. Elle aurait l'air d'une vraie mendiante en chaise roulante…

Alida n'avait pas apprécié la remarque de mauvais goût, mais le marchand céda. Dorénavant, l'organe de communication du PNSC occuperait un petit espace sur le comptoir-caisse de son commerce. « On va essayer, puis on va voir… », consentit l'épicier. À présent, tandis qu'elle avait capté l'attention, Héloïse ne pouvait retenir ce qui taraudait deux de ses sœurs :

— Un Juif est allé faire une offre d'achat au magasin de coupons, révéla-t-elle.

— Tiens! Qu'est-ce que je vous disais? s'époumona Romuald. C'est rendu qu'ils sont à nos portes. Il faut absolument que la propriétaire résiste…

Le militant allait s'enflammer. Les yeux se tournèrent vers Alphonsine, qui jeta un œil torve à sa sœur.

— Je voulais pas en parler, mais asteure, je vas vous expliquer, dit-elle, décontenancée. Sur le coup, madame Métivier a dit qu'elle voulait pas vendre. Mais quand le Juif lui a offert un prix plus élevé que ce qu'elle nous a payé, à Lida et moi, elle a commencé à branler dans le manche. Ça me ferait mal au cœur de savoir que notre ancien commerce passerait aux mains d'étrangers. Lida et moi, on a mis du temps à se bâtir une clientèle. C'est un peu notre fierté, ce magasin-là, notre bébé à nous deux. En plus, je perdrais mon emploi. Là, madame Métivier est en réflexion, puis elle doit donner sa réponse demain, acheva-t-elle, en empruntant une voix pathétique.

— Vous êtes pas pour vous laisser faire, fulmina le militant. Si ça commence dans le quartier, on a pas fini. Comme si de rien n'était, ils vont acheter des commerces, s'établir avec leur famille, bâtir une église, peupler le quartier. Puis un jour, qu'est-ce qu'on va savoir ? On sera plus chez nous. Il faut les arrêter !

— C'est pour ça que j'ai décidé d'aller au magasin pour dire mon mot, annonça l'impotente.

* * *

Au matin, les livreurs avaient descendu leur tante Alida dans son fauteuil roulant, et l'infirme attendait l'heure propice pour partir. Après, Léandre ayant réquisitionné quelques boîtes solides pour le transport des chemises confectionnées, le camion de livraison reprenait le chemin de la permanence du parti en faisant un crochet par l'*Ontario's Snack-bar*. À l'épicerie, assise au comptoir, la grasse Paulette se limait les ongles et Marcel replaçait des boîtes vides. Philias Demers venait aux nouvelles. Son regard fut attiré par la présence d'Alida qui s'entretenait près de la porte avec Émilienne et par la pile de journaux qui trônait à côté de la caisse. Il salua civilement les deux femmes et s'approcha de son camarade.

— C'est quoi, cette feuille de chou là ? s'étonna-t-il.

— T'as juste à lire toi-même, tu vas le savoir assez vite, rétorqua l'épicier.

Le veuf saisit un exemplaire du *Fasciste canadien*, en parcourut les pages. À mesure qu'il lisait, son visage s'étirait de stupéfaction.

— Ouan! Adrien Arcand a vraiment pas l'air de les aimer, les Juifs, exprima-t-il. Une chance qu'on s'est pas fait embarquer là-dedans, mon Théo. Je trouve que t'en fais pas mal pour ta belle-sœur Alida, confia-t-il d'une voix étouffée. D'ailleurs, veux-tu ben me dire ce qu'elle fait là à matin?

Sansoucy eut un moment d'hésitation avant de faire part de son inquiétude.

— Des fois, je me demande si mon frère Romuald a pas un peu raison. Tu vois, madame Métivier est en marché de vendre son commerce à un étranger. Puis Alida veut pas la laisser faire. Quand elle et Phonsine ont vendu, c'était pas pour qu'il soit revendu à un Juif un an plus tard…

— Comme ça, Alphonsine pourrait perdre sa job!

Émilienne cessa de deviser avec sa sœur. Elle consulta sa montre.

— C'est l'heure! s'écria-t-elle. Ta tante est prête à partir.

Marcel replaça une dernière petite boîte dans une plus grande et empoigna les guidons du fauteuil.

— Écartez-vous, m'man, dit-il, en serrant les dents.

— À l'assaut! ordonna l'impotente.

— On dirait que tu t'en vas au combat, commenta Émilienne, en retenant la porte de son bras potelé.

Le fauteuil fonça tout droit vers le magasin de coupons au milieu des passants qui regardaient filer l'équipage singulier. La vieille fille Grandbois s'en allait, propulsée par une force implacable, les yeux rivés sur sa destination. Elle devait avoir une raison très particulière pour qu'elle sorte de son antre. Une femme coiffée d'un fichu vert pomme et habillée d'une robe blanche à rayures bleu pâle balayait le trottoir et se débarrassait des petits tas de saletés au bord de la rue. Voyant venir la fasciste, mademoiselle Lamouche entra vitement chez elle avec son balai, en ressortit avec son sac à main et, pressant le pas, se mit à la suivre.

La propriétaire et son employée étaient absorbées dans une conversation sérieuse et animée. Alphonsine se tourna vers sa sœur.

— T'es en masse de bonne heure, Lida, monsieur Goldberg est pas arrivé, dit-elle.

— Qu'est-ce que tu veux, Phonsine, quand on est poussée par un jeune poulain ! Il m'a donné toute une *ride* !

— Je voulais pas que matante soit en retard, badina Marcel. Puis ça fait changement de livrer les « ordres ». Tiens, v'là-tu pas mademoiselle Lamouche…

— J'ai pu rien à me mettre sur le dos, dit la cliente de l'épicerie. Je vas me magasiner un morceau de tissu pour me faire une petite robe d'été.

— Ah bien ! commenta Lucille Métivier, d'habitude vous achetez ailleurs. Quand vous rentrez ici, c'est pour vous procurer des aiguilles ou du fil pour raccommoder. En tout cas, fouillez dans la boîte de coupons, vous allez sûrement trouver quelque chose à votre goût. Justement, j'ai de beaux imprimés pas chers qui pourraient vous convenir.

— Si ça vous fait rien, je vas commencer par fouiner dans les patrons, statua la curieuse.

Un individu portant un chapeau de feutre et accoutré d'un habit élimé se présenta au magasin. L'homme dans la cinquantaine avancée était affublé de sourcils en bataille et d'un nez proéminent qui dominait son visage écrasé.

— Bonjour, madame Métivier, dit-il obligeamment, en lui serrant la main. Et puis, qu'avez-vous décidé ?

La propriétaire paraissait tourmentée par de sombres pressentiments et n'osait se retirer dans son arrière-boutique pour discuter seule avec l'étranger.

— Ça fait à peine un an que j'ai acheté le magasin, puis j'ai peur que les vieilles filles Grandbois me le pardonnent pas si je vends.

— En affaires, il y a pas d'amis, madame Métivier, commenta Abraham Goldberg. Si j'étais à votre place, je ne raterais pas une si belle occasion, minauda-t-il. Voulez-vous réfléchir encore une journée ou deux ?

L'impotente s'agitait en enfonçant ses doigts dans les bras de son fauteuil. Un mécontentement rageur avait assez fermenté. Elle n'allait pas demeurer impassible devant le Juif. Elle intervint :

— On vous offre deux cents piasses de plus que monsieur Goldberg, déclara-t-elle. Si vous savez calculer, madame Métivier, ça fait déjà cinq cents piasses de plus que ce qu'on vous a vendu. C'est ça ou rien pantoute. Pas une *token* de plus. Il y a toujours ben des limites…

— Vous seriez prêtes à reprendre votre magasin ?

— Certainement ! Le magasin puis le logis, répondit vertement Alphonsine.

— À bien y penser, j'aimerais mieux garder mon logis.

— Voyons, madame Métivier, dit Abraham Goldberg. Dans ce cas, je pourrais acquérir seulement le commerce.

L'infirme s'enhardissait et sa voix se raffermissait.

— Si ma sœur et moi on achetait les deux, vous pourriez être locataire du logement et devenir employée du magasin, argua-t-elle ; on va pas vous mettre dehors.

— Je vas y penser, répondit mollement la propriétaire.

— Non, madame Métivier, c'est maintenant ou jamais ! décréta péremptoirement Alida.

L'impotente sortit son chéquier enserré entre sa jambe invalide et le côté de son fauteuil roulant. Alphonsine et Marcel l'aidèrent à se lever et à se hisser sur la chaise haute du comptoir. Elle rédigea le chèque, le signa et le tendit à Lucille Métivier, sous le visage défait d'Abraham Goldberg.

Mademoiselle Lamouche suivit le dos de l'étranger qui traversait le seuil et s'approcha avec un coupon d'étoffe capucine.

— Je vas prendre ce morceau-là, dit-elle.

— Un rouleau de fil avec ça, mademoiselle ? demanda Alphonsine. Si vous avez pas la bonne couleur, ça va jurer avec votre imprimé jaune et rouge.

— Alphonsine, donne-z-y donc un rouleau de fil de chèvre blanc, dit Alida. Comme ça, elle pourra pas dire qu'on l'a égorgée !

L'impotente exultait. Elle s'en retournait à l'épicerie, le visage illuminé de ravissement. Émilienne l'aperçut qui venait.

— Je te demanderai pas pourquoi t'es de bonne humeur, Lida.

Le boucher et Philias s'empressèrent à l'avant du magasin, la bouche béante d'inquiétude.

— Et puis ? s'enquit Sansoucy.

Dans un débordement de joie, Alida rapporta les termes de l'entente intervenue avec madame Métivier.

— Ça veut-tu dire que vous allez déménager ? s'informa l'épicier, les moustaches frémissantes.

— Ben non, Théo ! T'as mal compris. Lida vient de dire qu'elle et Phonsine ont racheté puis qu'elles vont louer leur petit logement à Lucille Métivier.

— Bon! expira l'infirme. Asteure que le marché est conclu, je vas attendre que Léandre revienne de sa commission au local du PNSC pour aller continuer ma couture.

— Marcel! l'interpella sa mère. Éloigne-toi pas. Ton frère devrait ressurgir bientôt…

Sansoucy retourna dans son coin boucherie, bougonnant en silence ses déceptions.

Vers la fin de l'avant-midi, le camion de livraison stationna devant le commerce. Léandre parut. Il salua Paulette et sa mère.

— Marcel, j'ai besoin de toi pour décharger du stock, dit-il.

Des commandes s'étaient accumulées sur le plancher. Et le triporteur n'avait pas bougé d'un tour de roue. Le boucher fit irruption à l'avant, en proie à une vive irritation.

— Allez-vous finir par grouiller, vous autres, à matin? s'exaspéra-t-il. On dirait qu'on avance à rien ici dedans.

— Ben là, p'pa! balbutia Marcel.

— Toi, l'innocent, je t'ai rien demandé, répliqua l'épicier.

— Pognez pas les *quételles*, le père! rabroua Léandre. Faites-vous une idée! Étiez-vous d'accord ou non pour que j'aille à la permanence du parti? Bon ben laissez-nous transporter matante Alida et les boîtes en haut, puis après on va les livrer, les commandes. La journée est encore jeune…

— Taboire de taboire! brama Sansoucy.

— Et que t'es donc grognon, Théo! commenta Émilienne.

L'impotente s'était remise à sa machine à coudre avec une ardeur renouvelée. Le mercredi, alors que Sansoucy se berçait en fumant une pipe sur la galerie à l'abri du ronronnement de la Singer et de la vue des amoncellements de chemises qui s'empilaient une à une sur la table de cuisine, deux hommes parurent, leur pas militaire martelant la ruelle silencieuse. «Pas mon frère! pensa l'épicier. En plus, il nous amène quelqu'un, le simonac!» Les visiteurs gravirent les degrés.

— Pas possible! dit le marchand. Qu'est-ce que tu viens faire ici en pleine semaine?

— Dérange-toi pas, Théo, on a affaire à ta belle-sœur Alida, dit Romuald, avant d'ouvrir effrontément la porte-moustiquaire.

— C'est ça, faites donc comme chez vous, commenta Théodore Sansoucy pour lui-même. On rentre ici dedans comme dans une épicerie, asteure.

Émilienne sortit sur la galerie, l'air effaré.

— Coudonc, Théo, c'est qui cette armoire à glace là? C'est-tu lui, Adrien Arcand?

— Non, non, c'est le major Scott, un des hauts gradés du parti. Je l'ai vu au Monument-National.

— Qu'est-ce qu'il peut ben venir faire chez nous?

— Je m'en doute un peu, répondit évasivement l'épicier.

Émilienne eut un haussement d'épaules et s'écrasa sur la chaise droite à côté de la berçante de son mari.

Irène, Héloïse et Alphonsine enveloppèrent du regard Alida, qui fut présentée à l'ancien champion sportif Maurice Scott. Alida Grandbois avait déjà acquis une bonne réputation de couturière. Le major serait responsable de l'entraînement de la section féminine du PNSC; il désirait un vêtement impeccable pour impressionner les femmes. Galon à la main, Alphonsine s'affaira à noter les mensurations du colosse. Il avait senti le souffle de la vieille fille dans son cou et ne dédaignait pas à présent qu'on entoure son gros ventre.

— Vous faites bien cela, mademoiselle Alphonsine, affirma le major.

Malgré un physique imposant, l'homme au crâne déplumé et à la mâchoire carrée n'en paraissait pas moins d'une affabilité charmante.

— La maison est pleine de belles femmes, c'est une bonne place pour en recruter, exprima-t-il à la dérobée.

Héloïse avait remarqué les joues rosissantes d'Alphonsine.

— Je suis pas prête à me laisser embrigader de même, monsieur Scott, commenta-t-elle. Vous avez besoin de trouver d'autres compliments si vous voulez nous avoir de votre bord…

— Je disais ça de même, rétorqua le major. Mais le parti gagne en popularité chez la gent féminine, pensez-y, mesdemoiselles. En tout cas, je vais recommander aux militants et aux sympathisants de venir faire prendre leurs mesures chez Alida Grandbois.

L'épicier en rogne abaissa les poings sur les bras de sa berçante. La figure convulsée, il surgit dans la cuisine et s'adressa à son frère :

— Que je te repogne pas à nous amener quelqu'un du PNSC, fulmina-t-il. On a plus d'intimité dans cette maison-là ! J'aurais dû mettre le holà aussitôt que t'es apparu le premier soir avec ta croix gammée. Si ça continue de même, n'importe qui va rentrer ici dedans puis on va être obligés de demander la permission au parti pour aller aux toilettes chez nous. J'en ai assez, Romuald ! Comprends-tu ? Assez !

Le ton avait monté, Émilienne était rentrée, prise d'une inquiétude croissante. La colère avait tourmenté l'ulcère de l'épicier devenu poussif. Il se mit la main à l'estomac et s'affaissa sur la chaise la plus proche.

— Tu te vois pas, Théo, t'es blême comme un drap !

— Prépare-moi un Bromo Seltzer, Mili, sinon je vas perdre *sans connaissance…*

Affolée, Émilienne se pressa vers la pharmacie de la salle de bain. Irène surmonta son émotion ; elle s'approcha de son père.

— Popa, prenez sur vous. On va mettre le monde dehors, puis vous allez filer ben mieux. Moman est en train de délayer la poudre, vous allez pouvoir *envaler* de grandes gorgées.

La maîtresse de maison s'amena les mains tremblantes, agitant du coup le verre rempli d'une eau pétillante.

Le reste de la semaine se déroula dans une résignation frustrée de l'épicier. En quelque sorte, le logement de la rue Adam était devenu une usine de fabrication de chemises bleues, un prolongement de la permanence du PNSC. Son frère ne remettrait sûrement pas les pieds au logis, mais l'impotente poursuivait néanmoins sa collaboration avec une fierté non dissimulée.

Le dimanche venu, l'épicier savourait les dernières heures de repos de sa fin de semaine quand Romuald et le major Scott rappliquèrent dans la cour. Il bondit de sa berçante.

— Je pensais pas te revoir de sitôt ! lâcha-t-il, consterné.

— Il y a peut-être de petits ajustements à faire…

— Ça prend tout un front de *beu* pour retontir de même ! brama l'épicier.

Pendant que Scott procédait à l'essayage de sa chemise, Émilienne s'était empressée vers la salle de bain afin de quérir le Bromo Seltzer, prête à intervenir au moindre malaise de son mari. Pour apaiser son frère, Romuald tenta une diversion.

— Le parc Belmont va ouvrir en fin de semaine prochaine, Théo, annonça le conducteur.

— Puis, qu'est-ce que tu veux que ça me fasse ? répliqua le marchand.

— Ben, je vas conduire les passagers qui vont prendre le tramway de Cartierville sur Saint-Laurent à partir de mont Royal par la ligne 17, mentionna Romuald.

— Les montagnes russes, la grande roue, puis tous ces manèges-là, c'est rien que bon pour étourdir le monde, commenta Héloïse.

Émilienne sentit que son homme blêmissait. Elle rinça le verre du comptoir et prépara la potion bouillonnante.

— Tiens, prends ça, mon Théo, avant que tu t'écrases, dit-elle.

Le marchand se sentait défaillir.

— *Envalez* tranquillement, popa, dit Irène, ça donne rien de vous garrocher ça dans l'estomac.

Alida s'était remise à sa machine pour recoudre un bouton qui s'engageait mal dans sa boutonnière. Son beau-frère risqua un commentaire à l'adresse du major.

— Votre chemise vous pète sur le dos, maugréa-t-il.

— Les dames aiment ben ça quand elles voient nos formes puis nos rondeurs, ricana Scott. Parlez-en à votre femme, monsieur Sansoucy.

Un sourire tiède amincit les lèvres du marchand. Il ingurgita goulûment le fond de son verre, agrippa une chaise et se rendit sur le balcon, à l'avant de la maison.

Des étoiles s'allumaient graduellement dans le ciel montréalais. Marcel revenait en sifflotant d'un pas allègre. La vue d'une silhouette penchée sur la rambarde le fit s'arrêter. Il se tut. Une voix lyrante et saccadée par des haussements d'épaules déchirait le silence de la nuit.

Chapitre 16

— Arrête, Lida, tu vas te faire mourir à coudre! lança la maîtresse de maison. Viens t'asseoir dehors avec nous autres.

Irène avait acheté trois nouvelles berçantes qui s'alignaient à présent avec celle de son père. Elle revenait de l'église avec sa mère, ses tantes Alphonsine et Héloïse. Le plus souvent possible, elles assistaient au mois de Marie et s'écrasaient ensuite sur la galerie quand le beau temps le permettait, bien évidemment.

L'impotente délaissa sa couture et le fauteuil roula à l'extérieur.

— Depuis que je suis redevenue copropriétaire, je veux pas trop piger dans mon vieux gagné. Il faut ben que je travaille.

La couturière recevait régulièrement des militants pour les chemises sur mesure qu'elle fabriquait et elle demandait la modique somme de vingt-cinq sous pour la confection. Il était entendu avec le parti que ses clients devaient prendre rendez-vous avec elle et qu'ils avaient droit à une seule séance d'ajustement, le jour où ils venaient réclamer leur vêtement.

Mais Sansoucy supportait de plus en plus mal son environnement. Après quelques crises de colère, il s'était renfrogné dans une existence presque solitaire. Le jour, il se retranchait dans sa boucherie et, le soir, à la taverne Archambault, avec son ami Demers. Bien des fois, il avait songé à vendre, même à des Juifs. Ou à s'éclipser avec sa petite valise pour une semaine, comme l'avait fait avant lui sa femme, exaspérée par une suite d'événements.

— Elles vont bien, tes berceuses, Irène, apprécia Alphonsine.

— Merci, matante. Je les ai prises chez A.L. Dupont ltée, coin Jeanne-d'Arc et Sainte-Catherine. Le gérant m'a fait un prix pour les trois.

— Ça fait exprès, il y en a une qui craque puis c'est la mienne, commenta Héloïse.

— T'es ben chialeuse, Loïse ! répliqua Alphonsine. Tu trouves encore quelque chose à redire. D'après moi, c'est une planche de la galerie qui fait du bruit. Tu peux changer de place avec moi, si tu veux.

— Moman, vous devriez aller en vacances avec popa cet été, dit Irène.

— Où c'est que tu veux qu'on aille, ma pauvre fille ? rétorqua Émilienne. Sûrement pas chez Elzéar ! On est ben chez nous, je t'en passe un papier.

— Qui c'est qui remplacerait Théo ? demanda Héloïse. Moi, en tout cas, faudrait qu'on me paye cher…

— Toi, on sait ben, avec ta mauvaise expérience de glacière, rappela Émilienne. Changement de propos, les femmes, regardez qui c'est qui s'amène.

Une voiture foncée se gara derrière l'immeuble. Une portière claqua et un béret sautilla. Peu après, une seconde portière se referma. Puis le portillon de la palissade s'ouvrit. L'abbé Dussault parut et devança un personnage à l'air digne.

— On dirait quatre pénitentes au jubé de l'église, ricana-t-il.

— Mon Dieu Seigneur ! s'exclama Émilienne. Montez, montez !

Monseigneur Verner empoigna la rampe d'une main solide et s'engagea dans les marches. Alida se remémora la dernière apparition du vicaire et l'invitation qu'elle avait adressée au curé de lui dire en face ce qu'il n'approuvait pas dans sa conduite. Elle sentit la soupe chaude, mais elle se prépara à affronter son éminence. Héloïse et Irène cédèrent obligeamment leur place aux visiteurs et disparurent dans la maison.

Ayant aussitôt accédé à l'étage, exhibant un air aristocratique, Josaphat Verner tendit sa main baguée qu'Alida embrassa sans conviction.

— Je gage que vous êtes venu pour me faire des remontrances, dit l'infirme. Vous n'allez tout de même pas me reprocher de ne pas me rendre au mois de Marie…

Monseigneur s'assit près d'elle et son vicaire alla occuper la berçante libre.

— Bien sûr que non, mademoiselle Grandbois. Vous êtes toujours membre du PNSC ? s'enquit-il d'une voix affectée.

— Oui, et je ne vois pas en quoi cela peut vous déranger, monseigneur. Et je peux même vous montrer les boîtes entreposées dans le hangar. Vous n'avez qu'à demander à l'abbé Dussault d'ouvrir la porte au bout de la galerie.

Sur ces paroles proférées sur un ton rêche, Josaphat Verner rabâcha la position de l'Église à l'égard de l'antisémitisme et mentionna qu'à l'instar de la Hollande elle pourrait éventuellement refuser les sacrements aux adhérents du nazisme au Canada.

— Mais je ne suis pas une révolutionnaire ! protesta l'impotente.

— Comprenez-moi bien, mademoiselle Grandbois, précisa le prêtre. C'est bien connu, Adrien Arcand est un admirateur d'Adolf Hitler, le dangereux führer allemand. Et cette croix gammée n'est pas un symbole purement ornemental, croyez-moi !

Émilienne et Alphonsine écoutèrent béatement le prêtre, qui élabora sur la menace que représentait l'armée allemande. Notamment, un chantier maritime secret construisait des sous-marins très puissants, des croiseurs ultra-rapides et le premier porte-avions. Le chancelier avait procédé à un formidable déploiement de sa puissance maritime en simulant une bataille avec sa flotte navale. Selon plusieurs observateurs, une deuxième guerre mondiale était à craindre…

* * *

Entre-temps, Sansoucy devisait avec Philias Demers et Dieudonné Salvail, un pilier de taverne au nez veineux et à la barbe négligée. Les compagnons étaient préoccupés par la politique provinciale. De sérieuses rumeurs d'élections planaient au-dessus du Québec. En effet, le Comité des comptes publics alléguait que des sommes importantes avaient été détournées à des intérêts personnels ou constituées en réserve pour la réélection de l'ancien ministre de la Colonisation, monsieur Irénée Vautrin.

— C'est grâce à Maurice Duplessis que ces révélations sont faites, déclara l'épicier.

— Le gouvernement Taschereau est dans l'eau bouillante, exprima le robineux. C'est pour ça qu'il a suspendu l'enquête du Comité et qu'il veut recourir au peuple.

— Taschereau va être reporté au pouvoir, de toute façon, clama Philias Demers. Le petit député de Trois-Rivières va ravaler ses paroles…

Sansoucy se plaisait en compagnie de ses camarades, et la présence de Léandre comme serveur ne l'intimidait plus comme à ses premiers jours à la taverne Archambault. Une entente tacite était intervenue entre le père et le fils ; chacun faisait son affaire.

Le marchand et le veuf réglèrent leur addition. L'épicier, qui avait consommé plus que de coutume, vacilla et, soutenu par son camarade qui était plus stable que lui, entreprit de rentrer à la maison. Des idées nébuleuses affluèrent à son esprit et il avait l'impression que sa raison chancelait. Il imagina l'abandon de son commerce converti en manufacture de vêtements et une prospérité qui débordait de la métropole montréalaise. En âme charitable qu'il était, Philias Demers le raccompagna au logis et, chaque fois que Sansoucy dérapait de la chaîne de trottoir, sa main l'empoignait au collet et le ramenait sur le ciment.

Les deux hommes s'engagèrent dans la ruelle lorsque Demers repéra la voiture foncée.

— Il y a une machine stationnée en arrière, avisa-t-il.

— Tu parles d'une heure pour de la visite ! commenta-t-il. Ça doit pas être chez moi, les femmes sont sûrement couchées.

Sous la lune trop claire qui éteignait les étoiles, Demers poussa le portillon pour faciliter l'entrée de son ami sur la propriété. Il le referma en regardant la rangée de chaises sur la galerie. Au bas de l'escalier, l'épicier tituba, s'aligna et, après un moment d'hésitation, amorça sa montée en tenant la main courante.

— De quoi t'as l'air, Théo, tu nous fais toute une réputation, s'exclama Émilienne, le visage couvert de honte. Comme si on avait besoin de ça, asteure.

Sansoucy se faufila entre les berçantes et la rambarde et, le dos appuyé sur la porte du hangar, glissa aux pieds de l'abbé Dussault.

— En voilà un qui ne revient pas du mois de Marie, exprima l'éminence.

— Je sens que vous allez me sermonner, dit l'épicier avec indolence. Je n'ai jamais eu une grande dévotion à la Vierge, vous savez.

Josaphat Verner sortit un papier de la poche de sa soutane.

— Que vous fréquentiez la taverne plutôt que l'église, c'est votre affaire. Mais que *Le Fasciste canadien* se retrouve sur vos tablettes, ça, c'est une autre histoire. Vous êtes en train de contaminer tout le quartier avec votre torchon. Je sais de quoi je parle, un de vos clients m'en a rapporté un exemplaire, acheva monseigneur, brandissant le journal.

— En tant que membre du parti, je dois faire de la propagande, le défendit Alida. Ne mettez pas la faute sur mon beau-frère, je vous en prie.

— Celui qui tient le sac est aussi coupable que le voleur qui met l'argent dedans, argua le curé. Maintenant, j'en ai assez dit. Il ne tient qu'à vous de prendre la bonne décision.

L'impotente ne put retenir entre ses lèvres ce qui constituait son argument le plus incisif.

— Vous qui avez une admiration sans borne pour l'artiste d'origine italienne Guido Nincheri, si vous avez bien lu le numéro du *Fasciste canadien*, vous devez être gêné de l'avoir engagé pour des vitraux alors qu'une immense fresque représentant le dictateur Mussolini a été peinte à l'église Notre-Dame-de-la-Défense sur la rue Henri-Julien, débita-t-elle.

— Ah! Ah! s'exclama l'épicier. Ça vous en bouche un coin, ça, monseigneur!

Désarçonné, le curé Verner se leva brusquement, salua la compagnie et dit:

— Venez, monsieur l'abbé, nous avons assez perdu de temps, nous rentrons!

La voiture des prêtres partie sur le chemin du presbytère, Sansoucy s'était endormi, adossé à la porte du hangar, le bruit de son ronflement entrecoupé par les brèves paroles des femmes. Émilienne et Alphonsine s'étaient levées, abandonnant à la faveur de l'obscurité la carcasse de l'épicier sur la galerie.

— On va te rentrer, Lida, dit doucement Émilienne.

Alida restait assise dans son fauteuil roulant, rongée par le remords d'avoir été irrévérencieuse, regrettant amèrement sa riposte à un représentant de Dieu. Mais elle ne pouvait pas se faire rabrouer aussi vertement sans réagir. Elle avait assez de supporter sa frêle complexion, son infirmité. Elle s'endurait ; les autres devaient en faire autant.

— Lida, l'interpella Émilienne, t'es pas pour passer la nuit dehors.

L'impotente abaissa les yeux, comme si elle se résignait à la noirceur. Alphonsine empoigna les manchons, et le fauteuil traversa le seuil.

Au soir du lendemain, un client pour le moins singulier parut au logis. Au cours de la journée, le secrétaire du parti avait téléphoné des quartiers généraux pour prendre rendez-vous avec la couturière. La sonnette résonna dans l'appartement. Alida roula jusqu'à la porte.

— Montez, on vous attend, s'écria-t-elle, dans la cage de l'escalier.

Un nain se montra dans l'encadrement de la porte, la poitrine haletante, au bout de ses forces.

— C'est bien ici qu'habite mademoiselle Alida Grandbois ? demanda-t-il.

— Vous pensez bien, monsieur, sinon je ne vous aurais pas fait grimper inutilement, répondit l'impotente. C'est pour la chemise, je suis à vous.

— Tant qu'à me déplacer, ce sera pour trois, dit Richard-le-bossu.

La mine dubitative, Alphonsine lissait le galon à mesurer entre le pouce et l'index. Debout devant elle, le militant se tenait comme il le pouvait, aussi droit qu'une plante soufflée par le vent qui s'incline malgré elle. Avec toute la délicatesse du monde et le respect qu'elle vouait à sa sœur infirme, elle entoura les formes incongrues du petit homme.

— Je vous donne du fil à retordre, n'est-ce pas ? badina-t-il.

— Ma sœur est très adroite, elle saura vous coudre des vêtements tout à fait convenables.

« On ne choisit pas son malheur, pensa Alida, en étudiant la silhouette biscornue. Jamais dans cent ans je n'aurais un défi aussi considérable à relever comme couturière ! » De son côté, le bossu se consolait. Il pouvait se mouvoir sur ses petites pattes et le destin lui avait aussi donné cette compréhension des choses, cet entendement éclairé des êtres intelligents. Et, comme celle qui était clouée à son fauteuil, il savait que même les plus vulnérables de la société ne sont pas nécessairement les plus misérables.

Quelques jours s'étaient écoulés et il fallait être *drôlement* inconscient pour ne pas savoir ce qui se déroulait chez Sansoucy. Le curé Verner et son vicaire s'étaient déplacés à son domicile pour fustiger l'homme et sa belle-sœur. Le pleutre avait voulu s'esquiver à la taverne pour ne pas subir les foudres de monseigneur, mais ce dernier l'avait ramassé à son retour en le sommant de retirer le journal propagandiste de son comptoir. Pour sa part, Alida-la-fasciste ne démordait pas de son engagement au PNSC. Certains prétendaient que l'infirme devait être de connivence avec le diable. Elle avait même reçu un nain bossu, qui était revenu pour se faire ajuster des chemises bleues. La vieille fille Grandbois avait dû recevoir une sévère condamnation de l'Église.

Malgré tout ce qui circulait, les ménagères demeuraient fidèles à leur magasin. Ne serait-ce que par simple curiosité, elles venaient faire leur *grocery* avec la particularité qu'elles s'attardaient à présent à l'épicerie, dans l'espoir de glaner d'autres détails savoureux. Ce qui était de nature à encombrer le commerce et, partant, de favoriser la dissimulation ou le vol à l'étalage. Émilienne appréhendait les crimes. Elle en avait avisé la migraineuse Paulette, qui s'efforçait de garder l'œil ouvert.

Un certain vendredi, le commerce était bondé de clientes. Quelques-unes s'étaient attroupées à la boucherie en rapportant les potins du faubourg. D'autres s'étaient alignées à la caisse et sortaient leurs achats de leur sac de commissions.

— C'est à vous, Germaine, lança Dora Robidoux.

Avec un air de bravade enjouée, la locataire de l'immeuble voisin s'avança et déposa un pain et des céréales Shredded Wheat devant l'épicière. Émilienne allongea le cou.

— Coudonc, madame Gladu, exprima-t-elle sur un ton de méfiance. J'ai-tu la berlue ou quoi? Vous êtes certaine que vous avez vidé votre sac à poignées?

— Ah! bien. Que je suis distraite, il faut me pardonner, expliqua-t-elle. Je suis tout excitée: mon mari vient d'être repris à la *shop*. Après des mois de chômage à la United Shoe Machinery, imaginez-vous donc!

Tenant son sac d'une main, Germaine Gladu plongea l'autre dans le fond et en sortit un emballage de noix d'acajou.

— C'est ben en quoi, railla mademoiselle Lamouche. Asteure que vous avez de quoi vous payer du luxe, faut pas faire de cachette à madame Sansoucy.

Un jeune homme coiffé d'une casquette appuya sa bicyclette contre la vitrine et entra au magasin. Le livreur au physique agréable portait une sacoche à sa ceinture. Il s'adressa à la caissière. Une joie intense s'empara d'elle.

— Un télégramme! Théo! s'exclama Émilienne.

Faisant le vide autour d'elle, l'épicière lut la dépêche et amorça un mouvement pour s'éloigner de la caisse, mais le livreur restait planté devant le comptoir.

— Madame Sansoucy, s'écria Paulette, je crois que le garçon veut un petit quelque chose.

Émilienne s'arrêta.

— Donne-lui donc cinq sous, dit-elle.

Paulette étira la main dans le tiroir-caisse. Le courrier arbora un sourire satisfait et disparut.

Une quinzaine s'écoula. Quelques jours plus tôt, Édouard et Colombine étaient débarqués du *Queen Mary* amarré dans le port de New York. Émilienne avait décidé de recevoir sa famille au souper du dimanche pour fêter le retour du voyage de noces des nouveaux mariés. Pendant le repas, Colombine n'avait pas ménagé les détails que tout le monde avait écoutés avec une politesse réservée ponctuée de «Ah! vraiment!» et d'expressions exclamatives toutes faites d'Émilienne, qui savourait avant tout la présence de son fils dans la maisonnée. Elle avait parlé abondamment de la Tour de Londres, du Palais, de l'abbaye de Westminster, de la cathédrale Saint Paul, du Tower Bridge, sans oublier le Victoria and Albert Museum, la National Gallery, le British Museum et une promenade sur la Tamise.

Le repas terminé, Léandre, Marcel et David avaient converti la salle à manger en salle de cinéma. Des chaises disposées de part et d'autre d'une petite allée centrale permettaient au faisceau du projecteur d'atteindre sans obstruction l'écran déployé devant le vaisselier. Entre-temps, Romuald était apparu avec Georgianna, habillé de ses atours du parti. Édouard et Colombine lui avaient jeté des regards obliques, sans le questionner sur ses attributs vestimentaires, mais ils redoutaient l'engagement de l'homme dans une organisation peu recommandable. Également, ils avaient bien remarqué l'atelier de couture de la cuisine. De là, il n'y avait qu'un pas à faire pour associer la tante Alida et le conducteur de tramway à des convictions antisémites…

Voilà une demi-heure que les spectateurs étaient installés et qu'Édouard s'empêtrait avec la pellicule au milieu des braillements de Stanislas et des exhortations exaspérées d'Héloïse. À chaque essai, l'appareil crépitait quelques images, Édouard restait là, à battre des paupières, et Marcel collé sur Amandine rallumait les lumières, puis les éteignait, et on reprenait la projection.

— Veux-tu ben me dire, Édouard, c'est quoi cette invention-là ? intervint Léandre. Ça m'a pas l'air de marcher ben ben souvent…

— Voyons, voyons, c'est la première fois qu'il l'essaye, sa machine à vue, donne donc une chance à ton frère, commenta Émilienne. C'est un cadeau de noces qu'il a pas eu le temps d'essayer…

— Non, non, c'est pas la première fois, madame Sansoucy, la contredit Colombine. Hier chez moi, il a essayé, mais c'est mon père qui s'est débrouillé avec la représentation.

— Ben il y a des affaires qui se pratiquent avant les noces, lança Léandre.

— On peut se passer de tes allusions grivoises, mon frère, le rabroua Édouard.

— Dommage que la projection ne fonctionne pas, se désola Colombine, j'aurais tellement aimé que vous me voyiez avec mon élégant tailleur de dentelle ivoire devant la tour de Big Ben ou déambuler dans Hyde Park, le quartier de ma grand-mère.

— Théo m'a dit que ta grand-mère était juive, dit Romuald. Les Juifs sont de plus en plus montrés du doigt en Europe.

— Pas seulement en Europe, d'après ce que je peux deviner ! rétorqua Édouard.

Le voyageur se tourna vers la couturière.

— Même vous, tante Alida, vous êtes prise dans cette conspiration contre un peuple persécuté. Vous me décevez…

— Je n'ai rien contre les Juifs en particulier, mon cher neveu, mais il faut se défendre contre leur façon de nous envahir. D'ailleurs, ta tante Alphonsine et moi, on a repris notre magasin de coupons parce qu'il allait être racheté par un Juif, si tu veux savoir.

Le militant s'apprêtait à en rajouter, mais, par considération pour le couple qui revenait de ses noces, Georgianna donna un coup de coude dans les côtes de son mari.

Chapitre 17

La routine du lundi matin reprenait. Comme à l'accoutumée, avant sa journée à l'épicerie, Léandre acheminerait la production de chemises bleues aux quartiers généraux du PNSC en faisant un crochet à l'*Ontario's Snack-bar*. La serveuse lui plaisait de plus en plus et la relation secrète qu'il entretenait avec elle ajoutait du piquant dans sa semaine.

Cette fois, cependant, Lise, l'ancienne compagne de travail de Simone, l'attendait sur la devanture de l'établissement. Elle était habillée d'une jupette marine et d'un gilet blanc galonné de bleu qui moulait sa poitrine et mettait en évidence ses courbes harmonieuses. Le godelureau gara le camion de livraison, descendit de l'habitacle, éteignit son mégot avec le bout de sa semelle et se pressa vers la serveuse.

— Je monte avec toi, à matin, dit-elle.

— Pour une surprise, c'est une surprise ! Si je m'attendais à ça !

Les amours étaient définitivement rompues entre Lise et son patron. Gédéon Plourde lui avait consenti une journée de congé. Pas d'inquiétude, elle n'était pas irremplaçable : elle pouvait s'épivarder dans la nature si elle le voulait…

Le véhicule se dirigea d'abord vers les locaux du parti. Mais la commission prenait une tout autre tournure. Rapidement, des pulsions libidineuses assaillirent l'esprit du chauffeur.

— C'est le fun que tu sois avec moi, mais je pourrai pas m'attarder ben ben longtemps, exprima-t-il.

La jeune femme avait un autre dessein que celui d'une simple promenade en camion dans les rues de la ville.

— J'ai pour mon dire qu'on devrait profiter du temps qu'on passe ensemble, déclara-t-elle, en lançant une œillade coquine. Et personne va savoir…

Une fois les chemises rendues à la permanence du PNSC, le camion roula encore un moment et s'engagea sur le mont Royal.

En haut de la côte, le véhicule circulait lentement, comme s'il était à l'affût d'un endroit paisible pour ses passagers. Léandre ne s'appartenait plus. Ses yeux obliquaient vers la jupe retroussée de Lise. Il avait le souffle haletant de la convoitise. Il l'écoutait négligemment. Elle savait qu'il la désirait. Elle parlait de son travail de serveuse, du métier qu'elle exerçait pour aider sa famille dans le besoin. Avec sa taille fine et ses mains frêles, elle n'était pas faite pour les grosses besognes, et les emplois d'usine ne lui convenaient guère. Mais les heures longues et éparpillées du casse-croûte l'empêchaient d'entreprendre des activités qui l'auraient intéressée.

Il faisait un temps magnifique. Le soleil lutinait le feuillage des arbres, se moquant des inaccessibles surfaces ombragées, et le vent complice semblait murmurer des mots de tendresse. Les oiseaux jasaient dans le ramage des arbres et s'égayaient de leurs mélodies amoureuses. Léandre n'en pouvait plus. Il s'immobilisa aux abords d'un muret de pierre. Lise et lui sautèrent du véhicule. Il verrouilla les portières et entraîna sa partenaire dans les fleurs souriantes qui garnissaient l'herbe folle en bordure d'un boisé. Lise eut un regard naïf comme si elle n'avait pas deviné ce qui le torturait. Le sang affluait dans leurs veines gonflées de désir. Léandre l'embrassa voluptueusement. Elle desserra la ceinture du garçon et sa main caressante commença à le libérer de son pantalon. Pris de l'ivresse du plaisir, il se déculotta vitement, chercha un coussin d'herbe plus touffu, l'emmena un peu plus loin et l'étendit au sol.

Une Buick grise d'un modèle assez récent stationna derrière le camion. Le conducteur en descendit, enjamba le muret et courut vers le vêtement qui jonchait le sol. Puis il en sonda les poches, s'empara du trousseau de clés qu'il lança à un compagnon, avant de subtiliser la sacoche du livreur et de retourner à sa voiture. La Buick et le Fargo démarrèrent aussitôt et dévalèrent la côte, disparaissant dans les méandres du chemin.

Les halètements de la jouissance les abandonnèrent dans la nudité de leurs corps satisfaits. Ils reposaient à présent sur le dos, les paupières fermées sur la voûte céleste, le cœur palpitant, remplis de l'indéfinissable bonheur des sens. Léandre consulta sa montre.

— Faut que j'aille! dit-il, en se redressant.

— On est si bien ensemble, reste encore un peu…

— On se reprendra.

Il se leva, revêtit sa chemise, cherchant leurs pas dans l'herbe foulée.

— J'ai-tu la berlue, coudonc?

Elle s'approcha de lui, la mine faussement boudeuse, et pressa sa poitrine nue contre la sienne, enlaçant ses bras maigres autour de son cou. Mais l'inquiétude était plus forte que l'envoûtement.

— Taboire! Mon *truck*! cria-t-il.

Elle desserra son étreinte, il courut vers le petit rempart de pierre. Son pantalon reposait au sol et son étroite ceinture semblait s'éloigner en rampant comme une couleuvre. Il fouilla les poches pendant que ses yeux auscultaient le sol. Sa sacoche de livreur et ses clés avaient été volées. Lise s'amena vers lui, repentante.

— Je t'ai mis dans de beaux draps, dit-elle. Que c'est qu'on va faire, asteure?

— On va faire un *boutte* à pied puis on va se *caller* un taxi, tabarnac!

Léandre et Lise achevèrent de s'habiller et quittèrent la montagne par le plus court chemin, en piquant vers la rue la plus proche.

Il la devança, marchant de reculons sur le trottoir, prêt à sauter dans le premier taxi en maraude, l'ignorant comme s'il s'était brouillé avec elle. Des véhicules descendaient l'avenue du Parc. Il héla une voiture, qui se rangea en bordure du trottoir. Elle le rejoignit et ils filèrent vers la rue Ontario.

La mâchoire avancée, il murmura de sourdes imprécations. Elle l'écoutait, chagrinée par la tournure des événements.

— Je me demande ben qui c'est qui a pu nous faire ce coup de cochon là! ragea-t-il entre ses dents serrées. Ce serait pas ton patron, par hasard? Il avait l'air si collaborateur quand il t'a accordé une journée de congé. T'aurais pas dû lui dire que tu prenais le large avec moi aujourd'hui. Il est jaloux parce que tu l'as foutu là, c'est ben simple.

— Gédéon aurait jamais fait une chose aussi abominable, Léandre. Tu le connais pas assez pour dire une affaire semblable.

— Réalises-tu, Lise, qu'il s'agit de vol, que je me retrouve le bec à l'eau? Que c'est qu'il va dire, le père, asteure?

— T'as juste à lui inventer une petite histoire; d'après ce que ta sœur Simone m'a dit, t'es bon là-dedans.

Le chauffeur avait tendu l'oreille, jetant un œil dans le rétroviseur, essayant de lire sur les visages crispés la cause de leurs tourments, sans rien comprendre de ces mots qui recelaient de sombres mystères.

Le taxi déposa la serveuse à l'*Ontario's Snack-bar* et s'élança vers la rue Adam. Le temps pressait. Maintenant seul sur la banquette arrière, absorbé dans un silence profitable, Léandre échafauda un récit plausible, mais qui allait causer un préjudice à sa tante Alida. Il avait beau élaborer des synopsis d'explications, un seul le sauverait de sa fâcheuse mésaventure.

— Bougez pas, je reviens dans un moment! dit-il, en sortant du taxi.

Il entra en catastrophe au magasin. Paulette était occupée à servir une personne âgée sur le plancher. Émilienne se trouvait au comptoir. Elle aperçut son fils, l'air effaré et mal culotté.

— La mère, l'interpella-t-il, donnez-moi donc un trente sous, s'il vous plaît.

— T'as l'air d'un chien en culotte, puis qu'est-ce que t'as fait de ta bourse de livreur, coudonc ?

— Envoyez, la mère, il y a un chauffeur de taxi qui m'attend.

Les sourcils froncés d'interrogation, l'épicière ouvrit le tiroir-caisse, en sortit une pièce de vingt-cinq sous qu'elle tendit à son fils, avant de se déporter vers son mari qui jasait avec Demers. Sur ces entrefaites, Marcel parut, les traits marqués par l'étonnement de ce qu'il venait de voir sur la devanture. Du menton, Paulette désigna l'arrière du magasin où il pourrait trouver des explications.

Léandre régla la course et alla retrouver ses parents au comptoir des viandes. Les propriétaires avaient un air démonté, puisqu'ils ne comprenaient rien à ce qui se passait, et supputaient déjà les graves conséquences.

— Comment ça que t'es revenu en taxi, où c'est qu'il est passé, ton camion ? brama le boucher.

— J'étais stationné devant les quartiers généraux du PNSC, commença-t-il, puis je venais de débarquer mes dernières chemises bleues. J'étais encore en dedans à jaser deux petites minutes avec le bossu quand j'ai entendu des claquements de portes puis un véhicule qui démarrait en vitesse. Là, j'ai pensé à mon *truck* et à l'argent que j'avais laissé sur le siège. Ben oui, j'avais laissé ma sacoche sur le banc ! Puis là je me suis dit : tout d'un coup que quelqu'un a volé mon camion ! J'ai eu juste le temps de sortir du local pour m'apercevoir que mon *truck* s'éloignait.

— T'as pas pensé deux secondes que c'était risqué de pas barrer, puis de laisser de l'argent sur le siège, morigéna l'épicier. Ah ! les gredins, les fripouilles, les brigands ! On est ben avancés, asteure…

Le boucher avait repris son air de bête assommée et tournait en rond autour de son étal.

— Prends sur toi, Théo, prends sur toi ! conseilla sa femme, dont la physionomie ne cessait de se dégrader.

— On va le retrouver, ton Fargo, commenta Philias Demers.

Sansoucy s'arrêta et jeta un regard accusateur à son fils.

— Toi, mon innoce…, se fâcha-t-il.

— Dites-le, le père, retenez-vous pas : innocent ! J'admets que j'ai été innocent ! Je suis pas mieux que Marcel, des fois, vous savez ! murmura-t-il du bout des lèvres.

— Maudit PNSC ! s'écria le boucher. Alida ! attends que j'arrive, asteure. Tu vas voir ce que tu vas voir…

— De grâce, Théo, prends-toi-z-en pas à elle, Alida a rien à voir là-dedans, rétablit Émilienne.

Rien ne pouvait freiner la colère de l'homme. Il se dirigeait maintenant vers l'escalier qui menait à son logis.

La couturière était penchée sur sa Singer quand la porte s'ouvrit sans ménagement. Sansoucy parut dans la pièce comme dans une arène, enragé comme le taureau blessé prêt à foncer sur le matador.

— ALIDA ! beugla-t-il, c'est assez.

L'impotente cessa d'actionner la pédale de sa jambe valide. Elle releva la tête.

— C'est assez de quoi, au juste, Théo ? T'es ben sur le gros nerf, à matin. Je t'ai jamais vu dans un état pareil.

— Ben il y a que Léandre s'est fait voler son *truck* en allant porter tes chemises bleues au local du parti. Puis sa sacoche pleine d'argent était restée sur le siège.

— Pleine d'argent, un lundi matin, avant de commencer sa journée de livraison. Pousse, Théo, mais pas trop fort. À part de ça, le vol aurait pu se produire n'importe où. Puis un véhicule identifié au nom de l'épicerie-boucherie Sansoucy, ça sera pas difficile à retrouver, voyons donc, Théo, reviens-en. C'est pas la fin du monde…

— Fin du monde ou pas, on a besoin de ce *truck*-là.

Au rez-de-chaussée, Émilienne levait de temps à autre les yeux au plafond, la tête pleine d'inquiétude, et retenait ses larmes. Paulette avait raccompagné la vieille dame à la caisse. Léandre s'approcha de Marcel, emmuré dans un silence douloureux. Il avait néanmoins deviné ce qui l'avait blessé.

— J'ai-tu dit quelque chose de pas correct? reprit-il.

— Quelque chose de pas fin pantoute. J'aime pas ben ça quand on me traite d'innocent, tu sauras. Je fais juste commencer à prendre confiance en moi, puis de passer pour un cave m'aide pas ben ben. Surtout venant de la part de quelqu'un que j'estime…

— J'ai pas voulu être méchant, c'est pas dans mes habitudes, tu le sais. J'ai seulement montré au père que j'admettais avoir commis une gaffe. Faut pas chercher plus loin.

— OK d'abord, c'est tout pardonné!

D'autres clientes étaient entrées et Marcel, la mine découragée, contemplait les commandes que le camion ne pourrait livrer.

— Ben qui c'est qui va la livrer asteure, la *grocery*? J'ai pas de *truck*, moi, juste mes deux cannes puis un bicycle.

— Je vas les faire, les livraisons ; c'est pas à toi à payer pour mes négligences.

Léandre sauta sur le téléphone pour déclarer le vol à la police.

Après avoir déblatéré sur les accointances de sa belle-sœur avec le PNSC, le boucher redescendit à son commerce, les naseaux fumants, dans un état d'extrême agitation. Émilienne, Paulette, Marcel et Philias conféraient ensemble. Léandre achevait de transmettre les détails du méfait. Il raccrocha.

— Puis, qui c'est qui travaille ici dedans, ce matin ? tempêta le commerçant. Envoyez, déguédinez !

— Vous voyez ben, le père, que j'étais occupé au téléphone. Il fallait ben que je fasse une déclaration au commissariat.

Sansoucy accusa la remarque.

— Asteure, débrouillez-vous comme vous pouvez, moi, je m'en mêle plus ! proféra-t-il, avant de s'acheminer dans son coin.

Les deux frères se partagèrent les livraisons. Marcel ramassa deux petites boîtes qu'il transporterait chez des ménagères demeurant à proximité du magasin, tandis que Léandre enfourcha le triporteur pour des commandes plus éloignées.

À l'étage, l'infirme avait résolu de fermer boutique. Elle avait su se débattre devant son beau-frère pour maintenir son petit commerce, mais elle s'était ravisée après son départ du logis. Pour une fois, Héloïse avait mis ses gants blancs pour faire valoir qu'il y avait des limites à l'entêtement, que Théodore avait un peu raison de s'élever contre l'envahissement de sa maison et que, selon elle, le vol du camion était la goutte qui faisait déborder le vase de la tolérance.

Alida venait de replier les ailes de sa machine à coudre et Héloïse avait entrepris de libérer le logement de ses boîtes encombrantes.

— Je veux ben ramasser mes affaires, Loïse, mais t'es pas pour *bardasser* ça toute seule, voyons donc. Attends, je vas appeler au magasin, les garçons vont venir débarrasser le plancher.

L'impotente transborda de son banc de couturière à son fauteuil et roula jusqu'au téléphone. Émilienne lui répondit que son mari serait heureux de sa décision et que ses fils iraient dégager la place dès qu'ils seraient disponibles.

Avant la fin de la matinée, entre deux livraisons moins pressantes, tout le matériel du PNSC était empilé sur la galerie.

— C'est le père qui va être content, prononça Léandre.

— Si la police peut retrouver le véhicule asteure, commenta Alida, la voix altérée. Je vous cacherai pas que ça me fatigue, cette histoire-là. Même si le camion aurait pu disparaître au cours de n'importe quelle livraison.

— Dans ce cas-là, faites-vous-en pas trop, matante, rétorqua Léandre. D'autant plus que le constable Lefebvre m'a rassuré en me disant que neuf fois sur dix on mettait la main au collet des voleurs.

Émilienne n'avait pas prévenu son mari de ce qui l'attendait au logis. Il apprendrait la bonne nouvelle en allant dîner. Elle se hâta de remonter avant lui. La cuisine avait repris son aspect agréable. Les meubles avaient été remis en place, la Singer était rangée dans la chambre de la couturière, la berçante de son mari était replacée devant la fenêtre et pas un traître fil ne traînait par terre.

Le commerçant rentra chez lui. Émilienne était dans un état de ravissement.

— Puis, qu'est-ce que t'en dis, Théo ? demanda-t-elle.

Un sourire de contentement se dessina sur les lèvres de l'épicier. Puis sa physionomie s'altéra.

— Asteure, va falloir débarrasser la galerie, articula-t-il. On les a assez vues, ces maudites boîtes-là.

— Au lieu de chialer, rétorqua sa femme, tu pourrais remercier Lida pour avoir décidé de lâcher le PNSC, puis Loïse et tes fils qui ont dégarni la place.

— Ouais, ouais, répliqua Sansoucy, mais si ça avait été juste de moi, il y a pas une de ces caisses-là qui serait rentrée ici dedans! Asteure, je vas appeler chez Romuald. Le PNSC a intérêt à venir ramasser ses traîneries...

Émilienne s'écrasa pour dîner. L'air dépité, Héloïse déposa une casserole de sauce aux œufs sur la table alors que l'épicier décrocha victorieusement le cornet acoustique et signala le numéro de son frère.

En après-midi, la mine de Sansoucy avait mué en un semblant de bonne humeur qui soulevait ses moustaches blanches et le rendait moins irritable. Un soulagement s'était répandu dans son entourage, mais on sentait que l'épicier n'était pas au bout de ses préoccupations et de toutes ces tracasseries qui minent l'existence et la rendent parfois difficile à respirer.

Sept heures venaient de résonner aux clochers des églises. La sonnerie du téléphone vibra dans le logement et fit sursauter Sansoucy. Irène répondit. L'homme déposa sa pipe dans le cendrier au bord de la fenêtre, se leva et l'aînée lui tendit l'appareil.

— Ben oui, Romuald, dit-il, comme je l'ai expliqué à Georgianna à midi, j'en ai assez enduré de même. Je voudrais ben te voir à ma place, toi qui as jamais été capable de tolérer une mousse sur le plancher. Jamais je croirai! Il doit ben avoir un de vos membres qui possède un vieux bazou et qui peut venir ramasser vos cossins.

— ...

— En tout cas, t'es mieux de te dépêcher de trouver un *truck* parce que le stock va débouler les marches avant la fin de la semaine.

À la taverne Archambault, Léandre avait presque oublié ce qui avait saboté sa journée. Ce soir, son père ne viendrait pas. L'épicier avait vécu des heures palpitantes qui le retenaient dans la quiétude convenable de son logis. À une table de bois rustique qui avait perdu son éclat vernissé, deux individus s'égayaient follement en s'abreuvant de bière. D'un signe de la main, l'un d'eux interpella Léandre.

— Viens t'asseoir avec nous autres, le jeune, on va t'en raconter une bonne, lança-t-il, la lèvre tordue.

Les autres buveurs ne le réclamaient pas. Leur gosier humide semblait imbibé d'alcool. Léandre s'approcha de celui qui l'avait appelé, un client dans la trentaine atteint d'un léger strabisme convergent.

— Je peux pas m'installer à votre table, les gars, je suis au travail.

Le serveur demeura debout à écouter le récit grotesque de l'individu qui, au travers de son vasouillage et de ses éclats de gaieté, rapportait que son compagnon et lui avaient, à la demande expresse d'un de leurs amis, pris en filature un camion de livraison.

— Je vois pas ce qui est drôle là-dedans, commenta Léandre.

— Jeune homme, tu aurais dû voir le petit couple en tenue d'Adam sur le mont Royal. Il se croyait rendu au paradis terrestre…

Un ricanement nerveux atteignit Léandre. Aucun doute ne subsistait sur l'identité des deux protagonistes impliqués. Il fallait connaître à présent l'instigateur de la manigance.

— Comment s'appelle votre chum ?

L'autre client, qui s'était dépeigné à force de s'ébrouer de rire, déposa sa bouteille, hésita un moment en regardant son compagnon.

— Gédéon Plourde ! déclara-t-il.

« Taboire ! se dit le serveur, le bonhomme Plourde ne perd rien pour attendre ! »

Léandre eut la tentation de partir sur-le-champ et de se rendre directement à l'*Ontario's Snack-bar*. Censément, il aurait éprouvé de la difficulté à justifier sa demande de le laisser partir auprès de monsieur Archambault. Et le patron de Lise serait-il à son restaurant ? Il résolut de patienter jusqu'au lendemain.

Paulette ne s'était pas fait de mauvais sang avec l'incident du camion volé. Elle en avait suffisamment à s'occuper d'elle-même, et de ses envahissants maux de tête, pour se torturer les méninges à émettre des hypothèses ou à jouer à l'enquêteur. La police avait été avisée du méfait. L'affaire suivrait son cours. Léandre avait fini par se libérer d'une histoire beaucoup plus complexe et beaucoup plus dramatique avec *La Belle au bois dormant*. Il ne lui restait qu'à payer des versements d'assurance jusqu'à la fin de l'année en cours. Quant à Simone et David, l'épisode du camion disparu représentait une platitude qui assombrissait les humeurs de l'épicier et qui obligeait le livreur à pédaler. On retrouverait assurément le Fargo, mais dans combien de temps et dans quel état ?

Après un déjeuner qui l'avait bourré de toasts et qui avait décuplé sa détermination, Léandre surgit au magasin. Marcel sortait le triporteur. Son frère alla le rejoindre sur la devanture.

— C'est mon tour ce matin, t'en as assez fait hier, dit Marcel.

— Tant et aussi longtemps que j'aurai pas mon camion, c'est moi qui vas prendre le bicycle, décida Léandre. Et mon petit doigt me dit que je suis sur la piste. Ça se peut même que je le retrouve avant la police.

— J'ai pas de conseils à te donner, grand frère, mais je voudrais pas que tu coures de risques…

Marcel prêta sa sacoche de livreur que Léandre enfila à sa ceinture.

Lorsqu'une première livraison le conduisit à proximité de la rue Ontario, Léandre allongea sa course vers le restaurant. Gisèle, la nouvelle serveuse, s'étonna de le voir revenir aussi vite après l'incident de la veille. Elle essuya nerveusement un bout de comptoir d'un rapide coup de torchon.

— Je vous sers un café ?

— Non, je suis déjà assez crinqué de même. Je vois que Lise est pas rentrée, mais ton boss est-tu là ?

— Monsieur Plourde est avec un fournisseur.

Sans faire ni une ni deux, Léandre poussa brusquement le portillon au bout du comptoir et traversa dans l'arrière-boutique. Le livreur de Courchesne Larose, petit homme dodu, remettait une facture pour la caisse de légumes commandée.

— Eille ! s'écria Plourde. Faut-tu être assez effronté…

L'œil malin, Léandre se projeta sur le patron, l'empoigna d'une main au collet.

— Je me demande ben lequel de nous deux est le plus effronté ! dit-il, la mâchoire serrée.

— Lâche-moi, fripouille ! se plaignit Plourde, se débattant avec sa facture.

L'agresseur relâcha sa poigne, se recula du patron et le regarda avec défiance chercher ses mots. Une angoisse étrangla Plourde qui songea à congédier le livreur de Courchesne Larose, mais il se ravisa.

— Bon ben, je vas revenir demain, décida le grassouillet, fort décontenancé.

Enfin seul, Léandre écarta le petit rideau qui masquait la fenêtre pour voir s'éloigner le livreur.

— Ah! ben, tabarnac! explosa-t-il. Mon *truck*!

Léandre se retourna vers le fautif et, repris de colère, lui enserra le collet d'une main, prêt à frapper de l'autre. Le visage empourpré, le restaurateur bafouilla quelques excuses pour sa défense. Rongé par les vers de la jalousie, il avoua qu'il n'avait pas accepté sa rupture avec Lise et qu'il avait voulu lui jouer un mauvais tour. Du reste, il lui avait demandé de ne pas se présenter au travail, afin qu'elle ne découvre pas le véhicule trop rapidement et que le jeune Sansoucy se morfonde dans l'inquiétude une journée de plus. Après ces aveux arrachés sous la menace de son poing, Léandre exigea que Plourde lui rembourse le montant de sa course en taxi et un petit dédommagement pour le carburant et les souffrances morales infligées.

— Asteure, mon maudit malade, ajouta-t-il, écoute ben ce qu'on va faire. Je vas m'en aller au magasin, puis tu vas m'appeler pour dire que t'as vu mon *truck* pas loin du restaurant. Là, je vas appeler la police pour dire qu'on l'a trouvé. Ensuite, je vas venir le récupérer.

La face décomposée, Plourde répondit simplement par un geste d'approbation et suivit le dos de Léandre qui retraversa au restaurant et alla enfourcher son triporteur.

À l'épicerie, Léandre hésitait à s'éloigner pour livrer les commandes qui s'étaient accumulées. L'air songeur, il piétinait autour des boîtes en jetant un œil à son père qui donnait des signes d'exaspération. Le téléphone résonna. Paulette décrocha et lui tendit l'appareil.

— La police a peut-être retrouvé le camion, commenta Émilienne. Théo, Marcel, s'écria-t-elle, venez !

Un sourire irradia le visage de Léandre, il raccrocha.

— C'est monsieur Plourde du *Snack-bar*, dit-il.

— Il veut parler à Simone ? exprima Sansoucy. Elle est pas prête à retourner comme *waitress*.

— C'est pour me dire que mon *truck* est stationné sur la rue à côté du restaurant, avec les clés dedans puis ma sacoche d'argent. Pour moi, les voleurs ont juste voulu se payer une *ride*…

— À la bonne heure ! jubila Sansoucy. Marcel, ordonna-t-il, reprends ta bécane au plus sacrant pendant que Léandre va aller chercher son *truck* !

— Non, le père ! objecta Léandre, je vas me rendre en bicycle, on va perdre moins de temps de même. Mais d'abord, laissez-moi une petite minute pour appeler la police.

Rabroué par son fils, le boucher alla répondre à une cliente qui l'attendait au comptoir des viandes. Léandre joignit le constable Lefebvre pour signaler la découverte du camion. Il ne lui restait qu'à regagner l'*Ontario's Snack-bar* pour prendre possession de son véhicule et poursuivre ses livraisons. Et avant de quitter le restaurant, le fils Sansoucy ne put s'empêcher de faire à Gédéon Plourde une recommandation qui avait toutes les allures d'un avertissement : « Faut que tu comprennes que Lise veut plus rien savoir de toi, mon Gédéon ! » L'affaire réglée, il chargea son triporteur dans la boîte de son camion et s'en fut au magasin.

Chapitre 18

La journée s'achevait dans un heureux dénouement. Léandre avait raconté à Marcel, le jour même, son escapade au mont Royal et l'avait renseigné sur ce qui s'était réellement déroulé ensuite. À présent, il tenait à éclairer la lanterne de Simone et David au sujet de l'épisode du camion dérobé et des véritables événements. Le soir même, Paulette était reçue à souper chez ses parents. Les Landreville ne reconnaissaient plus leur fille. Le mariage avec le fils de l'épicier ne semblait plus lui convenir. Paulette promenait son humeur morose et s'empâtait d'une mauvaise graisse. Elle ne leur inspirait que de l'inquiétude. Il fallait faire quelque chose. Pour Léandre, l'heure était aux confidences.

Simone venait d'allaiter Stanislas et lui avait changé sa couche. La ménagère n'avait pas eu le temps d'éplucher des patates. Elle avait simplement ouvert une boîte de blé d'Inde en crème qu'elle avait répandu comme une sauce grumeleuse sur des boulettes de bœuf haché mi-maigre.

— Comme ça, t'as eu une aventure avec la *waitress*, affirma David. C'est pas trop bon pour ramener les affaires entre toi et Paulette…

— Qu'est-ce que tu veux, mon cher beau-frère, c'est plutôt tranquille, ces temps-ci, avec Paulette ! Quand j'y demande de faire la chose, elle a toujours mal à la tête. Je commence à en avoir assez, de ses maudites migraines.

Un grondement sourd réveilla le bébé. David s'empressa vers le berceau. Léandre se rendit à la fenêtre qui donnait sur la ruelle. Il en écarta le rideau.

— Ah! ben, taboire! s'exclama-t-il. Un vieux tacot se stationne en arrière. Ça m'a tout l'air d'être mononcle Romuald qui conduit. Ah! le bossu est avec lui. Ils doivent venir ramasser les boîtes du PNSC. C'est le père qui va être content!

— Il va pouvoir se bercer sur la galerie, comme avant que matante Alida se mette à coudre pour le parti, commenta Simone.

David revint en brassant contre sa poitrine le poupon déjà apaisé.

— Tu vas le gâter, dit la mère. Après, on va avoir de la misère avec.

— Je l'ai pas vu de la journée, ce petit-là, faut ben que je le prenne un peu, rétorqua le père. Regarde, il s'est calmé.

— Pour revenir à Paulette, enchaîna Simone, me semble qu'une sortie au parc Belmont lui ferait du bien. Elle pourrait lâcher un peu son fou. Dimanche, s'il fait beau…

Léandre s'était rassis. Cependant, ses idées déviaient sur ce qui se déroulait plus bas dans la cour. «S'il fallait qu'ils apprennent que…», pensa-t-il.

— Marcel doit être allé rejoindre Amandine, ça a pas de bon sens de laisser le pauvre nain manœuvrer des caisses avec mononcle, je vas descendre! articula-t-il.

Le fils de l'épicier s'empressa de gagner la galerie du deuxième. Appuyée sur ses deux cannes, Alida avait tenu à sortir avec Émilienne et son mari. Irène, Héloïse et Alphonsine avaient le nez dans la porte-moustiquaire. Le visage cramoisi, Romuald et Richard-le-bossu soulevaient ensemble une lourde boîte.

— Te v'là, toi! dit l'oncle.

— J'arrive à temps pour vous aider, répondit Léandre.

— Si tu t'étais pas fait voler ton *truck* devant le local du parti, on serait pas obligés de ramasser le stock, hein? ricana l'oncle, la lèvre tordue.

— Ôtez-vous! ordonna Léandre, à l'adresse de celui qui souffrait d'une sévère déformation vertébrale.

Léandre se substitua au militant, qui ne put retenir un commentaire entre ses dents:

— Tu peux me remplacer si tu veux, mon garçon, je sais que je fais pitié. Mais viens pas dire que tu t'es fait voler ton camion devant les quartiers généraux du PNSC parce que je t'ai vu repartir avec. À cause de toi, on perd notre couturière.

Sansoucy défaillit et son fils paraissait dans ses petits souliers.

— J'en ai fait mon deuil, du parti, dit Alida en toisant son beau-frère du regard. Je commençais à croire que je prenais beaucoup trop de place dans la maison.

L'épicier avait senti comme une ultime supplication dans les yeux implorants de sa belle-sœur. Mais le mensonge de son fils le pétrifiait davantage. Il bouillonnait muettement de rage. Et Léandre continua à s'empêtrer dans ses finauderies.

— En fait, après le déchargement, je suis arrêté à un restaurant pour prendre un café et un petit gâteau. Je méritais ben ça, non? C'est là précisément que je me suis fait voler. C'était juste une manière de parler quand j'ai déclaré que j'étais au local du parti au moment du vol...

Léandre avait semé le doute autour de lui. Ne pouvant soutenir les regards dubitatifs qui l'enveloppaient, il amorça une première descente de l'escalier.

À la fin de la corvée, Richard-le-bossu le remercia tout en lui révélant du même souffle qu'il avait aperçu une jeune femme sur la banquette du véhicule lors de son passage aux quartiers généraux. Mais il n'avait pas voulu envenimer la situation ; le jeune homme était suffisamment dans l'embarras…

Léandre s'excusa auprès de la compagnie. Son emploi à la taverne le réclamait.

* * *

Le dimanche suivant, il était environ onze heures lorsque les colocataires quittèrent la rue Adam pour le parc Belmont. Paulette avait consenti à accompagner Léandre, David et Simone au lieu d'amusement de Cartierville. Cela tombait bien pour la migraineuse : sans trop formuler de propositions précises, ses parents avaient jugé qu'une jeune épouse qui travaille du lundi au samedi avait besoin de distractions plutôt que de demeurer au foyer à se morfondre ou à s'échiner avec le ménage négligé pendant la semaine. Les deux couples franchiraient les tourniquets assez tôt pour profiter au maximum d'une température clémente. David avait descendu le moïse et Simone avait confié Stanislas aux grands-parents. Elle s'était tiré du lait dans des biberons et elle avait préparé un pain complet de sandwiches jambon-mayonnaise dont David et Léandre raffolaient. Tout était planifié pour que la sortie soit une réussite.

En sortant du camion, Simone entraîna sa belle-sœur en la tirant par la main. David suivait en transportant le panier à provisions. Venait ensuite Léandre, qui progressait avec la démarche dégingandée d'un vacancier.

Comme un événement au village, une ambiance de fête foraine se répandait en joyeuse cacophonie, dépassant les frontières du parc. Les gens affluaient au guichet et se précipitaient avec leur ribambelle de billets là où s'engorgeait déjà une meute débridée de visiteurs. De nouveaux amusements avaient été installés, les pavillons avaient été rafraîchis. Il y avait aussi le Paradis des sports, le Pays des merveilles, les films parlants et le café sur la grève. Au-delà du faîte des arbres, la grande roue tournait, lente et monotone, les montagnes russes d'où fusaient des cris mêlés de peur et de joie, et le chapiteau sous lequel devaient s'exécuter les «Four Ladies», maîtres du trapèze, et des numéros de cirque des sœurs Torelli. Entre les branches, on entrevoyait le trot gracieux des chevaux de bois du carrousel et le train miniature qui serpentait avec ses wagons. David déposa le panier d'osier, et les beaux-frères se rendirent à la billetterie.

— J'ai faim! déclara Paulette.

— On est pas pour manger notre lunch tout de suite, voyons donc, la rabroua sa belle-sœur.

La traversée de la ville avait affamé Paulette, et la crainte de se faire brasser dans les manèges l'apeurait et la portait à s'empiffrer. Mais elle avait trouvé la remarque de Simone raisonnable et elle s'était résolue à patienter. Elle se mit à regarder les gens, la fébrilité qui régnait autour d'elle. Une femme obèse attira son attention.

— Comment est-ce qu'elle va faire pour franchir les tourniquets, elle? observa Paulette.

— Ils vont la faire passer à côté, supposa Simone. Il doit ben y avoir une barrière pour les grosses personnes.

Paulette fouilla dans sa robe, en extirpa une barre «Oh Henry!». Pour l'occasion, les boîtes de Laura Secord étaient moins pratiques et trop faciles à partager. La faim la tenaillait. Elle éplucha sa friandise et l'engloutit.

Léandre et David parurent.

— Ils sont plutôt mal organisés, commenta Léandre. C'est ben trop long! On va moisir combien de temps avant d'entrer sur le site?

La foule se gonflait. Simone distribua de la gomme, se demanda comment ses parents se débrouillaient avec Stanislas. Elle se plut à imaginer son fils quelques années plus tard, avec son rire d'enfant, à s'étourdir dans les manèges comme elle l'avait fait elle-même avec sa grande sœur Irène, qui lui consacrait naguère une de ses journées de vacances pour l'emmener au parc et toutes ces gâteries qu'elle lui payait pour lui faire plaisir.

Sitôt les tourniquets franchis, Paulette eut faim. Sa barre de chocolat était déjà loin et l'appétit l'avait reprise avec insistance. Chacun lança sa mâchée de gomme dans le gazon. David repéra un coin ombragé, et on dégusta le pain sandwich et une bouteille de Kik en promotion pour la saison estivale. Pour compléter le repas avec une petite touche sucrée, Paulette se paya une barbe à papa, cette friandise filamenteuse qu'elle savourait avec une infinie délectation.

— Les gars vont aux autos tamponneuses, je vas essayer la grande roue, décida Simone.

— J'ai pas fini d'*envaler* ma mousse, protesta la mangeuse. J'aurais dû prendre un sundae à la place. C'est de la J.J. Joubert, à part de ça…

— Dépêchons-nous, le monde débarque ; tu la finiras pendant qu'on attendra en ligne.

Les belles-sœurs firent la file. Le manège se délestait de ses passagers. Les sièges aussitôt libérés se remplissaient. Paulette se lécha les doigts.

— Je vas laisser faire, déclara-t-elle. Je commence à avoir mal au cœur.

— Il est trop tard pour reculer, Paulette, rétorqua Simone. De toute façon, ça va te faire du bien, ça va te replacer l'estomac.

Les gens se bousculaient derrière elles et Paulette se sentait emportée par le flot pressé. Elle sortit ses coupons, en déchira une rangée de trois qu'elle tendit à l'opérateur.

Le manège se remit en branle. À chaque embarquement, toujours un peu plus haute, la nacelle valsait dans la joyeuse clameur du parc, taquinant le soleil rieur qui plombait ses rayons de juin. Bien malgré elle, la gourmande avait relâché une de ses mains agrippées à la barre horizontale et porté l'autre à sa poitrine. Chaque nouvelle secousse semblait faire ressourdre un peu plus haut son repas recouvert de cette mousse filandreuse rose qui collait à présent aux parois de son œsophage. Paulette eut mal à la tête.

Tous les passagers étaient maintenant à bord de l'attraction qui avait entrepris sa course lente dans le ciel dont la hauteur, selon le temps, décrivait une parfaite sinusoïde. Simone exultait. Elle se sentait transportée dans l'espace, libre de toute contrainte, s'écriant au sommet avant de redescendre doucement et de reprendre une ascension vertigineuse qui la grisait. Paulette fut prise de relents nauséeux.

— Je pense que je vas renvoyer, émit-elle, avant de se pencher vers l'extérieur de la nacelle.

On entendit des hurlements d'indignation. Simone s'inclina vers l'arrière. Plus bas, deux femmes habillées de jaune et de blanc remontaient ; elles venaient d'être aspergées par une goulée infecte.

— Ah ! ben. Maudit verrat, par exemple ! s'exclama Simone. J'espère qu'on va pouvoir débarquer avant elles, asteure.

La grande roue continua d'orbiter avec indolence encore un tour complet, avant de déverser ses premiers passagers.

— Nous v'là sur le plancher des vaches, dit Simone avec soulagement. Dépêche-toi avant que les femmes nous attrapent.

Afin d'échapper aux deux victimes, les belles-sœurs s'empressèrent vers la rivière où était amarrée une flottille de chaloupes.

— Tu vas pas me faire monter là-dedans, asteure ! haleta Paulette.

— Pourquoi pas ? C'est ça ou ben tu te fais engueuler par celles que t'as éclaboussées. La vague est pas ben forte sur la rivière des Prairies. Regarde, il y a du monde qui a l'air d'aimer ça, ramer.

En effet, des plaisanciers avironnaient dans leur embarcation légère et croisaient quelques voiliers dont le mât égratignait impunément la voûte bleutée.

Simone trépignait. Paulette accepta enfin de débourser ses coupons. Elles se déchaussèrent vitement, lancèrent leurs bas et leurs souliers dans la chaloupe. Paulette s'avança dans l'onde jusqu'aux genoux, monta en faisant vaciller dangereusement l'embarcation et alla s'effondrer dans le fond détrempé. Sa compagne empoigna les rames. Bientôt, avec le concours d'un préposé, la chaloupe se détacha de la berge.

Mais les belles-sœurs n'avaient pas échappé aux poursuivantes. Sur la rive, le sac à main pendu au pli de leur coude, ces dernières grandissaient et grossissaient à chaque pas, gesticulant et hurlant des malédictions. Le visage boursouflé, Simone avironnait, luttant contre le courant qui les emportait.

Un cri strident déchira l'air. Sur le rivage, un préposé sifflait désespérément au danger alors que la silhouette inquiétante des victimes s'évanouissait. Cependant, la rameuse n'en pouvant plus, la chaloupe se mit à descendre le flot tumultueux. Assise dans l'eau, la face verte, l'indisposée jetait des yeux hagards à sa compagne.

— Si t'avais pas étendu tant de beurre puis de mayonnaise sur tes maudits sandwiches au jambon, on en serait pas là, aussi, blâma-t-elle.

Le préposé avait abaissé le bras et regardait, impuissant, l'inéluctable dérive de la chaloupe. Par une manœuvre que Simone elle-même qualifiera plus tard de miraculeuse, les muscles gonflés, l'avironneuse réussit à s'arracher à l'emprise des vagues et regagna la berge.

— Où c'est qu'on est rendues, asteure ? demanda la passagère.

— On est pas des nounounes, on va se débrouiller. Au moins, on s'est débarrassées des bonnes femmes.

Les belles-sœurs piquèrent dans le parc et enfilèrent le sentier avec le dessein d'aviser un membre du personnel de l'endroit approximatif pour récupérer l'embarcation. Elles contournèrent le Lindy Loop, longèrent le Palais des singes où séjournaient une cinquantaine de primates, et aperçurent les victimes. Elles filèrent vers l'entrée à toute vitesse.

— Où c'est qu'on était stationnées, donc ? s'enquit Paulette.

— On a juste à chercher l'annonce de l'épicerie-boucherie Sansoucy, ça doit pas être ben ben difficile à trouver, jamais je croirai, tempéra la fille de l'épicier.

Les compagnes couraient comme des demeurées entre les rangées de véhicules garés. Elles n'auraient qu'à s'enfermer dans le camion. Mais dans leur étourdissement, il demeurait introuvable. Soudain, il leur parut, elles accoururent vers lui, sondèrent les portes verrouillées. Au bord de l'exaspération, Simone se retourna. Les poursuivantes surgirent dans le stationnement et l'une d'elles, une bacaisse à la mine patibulaire, brandit un poing menaçant. Reprises par la peur d'être rattrapées, les belles-sœurs s'engagèrent dans une course effrénée les menant à un arrêt de trams.

— On les a semées, poussa Paulette, avec grand soulagement.

Dans la foulée de leur énervement, les colocataires avaient emprunté le mauvais circuit. Elles montèrent à bord du tramway faisant la navette entre le mont Royal et le chemin de la Côte-des-Neiges. Sous la visière de sa casquette, les yeux du wattman s'agrandirent.

— Ah ben, tabarouette ! proféra-t-il.

— Mononcle Romuald ! s'exclama Simone. On revient du parc Belmont.

— Me semble que vous retournez de bonne heure, les filles. Mais c'est aussi ben de même parce que vous avez pas pris le chemin le plus court.

— C'est pas ben grave, on a tout notre temps. L'important, c'est qu'on soit assises tranquilles dans votre tramway. Paulette filait pas, expliqua Simone. Je peux-tu payer avec un coupon du parc Belmont ? blagua-t-elle. En tout cas, ça fait drôle de vous voir habillé de même...

— C'est mon costume officiel, ma petite fille. L'autre, c'est pour mes activités parallèles, railla-t-il.

Les usagères du tram allèrent s'asseoir. Adossée et les jambes écartelées, Paulette était moins verte et exhalait des soupirs de soulagement. Simone était rassérénée et pensait à son fils qu'elle reverrait plus tôt que prévu.

Le véhicule électrifié bringuebalait, s'arrêtant pour déverser ou prendre des clients du dimanche. Tout semblait bien aller. La route était agréable et reposante dans le roulis du tram. Il n'y avait que le crissement des freins pour signaler un ralentissement ou un arrêt. Puis, en haut d'une côte, l'invention s'immobilisa.

Romuald Sansoucy lâcha un énorme juron, ôta sa casquette, se gratta la tête puis remit son couvre-chef. Après une série de vérifications d'usage, le wattman avisa les passagers qu'il allait téléphoner à la compagnie. Il descendit la côte et alla frapper à une porte tendue d'un crêpe noir.

Certains décidèrent de rester à bord. D'autres, moins patients, quittèrent leur siège et prirent la rue. Soudain, après plusieurs minutes d'une attente résignée, le véhicule se mit en mouvement.

— Eille, on grouille ! s'exclama Paulette, puis le wattman est pas revenu.

Des passagers se ruèrent aux portes, obstruant les sorties. Quelques-uns d'entre eux sautèrent du tram en marche, et d'autres, par peur de se fouler une cheville, hésitèrent. Puis il fut trop tard.

Le tramway dévalait maintenant le chemin Shakespeare, sans conducteur. Simone se leva et, les jambes tremblantes, progressa vers l'avant en se tenant aux ganses de cuir pour assurer sa sécurité. Et dans la débandade du tram, sous les yeux effarés des passagers, elle atteignit le devant.

— Arrêtez le petit char, arrêtez le petit char ! s'écriaient des voix implorantes.

Mais l'engin avait déraillé et circulait sur le pavé en fonçant vers le flanc de la montagne. Simone avait tiré des manettes, enfoncé des boutons, rien ne répondait. Et avec une incroyable présence d'esprit et un sang-froid extraordinaire, songeant au petit frère de l'Oratoire, elle actionna énergiquement les freins.

Les passagers du tram descendirent du tombereau de la mort, le visage ahuri, les jambes flageolantes, félicitant Simone pour son geste héroïque. Allongée sur le gazon d'une propriété, Paulette poussait de sinistres gémissements. Romuald sortit de la maison endeuillée.

— Un peu plus puis je me faisais rentrer dedans, déclara-t-il.

Paulette releva la tête.

— Que c'est qu'on va faire, asteure, monsieur Sansoucy ? demanda-t-elle d'une voix tremblante.

— Ben je vas appeler des taxis, c'est la compagnie des Transports qui va payer, répondit le conducteur.

* * *

Irène et les sœurs Grandbois s'étaient toutes relayées au moïse, si bien que les bras des femmes avaient bercé le petit pour l'empêcher de pleurer. L'épicier avait paperassé une heure ou deux dans ses comptes avant de se reposer sur sa galerie, avec toute la tranquillité que procurent les ruelles parfois désertées le dimanche. Toute la maisonnée s'était étonnée de voir sourdre Simone, seule avec Paulette. Les belles-sœurs étaient restées à souper. Elles avaient eu amplement le temps de rapporter leur mésaventure et leur retour palpitant du parc Belmont. Cependant, elles n'en espéraient pas moins l'apparition des maris, qu'elles avaient abandonnés à eux-mêmes, sans les prévenir de leur départ précipité.

En soirée, Romuald le wattman parut dans une tenue ordinaire, secoué par sa malencontreuse infortune.

— Ça dépend pas des Juifs, ce qui est arrivé ! lança platement le marchand.

— J'aurais ben voulu te voir, Théo, rétorqua le conducteur. Toi, on te connaît, un vrai maudit paquet de nerfs.

Survinrent Léandre et David portant un ourson.

— Oh ! Le beau toutou en peluche pour Stanislas ! s'exclama Simone.

— Où c'est que vous étiez passées, donc, vous autres ? proféra Léandre. On vous a cherchées partout sur le site. Vous avez besoin d'avoir de maudites bonnes excuses…

— Vous avez pas l'air de vous être ennuyés pantoute, les gars, commenta Émilienne. Vos femmes sont revenues toutes émotionnées, elles vont vous raconter ça. Vous avez pas dû souper, assoyez-vous, qu'on vous serve à manger ; j'ai un beau reste de porc frais.

Après quelques séances de défoulement dans les autos tamponneuses, les garçons avaient essayé les montagnes russes, fait une incursion au Palais des singes et s'étaient amusés à de multiples jeux d'adresse. Puis ils s'étaient inquiétés des filles absentes dans le stationnement à l'heure fixée avant de repasser les tourniquets pour ratisser le parc, pavillon par pavillon, et scruter les files d'attente et les différentes attractions.

— J'admets qu'on vous a fait niaiser, les gars, avoua Simone, mais à cause de Paulette et de ce qui est arrivé aux deux bonnes femmes, il fallait qu'on décampe.

— En tout cas, commenta Romuald, pour une fille qui a peur dans les manèges, Paulette a eu toute une frousse dans mon tramway...

Chapitre 19

En dépit des péripéties de la veille, Simone et Paulette s'étaient bien remises de leurs émotions. Paulette avait perdu son teint verdâtre ; elle avait renoué avec un certain éclat de santé qui lui permettait de reprendre l'ouvrage sans trop apeurer la clientèle. D'ailleurs, depuis un bon bout de temps, la jadis volubile Paulette se retranchait dans une relative réserve que les ménagères les moins bavardes appréciaient. Aucune émotion ne paraissait l'atteindre, demeurant froide et distante avec la plupart d'entre elles. Cependant, deux dames un peu louches se présentèrent, ce qui la tira de son apathie.

Le boucher était à placoter d'élections avec Philias Demers. Le scrutin était prévu pour le mois d'août. Sansoucy était persuadé que Maurice Duplessis formerait le prochain gouvernement. Il en parlait avec conviction, oubliant ce qui se déroulait dans son magasin. Et Émilienne étirait son plaisir à relater sa garderie de dimanche et l'épisode époustouflant du tramway. Ce qui laissait Paulette dans l'indifférence, mais qu'elle se devait d'approuver par des hochements de tête pour l'événement qui la concernait. De temps à autre, elle levait les yeux vers les inconnues, une grasse personne et une plus mince, qui lui rappelèrent étrangement ses poursuivantes. À toiser l'une, coiffée d'un chapeau à aigrette qui lui voilait la moitié du visage, et l'autre, portant un bibi fleuri, des idées de fuite roulèrent dans sa tête. Elle rendit la monnaie à mademoiselle Lamouche, referma le tiroir-caisse et se pressa vers l'escalier. L'œil vif, la plus forte des vengeresses s'éloigna de l'étalage des « spéciaux », courut vers la caissière.

— Toé, ma maudite vache ! brama-t-elle, en agrippant la manche de Paulette.

La robe déchirée, le cœur lui battant aux tempes, la fugitive s'engouffra dans la cage d'escalier.

— Théo! s'écria Émilienne, viens vite, une folle dans l'épicerie!

Saisie, l'obèse au faisceau de plumes figea. Sa compagne la rejoignit. Le boucher arriva en trombe, bousculant Germaine Gladu et Dora Robidoux.

— C'est vous qui menez le diable dans mon magasin?

— C'est celle qui vient de disparaître, la coupable. Nous autres, se défendit la grasse au chapeau à aigrette, on est juste venues réclamer le prix d'une robe neuve. Une chance qu'on les a vues essayer d'ouvrir la porte de votre camion de livraison avec votre nom puis votre adresse dessus, parce qu'on aurait jamais pu les retracer...

Simone apparut dans l'embrasure.

— Tiens donc, les bonnes femmes d'hier! déclara-t-elle. Allez-vous ben nous laisser tranquilles? Ma belle-sœur a été malade dans la grande roue, ça peut arriver à n'importe qui, ça.

— Ben oui, puis elle a renvoyé sur nous autres!

— Pour l'amour du bon Dieu, allez-vous ben en revenir? intervint Émilienne. Ma belle-fille pouvait pas prévoir, vous comprenez pas ça? Puis vous, vous êtes ben revanchée, asteure que vous lui avez déchiré ce qu'elle avait sur le dos.

L'œil vindicatif, la petite au chapeau fleuri mit son grain de sel:

— Elle nous a éclaboussées toutes les deux, rappela-t-elle. Au lieu de se sauver, elle aurait pu nous attendre au bas du manège pour s'excuser, on lui aurait pardonné; mais non, elles ont pris la poudre d'escampette comme des mal élevées...

— On va vous traîner en cour! déclara la revancharde, avant de se tourner vers Émilienne.

Elle rajouta, les yeux mauvais et l'aigrette branlante :

— Puis vous, madame Sansoucy, me traiter de folle, vous y allez pas avec le dos de la cuiller, s'indigna-t-elle.

Au milieu des commentaires des clientes, l'épicier alla ouvrir le tiroir-caisse, en revint avec un billet de dix dollars qu'il tendit à la plus grasse des revendicatrices.

— On va régler ça à l'amiable, mesdames. Prenez ça, puis foutez-moi la paix ! Je veux plus en entendre parler.

Simone regagna son logis. Elle redescendait au deuxième en apportant la robe de sa belle-sœur à sa tante Alida quand des cris effarés se répercutèrent sur les murs de l'escalier. Héloïse montait les marches, tenant au bout de ses bras maigres une cage renfermant un oiseau gris cendré qui se débattait. Elle s'était levée de bon matin pour aller quérir le perroquet dans l'ouest de la ville. Une annonce placée dans le journal avait ressuscité en elle une vieille fantaisie. La maîtresse du psittacidé était morte et la succession avait décidé de le vendre au plus offrant. Depuis le décès, l'oiseau était devenu intenable et personne n'en venait à bout. On avait voulu s'en débarrasser.

Aucun n'était au courant de la démarche singulière de la grincheuse. Tout au plus la savait-on fascinée par les moineaux qui venaient se nourrir des miettes lorsqu'elle secouait la nappe après les repas. Le wattman avait consenti à faire voyager l'animal dans son tramway, mais il craignait qu'un usager ne s'en plaigne à la compagnie des Transports et lui fasse perdre, de ce fait, son emploi. La passagère avait fait valoir que, si le conducteur avait le cœur à la bonne place, il ne pouvait censément refuser la requête d'une vieille femme inoffensive qui était prête à se refouler debout en arrière. Finalement, considérant la cohue qui voulait s'engouffrer dans son véhicule, l'employé avait cédé.

— Où c'est que tu vas le mettre, ton oiseau ? grimaça Alida.

— Près de la fenêtre de la cuisine, ça sera pas pire que toi quand t'avais fait transporter ta machine à coudre à la place de la chaise de Théo, répondit Héloïse. En installant la cage à côté de la berçante, ça va être pas mal mieux.

— Justement, j'aurais une petite réparation pour vous, matante Alida, déclara la nièce.

Rien ne servait de s'obstiner avec Héloïse ; elle en ferait à sa tête. Simone accompagna l'impotente à sa Singer, en lui apprenant ce qui venait de se dérouler au commerce.

La couturière tentait de se concentrer sur son ouvrage. Cependant, les cris du volatile la dérangeaient. Il ne s'agissait pas seulement d'une couture à reprendre, mais de commencer par un faufilage. Sa main tremblait. Elle, pourtant si adroite, était en train de gâcher le vêtement et parlait de démissionner devant la tâche difficile. Simone, croyant que ce ne serait qu'une affaire de rien, restait là à attendre. Et Paulette qui avait aussitôt agrippé le toutou de Stanislas et qui veillait sur l'enfant avant de retourner au magasin. La jambe valide de l'infirme cessa d'actionner le pédalier. Alida repoussa la robe.

— Je regrette, ma nièce, soupira-t-elle, je continuerai quand j'aurai la tête à ça.

Mais la couturière n'avait pas repris son ouvrage de tout l'avant-midi. Paulette était redescendue au commerce, absorbée par le sort de sa robe déchirée, nullement impressionnée par le nouveau locataire à plumes du deuxième. Par contre, les gens du voisinage avaient rapporté l'étrange promenade de la vieille fille Grandbois qu'on avait vue déambuler sur le trottoir, une cage pendue à ses doigts crochus. Les poursuivantes du parc Belmont étaient reparties, laissant derrière elles de quoi alimenter des journées de potinage. On discourait à présent sur deux sujets palpitants. Sansoucy n'avait pas eu le temps de se remettre de ses émotions avec les revendicatrices. Il se voyait aux prises avec des préoccupations prosaïques qui le tracassaient déjà. Ce n'est qu'à l'heure du dîner qu'il allait faire connaissance avec Nestor.

Émilienne et son mari gravirent les marches, le dos rond, les traits tendus, comme s'ils s'apprêtaient à perpétrer un cambriolage dans un domicile. Un calme étonnant semblait régner au logis. Sansoucy tourna la poignée, poussa la porte et s'avança à pas feutrés vers le coin de la table de cuisine.

— T'es mieux de pas l'approcher, recommanda Héloïse ; tu vas lui faire peur.

— Je suis chez nous ou ben pas chez nous ! commenta l'épicier.

— Tut ! fit Héloïse. Tu vas l'énerver.

Sansoucy considéra l'oiseau qui le fixait de ses yeux jaunes sans broncher. Comme pris de démence, le perroquet commença à s'arracher le plumage, à se démener furieusement dans sa baignoire, à éparpiller ses excréments.

La figure convulsée de colère, l'épicier tourna les talons et amorça un mouvement vers la porte.

— Théo ! l'interpella sa femme, t'es chez vous ici dedans.

Le maître de la maison se retourna, l'œil furibond.

— Choisissez, c'est moi ou l'oiseau ! affirma-t-il, péremptoirement.

Interloquées, les sœurs Grandbois se consultèrent du regard, comme si le sort du principal intéressé dépendait de leur décision. Mais le marchand impulsif ne pouvait supporter plus longtemps le petit conciliabule. Il passa le seuil.

— Je connais mon mari, commenta Émilienne, il va se déchoquer puis revenir dans quelques minutes.

— T'es un peu bonasse, Mili, dit Alida, ton homme vaut plus qu'un perroquet. Loïse devrait rapporter tout de suite l'animal à son propriétaire.

— La dame qui l'avait est décédée, expliqua la grincheuse. Puis un oiseau, c'est pas comme une marchandise avariée qu'on retourne au magasin. Nestor a été assez bouleversé comme ça.

Le perroquet avait cessé son étrange comportement. Héloïse était allée quérir le petit guéridon de sa chambre, l'avait installé près de la berceuse de Sansoucy. Elle posa la cage sur le meuble ovale. Émilienne avait enlevé les couverts et commencé à ramasser les saletés qui s'étaient répandues dans les assiettes avant de les laver dans l'évier.

L'heure du dîner s'écoula au rythme lent de la pendule, dans le calme rassurant du logis. Émilienne et Alida s'étaient amadouées. Les trois sœurs discutaient de l'entretien de la cage, de la nourriture pour la bête, de la vie que Nestor mettrait au logis. Théodore s'habituerait à l'oiseau. Il avait parfois de ces réactions promptes et changeait ensuite d'idée. Mais voilà qu'il n'était pas remonté. Il avait dû apaiser sa rage à gruger quelque cochonnerie dans son magasin.

Or les heures s'égrenèrent et le boucher n'avait pas décoléré. En temps ordinaire, il aurait jeté son dévolu dans le dépeçage des viandes ou dans la fabrication de saucisses, mais cet après-midi-là il avait résolu de se refroidir les sangs dans sa glacière, sans résultat concluant, toutefois.

Sa femme avait été obligée de ravaler ses paroles. Cette fois, le boucher était invisible, il avait cherché l'isolement. Émilienne avait dû servir des clientes qui le réclamaient. Léandre et Marcel avaient continué leurs livraisons sans se soucier outre mesure de leur père qui ne les importunait pas. Cependant, un peu avant la fermeture, leur mère eut suffisamment de ces enfantillages. Elle tira la porte entrouverte de la glacière. Le boucher leva ses yeux givrés.

— Que c'est que t'as pensé, Théo ? On va en avoir pour les fins puis les fous...

Il avait entrepris de transformer de belles pièces de bœuf en viande hachée.

— Tu me choques, des fois, Théo ! lâcha-t-elle, avant de regagner son logement.

* * *

Héloïse s'était découvert une vocation de pédagogue. Elle s'était acharnée une bonne partie de la soirée à l'enseignement de phonèmes et de phrases courtes. Le perroquet s'était montré mauvais élève et elle avait fini par abandonner sa leçon. Tout au plus l'animal avait-il poussé des sons percutants qui ressemblaient davantage à des cris de détresse qu'à de l'apprentissage imitatif. Malgré cela, Émilienne s'émerveillait et s'attachait à la curiosité animale. Alphonsine avait déduit que sa sœur avait dû acheter un sénile ou une tête de pioche aux faibles capacités cognitives. Irène, plus diplomate, avait tâché de faire comprendre à sa tante que l'oiseau avait subi de sévères traumatismes et qu'un temps d'adaptation serait nécessaire. Quant à Marcel, il avait vu la présence bienfaisante de la petite bête comme un épouvantail pour chasser son père du logis.

La noirceur avait allumé les fenêtres. Alida avait repris son ouvrage sous une lumière diffuse qui lui arrachait les yeux. Après la séance d'Héloïse, elle avait recommencé les faufilures de la robe échancrée dans la berçante de son beau-frère, vraisemblablement passé de son épicerie à la taverne. Il reviendrait sans doute bientôt. Les autres s'étaient retirés pour la nuit. D'un geste bref, elle piqua son aiguille dans la robe, puis jeta négligemment le vêtement de Paulette sur la cage avant de tirer vers elle ses deux cannes, d'éteindre les lumières et de gagner sa chambre.

Il faisait nuit close. Les ténèbres avaient envahi toutes les pièces de la maison, et seule la solide connaissance qu'il avait des lieux guidait les pas de l'homme avec assurance. Raccompagné par Philias Demers au pied de l'escalier, un tantinet éméché, Sansoucy s'achemina vers la salle de bain.

— Théo ! Théo ! s'égosilla le perroquet.

L'épicier sursauta. L'oiseau s'écria et s'en prit au tissu qui voilait partiellement sa maisonnette. Hors de lui, Sansoucy s'approcha. Le volatile s'excita et, tombant dans des convulsions frénétiques, se mit à picorer de plus belle la robe de Paulette. Ce faisant, l'aiguille d'Alida piqua Nestor. Les cris effroyables redoublèrent d'intensité. Clairement, ils devenaient des appels au secours.

En un rien de temps, alertée par les criaillements épouvantables, la maisonnée accourut, Léandre et David parurent en caleçon dans la cuisine.

— Théo ! s'exclama Émilienne. Prends sur toi !

L'épicier avait ouvert la cage et demeurait figé dans une position compromettante, les mains prêtes à enserrer le cou du criard.

— Mon Nestor ! s'écria Héloïse.

— La robe de Paulette, lança Alida, il y a une aiguille piquée dedans…

Pendant qu'Irène et Alphonsine tentaient de maîtriser la propriétaire du volatile, Léandre empoigna le cou de l'animal, repéra l'aiguille, la tira du plumage où elle s'était enfoncée. Puis il remit l'oiseau dans sa maison de bambou et David referma vitement la porte.

L'épisode hystérique avait épuisé Nestor. Il reposait maintenant sur le flanc, son bec recourbé sur sa mine triste, la paupière lourde battant sur son œil terrifié.

— Asteure, on va avoir la sainte paix ! exprima Marcel, les yeux boursouflés de fatigue.

Irène et Alphonsine relâchèrent Héloïse.

— Allez vous recoucher, tout le monde, dit cette dernière d'une voix maternelle, je vas le veiller un brin. Ça va lui faire du bien de sentir que je suis là.

Appuyée sur ses deux cannes, Alida contemplait les débris du vêtement. Elle s'adressa à son neveu :

— Tu diras à Paulette que je vas remplacer sa petite robe. Il y a plus rien d'autre à faire avec ça, asteure, elle est pas mal maganée. Ta mère va faire des torchons avec.

Au matin, Sansoucy émergea de sa chambre, les souliers dans les mains, toisant du regard sa belle-sœur endormie dans sa berçante ; Héloïse s'était assoupie en veillant sur la créature encagée. Un sourire de contentement étira les moustaches de l'épicier. L'oiseau, hier si vigoureux, était devenu moribond et s'achevait dans une lente respiration près d'un petit tas de graines de tournesol. Prise d'une profonde compassion, sa propriétaire avait étendu sur lui un morceau de la robe de Paulette qui donnait à penser à un drap mortuaire. Le reste de la maisonnée parut dans la cuisine, dans le plus grand respect qu'on porte aux agonisants, la tête inclinée, l'œil chagriné.

— Pensez-vous qu'il va mourir, le père ? chuchota Marcel.

— D'après moi, mon garçon, Nestor passera même pas l'avant-midi, répondit l'épicier, la voix presque joyeuse.

Héloïse dessilla les yeux.

— Je t'ai entendu, Théo, c'est pas fin, ce que tu dis ! larmoya-t-elle.

— Faut se résigner, Loïse, commenta Alphonsine, ton jacquot est ben à la veille de trépasser.

Irène avait commencé à mettre la table, et la bouilloire chauffait.

— Venez manger, tout le monde, murmura Émilienne, c'est ben de valeur de voir disparaître un oiseau rare de même, mais la vie continue pareil.

Chacun mangea dans un silence significatif, le cœur plus ou moins alourdi de sollicitude pour la petite bête qui s'éteignait.

Le déjeuner terminé et la vaisselle lavée, Héloïse confia Nestor à Alida et descendit à l'épicerie. Elle s'adressa à Paulette qui devisait avec Léandre et Marcel :

— Je sais pas trop comment excuser Nestor, mais en tout cas, si tu veux venir avec moi au magasin de coupons, tu vas pouvoir choisir du beau tissu. Je suis prête à payer pour remplacer le vêtement gaspillé. Alida aussi se sent responsable du malheur ; elle va te confectionner une autre robe.

— David pourrait fabriquer un cercueil pour votre perroquet, ricana Léandre.

— C'est méchant, ça, vraiment méchant, Léandre Sansoucy ! rétorqua la tante.

Paulette réclama la permission de l'épicier pour s'absenter quelques minutes et les femmes se pressèrent au magasin de coupons. Puis Héloïse fit un crochet à la pharmacie Désilets pour demander des conseils à l'apothicaire et rentra à la maison.

Midi sonna. Sansoucy et sa femme remontèrent au logis avec la certitude de trouver une pleureuse au chevet de son oiseau. La créature exotique éliminée, on pourrait dorénavant respirer. En peu de temps, l'atelier de chemises bleues d'Alida avait été remplacé par l'animal de compagnie d'Héloïse. On aurait enfin la quiétude recherchée au logement.

— Théo ! Théo ! s'écria le perroquet.

Nestor était bien agrippé à son chenet et semblait regarder l'épicier d'un œil défiant, tandis qu'Alida était assise à sa machine.

— Eh ben! s'étonna Émilienne. Ton oiseau a l'air de s'être remplumé pas ordinaire.

— Le pharmacien m'a préparé une décoction, faut croire que ç'a été efficace, se réjouit Héloïse.

De sa Singer, Alida avait relevé la tête vers son beau-frère. Elle coupa son fil entre ses dents. La physionomie de l'épicier s'altéra, dardant des regards courroucés vers la propriétaire du volatile.

— Loïse, ton ressuscité a besoin de filer doux parce qu'il va prendre le bord, déclara-t-il.

Chapitre 20

Émilienne étouffait. La moiteur l'accablait et lui gonflait les jambes. Heureusement que l'après-midi achevait. Les portes avant et arrière avaient beau être ouvertes, l'air stagnait dans le magasin. Par moments, le vent s'infiltrait par petites bouffées et charriait l'haleine fétide de la rue. L'épicière n'avait pas l'entraînement de son mari à tirer sa fraîche de la glacière et refusait de s'enfermer dans cet espace dont l'exiguïté l'oppressait. Elle était sortie dans la cour, s'était affaissée sur une chaise et aspirait les effluves agréables qui se répandaient au-dessus de la palissade. Germaine Gladu parut sur sa galerie.

— Vous avez chaud, hein, madame Sansoucy?

— Vous pouvez le dire, on est pas mal mieux à l'ombre. Ils ont annoncé une vague de chaleur. Ce matin, il faisait 74 au thermomètre; dans la journée, ça a dû monter à 80, peut-être même 85.

— Ça sent bon, par exemple...

— Vraiment! Vous avez planté vos fleurs?

— Comme à l'accoutumée: des géraniums puis des saint-joseph, ça va nous changer de l'odeur de vos quarts de vidange.

— Que c'est que vous voulez? Avec la chaleur qu'il fait, on a de la perte avec les fruits et les légumes.

— Puis, dites-moi donc, à propos du perroquet de votre sœur Héloïse, est-tu à la veille de s'en défaire, coudonc? Je vous demande ça parce que tout le monde est pas mal tanné de se faire écorcher les oreilles du matin au soir. Moi, à votre place...

— Faut s'habituer, madame Gladu. Moi, c'est rendu que je l'entends presque plus. Mais j'entends miauler votre vieux matou, par exemple.

Le moteur d'un camion engagé dans la ruelle coupa la conversation.

— Tiens, de la visite de la campagne, madame Sansoucy !

Placide était sorti du véhicule et tenait la portière. Un autre religieux et Florida en descendirent. Elzéar se gara près de la palissade et rejoignit ses passagers. Les voyageurs venaient de l'Oratoire. Ils avaient eu le privilège de rencontrer le frère André. Placide exultait.

Émilienne alla prévenir son mari et gagna le logement avec la compagnie.

— Dehors ! s'écria le volatile.

Nestor délaissa son chenet de métal et s'élança dans un coin de la cage. De ses yeux jaunes, il promenait à présent des regards effarés sur les étrangers.

— Pauvre bête, vous l'avez effarouchée, dit Héloïse.

Elzéar Grandbois tenait son canotier et cherchait un endroit pour s'en débarrasser. En sueur, de ses gros doigts de fermière, Florida décolla sa robe de son corps gras.

Alida surveillait les arrivants afin que personne ne dépose son couvre-chef sur sa machine à coudre. Puis sa belle-sœur enleva son grand chapeau de paysanne et le jeta sur la cage.

— T'es mieux de l'ôter de là parce que l'oiseau va picosser dedans puis il va le démantibuler, recommanda Alida. Je l'ai appris à mes dépens…

Placide présenta Éloi, un autre taciturne aux traits fins dont les grands yeux pers s'égaraient vers lui. Le jeune homme au physique avantageux paraissait bien élevé, se contentant de réponses laconiques et ne posant aucune question. Elzéar avait accepté de conduire les deux religieux au camp d'été des Sainte-Croix, à l'occasion de la fête des Canadiens français. Les quatre voyageurs partiraient au petit jour, le lendemain.

Héloïse donna des cacahuètes et des morceaux de pomme à Nestor et se mit aux chaudrons. Afin de ne pas énerver l'oiseau, on se déporta sur la galerie. Émilienne servit une limonade composée de citron et de sucre, et s'assit près de son fils.

— Je me demande des fois comment vous faites pour porter une robe noire par des chaleurs de même et l'humidité qu'il fait, exprima-t-elle.

— On va aller se rafraîchir au lac, maman, répondit Placide.

— On est encore au mois de juin, ça doit pas être ben chaud pour se baigner.

— Éloi et moi, c'est le seul temps qu'on a pour prendre des petites vacances.

Marcel avait été prévenu de la visite. Rien ne pressait pour monter souper. Il serait ainsi peu de temps avec Placide et son confrère avant de rejoindre Amandine. Cependant, il avait mal estimé son temps. La visite désirait se coucher tôt. La table était déjà mise. On n'attendait que lui pour le bénédicité. Pour combler un vide, Émilienne avait engagé la conversation sur ses amourettes et sa sortie pour aller fêter la Saint-Jean-Baptiste. Quand il parut dans la salle à manger, il réalisa qu'on parlait de lui. Sitôt le retardataire assis, son père entama la prière.

Irène lui avait réservé une place qui le mettait à la gêne. Le propos ne le concernait plus, mais intéressé par le jeune livreur Éloi le couvait à la dérobée, le reluquant de ses yeux bleu-vert. Placide s'en aperçut et jeta sur son confrère un œil désapprobateur qui le fit rosir d'embarras.

— On pourrait vous accompagner, ta blonde et toi, pour fêter la Saint-Jean, risqua-t-il. N'est-ce pas, Placide ?

— Le parc Jeanne-Mance est loin dans la ville, s'opposa le religieux.

— Ça me fait rien, moi, les petits gars, intervint Elzéar, mais oubliez pas qu'on part de bonne heure demain matin pour le lac Nominingue. C'est pas à la porte, vous savez.

— Pour bien faire, vous devriez en profiter pour aller écouter la fanfare, commenta Héloïse, ça va être plus tranquille dans la maison pour Nestor.

Irène, Alphonsine et Alida approuvèrent d'un signe de tête énergique. Cependant, Émilienne se désolait à la pensée qu'on lui enlève son fils.

— Quelle bonne idée ! scanda l'épicier. Justement, Léandre travaille pas à la taverne ce soir, il pourrait vous emmener avec Paulette dans son camion. Et si David et Simone veulent vous accompagner, on garderait volontiers le petit.

Le temps de s'organiser, les deux Sainte-Croix et les quatre colocataires se joignaient à Marcel et Amandine, et le véhicule de livraison – sa banquette et sa boîte pleine de festivaliers – cahotait vers le parc Jeanne-Mance.

La chaleur ne s'était que peu dissipée au soir de cette journée avoisinant le solstice d'été. De rares nuages effilochés traînaient leurs savates dans le ciel. Au cours de son trajet, sa Paulette serrée contre lui, Léandre se remémorait sa joyeuse équipée avec la serveuse de l'*Ontario's Snack-bar* et le plaisir des sens qu'il avait éprouvé à s'ébattre dans la nature. Mais l'escapade avait mal tourné. À mesure qu'il s'approchait de la montagne, son souvenir exquis s'émoussait et le visage de Gédéon Plourde se dessinait dans sa mémoire.

Marcel avait choisi de s'asseoir en avant avec Amandine; il n'avait pas voulu supporter plus longtemps le regard dévorant d'Éloi. Sur la banquette du Fargo, il ressentait une certaine fierté, s'étonnant encore de la proposition de son père de fêter la Saint-Jean. L'impitoyable épicier était-il en train de considérer autrement son éternel souffre-douleur, de penser qu'il ne méritait pas ses brimades et de comprendre qu'il accédait lui aussi au monde des grands? Quoi qu'il en soit, son adolescence s'effritait derrière lui et il se voyait devenir un homme, un peu à l'image de Léandre.

Le soir avait répandu un peu de ses ténèbres. Dans la boîte de la camionnette, le jour faiblissait par les deux petites lunettes des portières et faisait pâtir les quatre autres passagers malmenés comme de la marchandise, écrasés de touffeur. Simone se rappela sa récente sortie avec Paulette. Elle aurait préféré se rendre au parc Belmont et débourser vingt-cinq cents pour se trémousser au rythme de la musique de danse de Stan Wood, plutôt que d'assister au concert gratuit de la fanfare au parc Jeanne-Mance. Mais l'idée n'aurait sûrement pas convenu aux deux religieux. D'ailleurs, depuis leur départ de la rue Adam, Éloi n'avait pas détaché son regard de David. S'éprenait-il à présent de son mari après s'être entiché de ses frères?

David avait envie de sauter du véhicule en marche; il ne pouvait plus tolérer le harcèlement des pupilles d'Éloi qui le dénudaient. Il sortit un flacon de la fesse de son pantalon, le déboucha, avala une lampée de whisky, avant de s'essuyer les lèvres du revers de la main et de lui tendre la précieuse bouteille.

— Touche pas à ça! le réprimanda vertement Placide. Es-tu en train de perdre la tête?

Le frère Éloi but une goulée et s'épongea la bouche avec la manche de sa soutane.

— Je ferai bien ce que je voudrai, rétorqua-t-il. On fête ou bien on fête pas!

Le religieux reprit une gorgée et remit le contenant à l'Irlandais.

— Le plaisir commence, dit Simone, moi aussi je vas me rincer le dalot.

La jeune femme arracha le flacon des mains de son mari et but à son tour.

— Petite dévergondée ! commenta Placide.

Ce qui se déroulait dans la boîte de la camionnette dépassait son entendement. La chaleur, la destination festive et la promiscuité des occupants donnaient lieu à de fâcheux débordements qui soulevaient son indignation. Il se mit à bouder.

Le Fargo se stationna. Léandre alla ouvrir toutes grandes les portières de la caisse.

— Pouah ! Ça sent la tonne, là-dedans ! prononça-t-il.

Trois de ses passagers se ramassèrent et descendirent en s'agrippant aux portières. Puis, d'un pas incertain, ils rejoignirent Paulette, Amandine et Marcel.

— Je vais attendre dans le camion, protesta Placide.

— T'es ben cave, maudit constipé ! récrimina Léandre. Pour une fois que t'as l'occasion de lâcher ton fou ! Fais donc comme tout le monde ; regarde Éloi, il est ben plus déniaisé que toi, lui.

— Ça le concerne, mais après il s'arrangera avec ses problèmes, balbutia l'admirateur du frère André.

La mine fâchée, Léandre fit claquer sans ménagement une des portières.

Les musiciens poussaient quelques notes, le concert allait commencer. Devant lui, la compagnie s'éloignait, guidée par les sons discordants des clairons et des trompettes entrecoupés de brefs roulements de tambours. Simone, David et une soutane ondoyaient vers les gens qui s'attroupaient en nombre.

Simone entraîna David, Amandine et Marcel sur la pièce d'étoffe que Paulette étendait. Amusé par le comportement risible de frère Éloi, Léandre s'écrasa avec lui dans l'herbe et sortit son flacon.

— Encore un petit coup ? demanda-t-il, en dévissant le bouchon.

Le Sainte-Croix dodelina de la tête. Ses idées s'emmêlaient, les interdictions se maillaient au plaisir. En un instant, toutes les admonestations, les réprimandes, les diatribes et autres reproches de même nature assaillirent sa conscience et le forcèrent à séparer le bien du mal. Ses yeux noyés d'égaiement dévisagèrent Léandre ; il porta le contenant à ses lèvres.

Sur la couverture, les garçons avaient la paix. Les deux proies avaient fui le regard insistant du prédateur. Marcel avait accepté de goûter à l'élixir de David et ils partageaient à présent le même agrément. Tout comme Amandine, Paulette avait opté pour la sobriété et observait Simone qui avait choisi de se griser un peu. Elle venait de se relever et dansait au rythme des cuivres et des percussions. Paulette avait pensé oublier ses migraines en se joignant aux garçons assis dans l'herbe, mais elle craignait que la boisson ne fasse ressourdre ses maux de tête.

La fanfare s'était tue. Les musiciens rangeaient leurs instruments et la foule se débandait lentement. Le petit groupe retourna au Fargo avec cinq de ses fêtards émoustillés. Placide s'était dégourdi les membres, s'était assis dans la boîte du camion et balançait mollement les jambes dans le vide. Il sauta sur ses pieds quand il vit la formation indisciplinée progresser vers lui.

— Vous avez saoulé mon confrère, s'indigna-t-il.

— Eille! répliqua Léandre, Éloi était un peu chaudasse en partant du *truck* tout à l'heure. Viens pas mettre ça sur notre dos, OK?

Le chauffeur tâta ses poches, en extirpa sa clé et, le pas mal assuré, entreprit de regagner son siège. Placide l'apostropha.

— Tu ne vas pas conduire dans un état semblable! souffla-t-il. Des plans pour nous tuer toute la gang…

— Tu t'énerves pour rien, le frère, rétorqua Léandre. C'est pas la première fois que je conduis. Ferme ta gueule, puis monte en arrière comme un grand garçon.

David et Simone avaient pris place dans le fourgon, adossés au mur, la tête dolente. Placide aida son compagnon et s'engouffra. Avant même qu'il n'eut le temps de refermer les portières, la camionnette démarrait prestement.

Habituellement en confiance avec son mari au volant, Paulette se cramponnait au tableau de bord et surveillait la circulation de près; les manœuvres de Léandre l'apeuraient. Les arrêts loupés, la vitesse excessive, les dépassements risqués, rien ne semblait mettre un frein aux petites audaces du chauffard. Quant à Amandine, elle se soumettait aux indiscrétions commises par la main baladeuse de Marcel et paraissait ignorante du danger que la bande encourait. Et, dans la boîte où l'obscurité s'était épaissie, Placide remuait nerveusement les lèvres en égrenant son chapelet.

La camionnette reconduit Amandine chez elle et se stationna sans anicroche devant l'épicerie-boucherie. Les colocataires regagnèrent leur logement. Marcel et le frère Éloi, soutenu par Placide, gravissaient les degrés, comme certains croyants montent les marches qui mènent à l'Oratoire, en faisant de courtes stations et en psalmodiant des incantations.

Émilienne avait déjà ramené le petit chez sa fille. Toute la soirée, Stanislas et Nestor s'étaient égosillés chacun à leur manière.

L'atmosphère étant devenue insupportable, Sansoucy s'était réfugié à la taverne et la maîtresse de maison, voyant les visages effarés qui blêmissaient dans son logis, avait résolu de séparer l'enfant de l'oiseau. Par la suite, le calme était revenu dans la chaumière. Elzéar et Florida s'assoupissaient dans le salon, les trois vieilles filles Grandbois s'étaient retirées pour la nuit et Sansoucy, revenant du débit de boissons, avait ruminé des idées sombres pour se débarrasser du perroquet. Alida avait terminé la robe de Paulette. On avait pu ranger la Singer et replacer la berçante. La tête dolente, l'homme trônait dans sa chaise en pensant à tout le monde qui dormirait chez lui et à la chaleur étouffante qui régnait. Il avait décidé d'ouvrir la porte qui donnait sur la cuisine et d'entrouvrir celle de la cage. Jusque-là, Nestor avait craint le regard exterminateur de l'épicier ; il était demeuré bien sagement entre ses barreaux de bambou. Mais un rien effaroucherait l'animal.

Marcel et les deux religieux traversèrent le seuil du logement. Placide referma. Quand il se retourna, il vit son confrère pendu au cou de Marcel.

— Éloi ! s'écria-t-il.

Sansoucy se redressa brusquement dans sa berçante. Pris d'épouvante, l'oiseau quitta sa maisonnette de bois et s'envola par la porte du logis. Toute la maisonnée parut dans la cuisine.

— NESTOR ! aboya Héloïse, les narines palpitantes, les yeux exorbités de frayeur.

— Que c'est que t'as pensé ? dit Émilienne.

Abasourdi, l'épicier se défendit :

— Ben il faisait chaud pour tout le monde, la pauvre petite bête avait besoin d'air, elle aussi, plaida-t-il.

— Popa, vous auriez pu juste retrousser la guenille sur le dessus de la cage, le réprimanda Irène.

— T'en as fait une belle, ricana Elzéar. Asteure que les petits gars sont revenus, on devrait se coucher. Demain matin va venir vite.

Émilienne revint du troisième et remarqua l'allure de Marcel et du frère Éloi qui peinait à se tenir droit, la bouche béante et les yeux avinés.

— Marcel! explosa-t-elle, si c'est Dieu possible. Coudonc, t'es rendu comme ton père, asteure. Je vas t'en faire une, Saint-Jean, moi. Puis le frère Éloi qui se tient pas debout; vous faites honte à votre communauté. Placide, l'interpella-t-elle, t'as rien pris, toi, j'espère?

— Je vous le jure, maman, pas une seule goutte.

Il faisait maintenant nuit close. Héloïse était descendue avec la cage suspendue au bout du bras et elle déambulait lentement dans la ruelle en larmoyant des appels de détresse. Peut-être la liberté de son oiseau se chargerait-elle d'effroyables regrets et le volatile reviendrait-il auprès de la main qui le nourrissait?

Au petit matin, avec leurs maigres bagages, les Sainte-Croix se glissaient sur la banquette à côté de Florida et le camion mettait le cap sur les Hautes-Laurentides.

Chapitre 21

Le camion d'Elzéar avait délaissé la grand-route et s'était enfoncé dans la forêt épaisse. Il roulait à présent sur les étroits chemins caillouteux, sillonnant les routes tortueuses, contournant les plans d'eau, meurtrissant le flanc des montagnes. Sur la banquette, Florida croupissait. La nuit avait été courte et perturbée, et elle combattait la chaleur qui l'assoupissait. Son mari n'avait pas assez de ses deux yeux pour surveiller ; des panaches pourraient surgir des bois à tout moment.

Le manque de sommeil avait réduit les religieux au silence. Trop d'années de contraintes et de frustrations avaient mené le frère Éloi à des écarts de conduite, mais une bonne confession assortie de ses pénitences effacerait toutes ses fautes et le remettrait sur la bonne voie. Placide ne lui avait pas pardonné ses légèretés. Il s'était replié dans une brouillerie passagère. Le temps des explications viendrait.

Les confrères descendirent et récupérèrent leur petite valise dans la boîte du camion.

— Avoir su ! soupira Florida. Je vas m'en rappeler, de ce damné voyage-là…

— T'avais juste à rester à Montréal, je te l'avais dit qu'on s'en allait au bout du monde. Mais tu voulais te changer les idées…

Le couple débarqua. Placide se tourna vers son oncle et sa tante.

— Venez au moins vous rafraîchir un peu avant de repartir, recommanda-t-il.

C'était l'heure du dîner. Les voyageurs se dirigèrent vers le chalet principal, un bâtiment sombre lambrissé de planches vermoulues. Sur la galerie, tablier noué au cou, un religieux ventru au nez prodigieux les accueillit. Florida demanda à se désaltérer avec une limonade. Le frère Magloire avait de la parenté à Ange-Gardien et désirait qu'on lui rapporte les potins du village. Il invita les Gardangeois à le suivre au réfectoire.

Bon vivant, le frère Magloire aimait la bonne table, rire et palabrer sur tous les sujets. Mais le temps s'écoulait, et Elzéar et Florida n'étaient pas repartis. Entre-temps, des activités s'étaient organisées pour les campeurs. Des équipes de joueurs s'affronte-raient au ballon. Des randonneurs s'engouffreraient dans la forêt. Certains mettraient les canots à l'eau pour taquiner la truite à la brunante et les moins frileux avaient opté pour la baignade. Le réfectoire s'était pratiquement vidé de ses vacanciers. Placide et Éloi étaient sortis sur la galerie et discutaient de leur choix.

— Si tu veux rester là à contempler le paysage, frère Sansoucy, c'est ton affaire, exprima Éloi. Mais moi, je vais me baigner.

— C'est dangereux pour des crampes, on est supposés attendre trois heures, rétorqua Placide.

Éloi empoigna sa petite valise et s'éloigna d'un pas décidé vers une habitation qui comportait plusieurs chambrettes individuelles. Au bout de quelques minutes, il en ressortit vêtu d'un maillot marine, son corps svelte entouré d'une serviette brune. Planté sur la galerie, les yeux embués, Placide observait son compagnon s'acheminer vers la plage. Il aurait aimé le suivre et s'ébattre dans l'eau avec lui. Mais la présence d'autres baigneurs l'incommodait. Et puis il convenait de saluer son oncle et sa tante. Il retourna au réfectoire.

À force de débrouiller ses liens avec les habitants d'Ange-Gardien, le frère Magloire s'était découvert un cousinage avec les Grandbois. Leurs aïeuls maternels étaient de petits cousins établis au siècle dernier sur des terres contiguës. Un jour, le plus malin des deux avait revendiqué une parcelle de terrain et provoqué son voisin en duel. Cependant, le plus sage des antagonistes se présenta sans arme, le sourire aux lèvres. Et la rencontre s'était terminée par une bonne poignée de main.

Florida écoutait d'un air exaspéré le placotage des hommes en sirotant sa limonade. En temps ordinaire, elle n'aurait rien manqué de ces détails savoureux dont s'abreuvaient les langues comme la sienne, mais le récit du combat singulier l'avait laissée perplexe ; l'histoire relevait plus de la légende que de la réalité. Animé par une irritation croissante, Placide avait rejoint les siens et ne cessait de penser à celui qui cherchait par tous les moyens à s'éloigner de lui. D'ailleurs, il ne comprenait pas pourquoi s'étaient subitement détériorées leurs relations harmonieuses. Cela lui faisait mal. Il songea à décamper et à rentrer à Saint-Césaire avec son oncle. Cependant, personne n'aurait compris son retour soudain. Il alla à la fenêtre.

Éloi était sorti de l'onde. Il avait enfilé un pantalon beige et jouait torse nu au ballon dans la cour. Placide observait les jeunes religieux se dépenser à ce jeu viril dont il n'était pas friand. Le plaisir qu'ils semblaient éprouver lui fit serrer les lèvres. Pourquoi était-il incapable de se livrer à ces activités ludiques et de s'amuser comme les autres ? Il demeurait là, sage comme une image, à se détester comme il était, un faible, un mou, une mauviette.

L'après-midi s'égrena derrière les contreforts de sa frustration. Les Gardangeois avaient levé l'ancre avant le souper. En ce début d'été, le jour se couchait tard. Ils feraient un bon bout de chemin à la clarté. Éloi avait soupé avec des camarades et lui avait annoncé qu'il participerait au feu de camp en soirée. Placide était resté dans la cour, à suivre muettement les préparatifs, sans même apporter une branche, sans même remuer une brindille. De tout l'après-midi, il n'avait pu respirer l'odeur des fleurs sauvages et, dans la brise du soir, il ne pourrait déambuler avec son ami à l'orée du bois, à humer les effluves musqués de sapinage. Un trouble l'envahit. Il résolut de gagner sa chambre et s'installa avec un livre de piété.

Il avait éteint la lumière et refermé son bouquin sans marquer la page, comme le lecteur indifférent à tout ce qu'il venait de lire. La noirceur remplissait la pièce froide et austère. Il n'avait conservé que son caleçon et s'était allongé sous le drap, sa tête éperdue reposant dans ses mains jointes sur l'oreiller. Que faisaient ces campeurs autour d'un feu qui éclairait la nuit ? De quoi parlaient-ils ? S'était-il noué des amitiés particulières ? Éloi poussait-il l'insolence jusqu'à s'attacher à un autre et lui faire mal ? S'était-il épris de ce frère Ulric, un postulant à la mine fort plaisante qui se tenait souvent près de lui ? Des bruits le tirèrent de ses tristes jongleries. Des rires fusèrent dans le chalet. Peu après, des pas se pressèrent dans le corridor. Des portes s'ouvrirent, se fermèrent et, puis, plus rien.

Placide hésitait. Son pouls avait augmenté et lui battait follement aux tempes. Il s'était pourtant promis de frapper à la chambre voisine et d'avoir un entretien avec Éloi, pour savoir à quoi s'en tenir dans cette relation qui tournait à la dérision. N'avait-il pas retourné dans tous les sens les mots qui se bousculaient dans sa gorge et entravaient sa respiration ? Il avait décidé de dire sa façon de penser. Que s'était-il produit pour qu'il l'abandonne comme des savates éculées ? Il était seul à se débattre avec ses tourments. Demain, Éloi inventerait une autre excuse. Cela ne pouvait plus durer. Il se leva, entrouvrit. Ses yeux fouillèrent l'obscurité. Personne ne venait. Il parut dans le corridor et se dirigea vers la chambre d'Éloi.

Un ronflement sourd et monotone se répercutait sur les murs de la pièce étroite. Un faible rayon de nuit baignait la chambre. Vraisemblablement couché sur le dos, Éloi dormait d'un sommeil profond. Placide s'avança doucement vers le lit. Un moment, il demeura dans les demi-ténèbres, immobile, à imaginer le visage qui l'avait fui, à contempler sa beauté, à ressentir son haleine caressante. Soudain, la respiration du dormeur s'altéra. Sa bouche resta entrouverte, comme figée dans un appel au désir. Il fallait agir rapidement pour éviter un réveil hâtif et brutal. Le sexe tendu vers le plaisir, le corps frémissant, l'intrus se pencha et posa ses lèvres brûlantes.

Éloi se réveilla brusquement, se débattit en repoussant la figure qui entravait son souffle et se précipita à la fenêtre.

— Placide !

— C'est bien moi, mon cher, lança l'importun, le cœur palpitant.

— Baisse le ton, s'il fallait qu'on nous entende…

— Ta porte n'était pas verrouillée, tu espérais peut-être quelqu'un d'autre ? persifla Placide. Tu ne t'imaginais quand même pas te débarrasser de moi aussi facilement. Eh bien non, détrompe-toi ! Après tout ce que tu m'avais laissé entendre. Tu es un profiteur, Éloi Desmarais. Tout ce que tu souhaitais, c'est que mon oncle Elzéar nous amène au lac parce que tu ne voulais pas rester au collège tout l'été. Tu t'es fiché de moi d'un bout à l'autre, admets-le. Je le vois bien maintenant que tu ne t'intéressais pas à moi. Pour commencer, c'étaient mes frères que tu trouvais à ton goût ; ensuite, ça a été des camarades de jeux. Puis moi là-dedans, j'étais le dindon de la farce. Tu m'as berné sur toute la ligne, je ne te le pardonnerai jamais.

Après des remontrances proférées sur un ton acerbe, le frère Sansoucy se mit à geindre doucement. Éloi s'approcha de la silhouette recroquevillée qui baignait dans la lumière diffuse.

— Pauvre toi, je t'ai négligé, dit-il d'une voix doucereuse.

— Ne me touche pas ! réagit Placide, en rejetant vigoureusement la main qui s'allongeait vers lui.

— T'as pas l'air de savoir ce que tu veux, rétorqua sèchement Éloi. Ça adonne bien parce que, vois-tu, faut que je me lève tôt demain matin. Avant la messe, j'ai justement une partie de pêche organisée avec des amis.

Le visage éploré, le frère Sansoucy regagna sa chambre. Il s'étendit sur son lit, fixant la fenêtre de ses yeux embués. Dans quelques heures, le jour naîtrait.

Au petit matin, après une nuit tourmentée, il fut tiré de sa couchette par des bruits. Il s'habilla, attendit que des pas s'éloignent et s'engagea dans le couloir entre les portes closes. Des voix s'animaient sur la galerie. On s'apprêtait à quitter le chalet. Les yeux plissés dans l'ombre, Placide observa le dos des pêcheurs qui descendaient sur la plage avec leur gréement.

Le tintement d'une cloche annonça le réveil. Les paupières lourdes, le frère Sansoucy étira ses membres gourds, revêtit son pantalon et sa chemise. Après un brin de toilette, il sortit du chalet.

La petite chapelle s'emplissait de religieux de tous les âges. Agenouillé à l'arrière, Placide surveillait l'entrée des jeunes frères et des postulants. Mais il ne reconnaissait aucun de ceux qu'il avait remarqués un peu plus tôt en compagnie d'Éloi. Pas même ce frère Ulric qui était descendu sur la rive avec son ami ce matin. Il s'absorba dans les prières de la célébration, néanmoins troublé par l'absence des pêcheurs.

Après la messe, il se rendit au réfectoire, inquiété par le retard d'Éloi. S'était-il retiré à l'écart sur la plage invitante avec cet Ulric préféré? Les autres surgiraient assurément pour déjeuner et se défendraient de mille excuses pour expliquer leur manquement à l'office matinal. Il s'installa à une table, un peu en retrait, et entama sa rôtie.

Le frère Magloire avait perdu son air jovial. Il ne manquait qu'un petit groupe de retardataires qui avaient résolu d'ignorer ses consignes ou qui s'étaient éloignés imprudemment des berges du lac. Debout à la fenêtre, il jetait sur la cour cette mine tracassée du bon père de famille qui s'inquiète de son enfant, et se retournait vers la salle en refaisant inutilement le décompte de ses campeurs.

Placide grignotait son pain grillé. Dans l'inconfort de son lourd silence, il tentait de reconstituer la scène nocturne de la chambre d'Éloi, ressassait les brèves paroles échangées, les gestes brusques de refus, les pleurs, le désenchantement, la déception. Il lui en avait voulu le reste de la nuit. Pendant la messe, il s'était efforcé d'oublier les blessures. Mais il n'avait retenu que les promesses non tenues, les liens rompus, la souffrance de l'amitié brisée. Son pain sec lui gratta la gorge. Il faillit s'étouffer. Il but une gorgée de lait.

— Les voilà ! s'exclama le responsable du camp.

Le frère Magloire sortit et descendit les trois marches qui donnaient sur la cour. À une centaine de pieds, la tête basse, des pêcheurs s'amenaient lentement avec leur attirail. Derrière, quatre d'entre eux portant une masse inerte s'avançaient funestement. Le cortège s'immobilisa. Frère Ulric parut au réfectoire, le visage défait. La clameur s'estompa.

— Notre frère Éloi s'est noyé, exprima-t-il. L'embarcation a chaviré. Malheureusement, il ne savait pas nager ; je n'ai pu le sauver.

* * *

La mort dans l'âme, Placide avait attendu au lendemain de la cérémonie funéraire célébrée par l'aumônier pour rentrer à Montréal. Le responsable du camp lui avait proposé de l'accompagner pour annoncer le décès à la famille. Bien que le jeune religieux admît une certaine amitié avec le frère Éloi, il avait décliné la demande, soutenant qu'il se sentait incapable d'accomplir une tâche qui lui paraissait au-dessus de ses forces. D'autant plus que le frère Ulric serait du voyage, lui, le témoin oculaire de la noyade. Le frère Magloire avait insisté. Placide avait dû accepter.

Sur la banquette arrière de la camionnette, la mine renfrognée, le fils de l'épicier assistait, impassible, au défilement des arbres. Depuis le départ du camp, le conducteur abreuvait son passager avant d'anecdotes et de balivernes. Il avait voulu éviter le sujet du drame, pourtant si présent encore. Mais on approchait de Sainte-Anne-de-Bellevue. Il fallait s'entendre sur le récit exact des événements. Dans les circonstances, quels mots seraient les plus appropriés ? Qui s'exprimerait en premier ? Heureusement pour lui, Placide n'avait pas été témoin de la noyade. Il n'avait pas vu son camarade se débattre, crier au secours, avant de s'enfoncer dans les flots du lac Nominingue. Sa peine aurait-elle été plus profonde s'il avait été là, dans la chaloupe, au lieu de cet Ulric qui avait pris sa place dans la vie d'Éloi ? Il n'aurait pu le dire.

Le véhicule sombre se gara devant une modeste maison fleurie de pétunias et de lupins. Un rideau s'écarta de la fenêtre. Un couple parut sur le perron. Madame Desmarais, une petite femme rieuse, devança son mari, un grand maigrichon, et se pencha à la portière de la camionnette.

— J'ai tout de suite deviné qu'une voiture de la communauté se stationnait chez nous, s'exclama-t-elle. Mais, dites donc, je pensais voir mon Éloi…

L'arrivée ne s'était pas produite comme les religieux l'avaient prévu. La femme se redressa et recula de quelques pas, comme si elle avait pressenti un malheur. Le frère Magloire et le frère Ulric débarquèrent et s'avancèrent vers la mère que son mari avait rejointe. Placide refusa de descendre. Il n'avait rien à dire pour expliquer le déplorable accident.

Le responsable du camp avait entraîné les parents vers l'intimité de la maison. Sur le perron, il enroberait ses premiers mots de gentillesse et de douceur et laisserait au lourd silence le temps de faire son œuvre.

Mais la mère avait deviné l'horrible destin de son fils. Desmarais enveloppait à présent son épouse qui pleurait à fendre l'âme. La communauté avait fait le nécessaire. Le corps du défunt serait rapatrié. Pour l'heure, des funérailles dignes de ce nom avaient été célébrées par l'aumônier du camp.

* * *

En fin de soirée, la camionnette de frère Magloire se dirigeait vers la rue Adam, laissant le fils de l'épicier seul avec son petit bagage et sa douleur. Placide était content de voir s'éloigner le véhicule transportant le détestable Ulric. Mais la hargne qui l'habitait ne se dissiperait pas pour autant. Tout le long du voyage, il avait roulé dans sa tête des pensées tristes et amères sur les regrettables événements qui avaient entraîné la disparition d'Éloi. Il enfilait la ruelle sombre comme le voile qui enveloppait sa vie. Il marchait d'un pas lent et grave vers le domicile de ses parents. On serait étonné de le voir revenir du camp aussi vite, mais heureux de l'accueillir. Il leur raconterait l'incident, on sympathiserait avec la famille du noyé. Mais personne ne serait capable de mesurer la profondeur de la peine qui l'affligeait.

Des rangées de silhouettes étaient penchées sur les rambardes. Des étages de locataires paraissaient sur les galeries. En bas, dans la cour voisine à celle des Sansoucy, Héloïse pleurait. Le matou de Germaine Gladu venait de rapporter Nestor sur le seuil de sa porte. L'oiseau avait erré des heures pour chaparder quelque nourriture et n'avait rien trouvé. Il était revenu en rase-motte sur la palissade mitoyenne, exténué, incapable de s'envoler jusqu'au deuxième. Là, il s'était tenu en équilibre, le temps de tomber d'épuisement du mauvais côté de la clôture de bois.

— Ôtez-moi ça de là au plus sacrant! s'indigna la dame.

— Ah ben, regardez donc! Un revenant! lança Léandre à la cantonade.

— Seul, si je me trompe pas, ricana David. Il a dû mal se comporter avec son ami, puis on l'a ramené.

— Riez pas, les garçons, intervint Irène, on est en plein drame avec l'oiseau.

Paulette avait éprouvé un dégoût profond de voir le volatile, et Simone était accourue près de son fils soudainement réveillé. Alphonsine et Alida se préparaient à remonter le moral de leur sœur éplorée. Émilienne exultait.

— Théo, pendant que je m'occupe de Placide, va donc ramasser Nestor, dit-elle.

L'épicier demanda à Marcel de se munir de gants et de déposer le cadavre dans un sac de papier brun.

— Asteure, le père, commenta Léandre, pour faire plaisir à matante Héloïse, vous devriez le faire empailler.

Lancée sur le ton de la badinerie, la proposition fut retenue par Héloïse, qui suivait à présent le porteur du sinistre colis et qui remontait au logement.

Alida, qui voyait l'occasion rêvée de faire le deuil définitif de son chantier de couture, alla dégoter quelques retailles de chemises bleues et les apporta à son beau-frère. Sans perdre de temps, le boucher gagna son magasin.

Dans la lumière glauque qui baignait son étal, Sansoucy aiguisa son couteau à dépecer préféré. Au début de l'opération, il pratiquerait une petite incision dans le cou du volatile pour le saigner. Ensuite, il lui entaillerait le ventre et le viderait de ses entrailles. Finalement, il le suspendrait pendant quelques jours pour le faire sécher. Il ne resterait qu'à le gaver de tissus dans les moindres replis de son anatomie.

Satisfait de son travail de taxidermiste amateur, Sansoucy alla jeter le contenu de ce qu'il avait recueilli par-dessus la palissade. Le gros mâle de la voisine s'en délecterait.

Au matin, l'épicier était de fort belle humeur : le perroquet avait enfin trépassé. Désormais, Nestor n'empoisonnerait plus son existence. Marcel et Léandre devisaient ensemble au comptoir devant Paulette, dégoûtée de ce qu'il était advenu de l'infortunée petite bête. Appuyé au chambranle de sa glacière entrouverte, le boucher pérorait sur l'épisode de l'oiseau avec Philias Demers lorsque la première cliente de la journée surgit au magasin. La place devint silencieuse.

— On dirait que tout le monde se tait quand j'arrive, observa-t-elle.

— On a assez placoté de même, il faut se mettre à l'ouvrage, rétorqua Léandre. Surtout que ma mère est restée en haut avec mon frère Placide.

— Ça fait longtemps que je l'ai vu, celui-là !

— Ça a pas adonné que vous le voyiez parce qu'il était aussi dans les parages l'autre jour.

— Qu'est-ce qu'on peut faire pour votre bonheur, mademoiselle Lamouche ? demanda le boucher.

La vieille fille se déporta vers la boucherie ; elle eut un regard dédaigneux. Dans son emballement, Sansoucy réalisa qu'il n'avait pas refermé la porte de sa glacière. Il la repoussa vitement.

— Je perds la boule ou quoi ? s'étonna la demoiselle d'une voix troublée. On dirait que j'ai vu un oiseau suspendu au plafond par les pattes…

— C'est le perroquet de ma tante Héloïse que mon père fait vieillir pour la viande, railla Léandre.

— Laissez faire, je vas vous rapporter à l'inspecteur, puis votre réputation va en prendre un coup ! Jamais je remettrai les pieds dans votre magasin, s'insurgea-t-elle, avant d'amorcer le pas vers la sortie.

— Attendez une minute ! s'écria Sansoucy, en s'élançant vers la cliente.

Tordus de rire, Marcel et Léandre regardaient leur père se dépêtrer dans ses explications, tandis que Demers demeurait bouche bée devant la scène. Dans un de ses rares moments de présence d'esprit, Paulette s'approcha de la demoiselle.

— Mon mari est un blagueur! rassura-t-elle. Moi qui suis dédaigneuse, pensez-vous que j'accepterais de travailler dans une épicerie-boucherie où on vend de la viande de perroquet? Jamais de la vie…

Mademoiselle Lamouche se ressaisit et revint sur ses pas. Cependant un doute subsistait, et elle se devait de partager ce qui l'avait fait frémir d'indignation.

L'escapade de Nestor avait provoqué toute une commotion dans le voisinage. Après une fugue de quelques jours du perroquet, le matou de Germaine Gladu l'avait attrapé quand il revenait à la main nourricière de la vieille fille Grandbois. Le boucher s'était départi de la dépouille en la mettant aux vidanges et ce que mademoiselle Lamouche elle-même avait répandu pour se montrer intéressante n'était que pure fabulation. Il y avait des limites à inventer des histoires…

Le temps était venu de compléter la momification du volatile. Un soir, à l'insu d'Héloïse qui profitait des derniers jours du passage de Placide au logis, Théodore Sansoucy redescendit au magasin avec Alphonsine. Le séchage de l'oiseau terminé, Sansoucy procéda au bourrage. Ensuite, munie d'un fil solide et de son dé à coudre, sa belle-sœur raccommoda les deux moitiés de l'oiseau.

— Nestor a l'air en vie tellement le travail est bien réussi! commenta fièrement Alphonsine.

— Asteure, on peut le retourner à sa propriétaire.

Les autres femmes de la maison étaient rassemblées dans la cuisine. Elles s'apitoyaient faussement sur le sort d'Héloïse. Nestor n'avait été qu'un embarras pour tout le monde. En revanche,

Placide savait pertinemment ce que sa tante pouvait ressentir. Emmuré dans sa peine, il comprenait à quel point la mort de l'animal pouvait la toucher. Il les écoutait d'une oreille distraite, en songeant à son retour au collège de Saint-Césaire et au peu de cas qu'on avait fait de la noyade d'Éloi, qui serait classée comme un fait divers dans les annales de la communauté. Il sympathisait avec sa tante éprouvée dans son attachement à un animal de compagnie, mais personne ne se doutait de l'affliction qu'il éprouvait, et pas même une photo ne lui rappellerait le souvenir de ce si beau visage qu'il avait aimé.

Sansoucy et sa belle-sœur parurent dans la cuisine. Alphonsine dressa le volatile sur la table devant Héloïse.

— Qu'est-ce que t'en dis ? demanda-t-elle. Il me semble qu'il est aussi beau qu'avant…

Des larmes mêlées de joie et de tristesse coulèrent des yeux d'Héloïse. Elle se leva et, avec ostentation, alla déposer Nestor sur un perchoir de fortune qu'elle s'était procuré à la quincaillerie Ravary. Désormais, le perroquet trônerait à une place de choix, à proximité de la berçante de Sansoucy.

* * *

Héloïse avait renoué avec un semblant de bonheur. Mais les habitants du logis endeuillé promenaient autour d'elle leurs sourires factices et leurs airs empruntés. Toute la maisonnée évitait de parler du sujet qui avait été sur les lèvres de ses occupants et qui avait couru abondamment dans les chaumières du voisinage. Émilienne ne s'habituait pas à cette atmosphère empesée qui allongeait les visages et appesantissait les rapports. Le pensionnaire à plumes avait changé le cours de leur existence et elle souhaitait retrouver au plus tôt la quiétude de sa maison. C'est alors que survint un événement inattendu qui l'exauça.

Émilienne reposait ses jambes variqueuses. Elle s'était tiré une chaise pour écouter *Les deux copains* à CKAC. L'émission fut interrompue. Elle s'inclina vers l'appareil et augmenta le volume.

— Venez vite, tout le monde, s'écria-t-elle, ils vont annoncer quelque chose de spécial !

Héloïse et Alphonsine se pressèrent vers le meuble de la salle à manger. Placide empoigna le fauteuil roulant. Sansoucy déposa sa pipe et se leva pesamment. Dérangés dans leurs caresses, Marcel et Amandine qui veillaient sur la galerie d'en avant s'amenèrent.

— Une catastrophe, je suppose ! déclara Émilienne.

— Vous avez le don de toujours dramatiser, moman, dit Irène. Attendez donc un peu, on va savoir.

En effet, un visiteur étranger avait été aperçu dans le ciel de Pointe-au-Père. Le Hindenburg, véritable paquebot aérien qui exécutait son quatrième vol commercial depuis Francfort-sur-le-Main, en Allemagne, suivait vraisemblablement la route du fleuve Saint-Laurent et se dirigeait vers Québec et Montréal avant de bifurquer vers Lakehurst, au New Jersey, sa destination finale.

— Il faut prévenir les autres, proposa Alida.

— Marcel, va les avertir ! ordonna l'épicier.

— Ça presse pas, p'pa, ils ont dit que le dirigeable était à quatre cents milles de Montréal, rétorqua mollement Marcel.

— Vous avez le temps de piquer un petit roupillon, popa, mentionna Irène.

Amandine appela chez ses parents pour les aviser qu'elle resterait avec son amoureux pour voir le Zeppelin. En attendant la venue du dirigeable, il était entendu qu'elle ferait un somme chez son ami, malgré les protestations de son beau-père.

Dès son retour de la taverne Archambault, sitôt informé de l'événement, Léandre échafauda un plan pour maximiser ses chances d'apercevoir le ballon.

— C'est ben simple, le père, commença-t-il. Si vous voulez rester sur la galerie, c'est votre affaire. Mais moi, je vas monter sur la *shed* avec la petite échelle, puis après je vas l'accoter sur le mur pour grimper sur le toit de la bâtisse.

— De vrais plans de nègre, Léandre ! protesta sa mère.

— Il va se casser la margoulette juste une fois, ricana Sansoucy. Puis après, on entendra plus parler de lui…

— Vous êtes pas *game*, le père, insista Léandre. Paulette a la trouille, mais avec Simone, David, Marcel, Amandine, Placide s'il se décide, puis vous, on va être une belle gang sur la couverture de votre maison.

Plus tard, Irène et les sœurs Grandbois s'alignaient sur la galerie, la bouche béante de fascination, les yeux fixés au ciel, comme des pénitentes en prière vivant dans l'espérance d'une apparition promise. Émilienne rompit le silence.

— J'espère qu'ils nous feront pas niaiser jusqu'aux petites heures du matin, exprima-t-elle.

— Tant qu'à ça, c'est pas pire que de se tenir debout pour la messe de minuit, rétorqua Alphonsine. Moi aussi, je travaille demain matin.

— En tout cas, on a besoin de voir quelque chose, se plaignit Héloïse.

Le firmament s'était brouillé de gros nuages gris. Dans les arrière-cours du quartier, les résidants s'étaient agglutinés sur les galeries pour scruter le ciel, comme les Gladu qui veillaient sur leur balcon loué. Les plus téméraires étaient perchés sur le faîte des habitations. À l'étage supérieur, la compagnie avait réussi à se hisser en deux étapes successives sur la toiture de l'immeuble, avec des bouteilles de boisson gazeuse et des sacs de cochonneries. Appuyés sur la cheminée de briques, profitant de l'obscurité, Marcel et Amandine se bécotaient. Au milieu de la surface plate, les mains jointes sur ses genoux repliés, Placide pensait à son cher disparu. Tous les corps célestes pouvaient apparaître durant la nuit ; rien ni personne ne pourrait remplacer Éloi Desmarais. Les autres supputaient les chances que le géant des airs se montre au petit peuple du quartier Maisonneuve. Mais le Hindenburg ne connaissait pas la ville. Il semblait errer dans les faubourgs.

Il faisait nuit. Montréal allait s'endormir et le dirigeable était toujours invisible. Sansoucy bâillait comme une carpe et souhaitait redescendre. Cependant, il tremblait à l'idée de regagner son logis. En montant, il avait été pris de vertige, car son pied était mal assuré. Pourquoi donc avait-il accepté de relever ce défi insensé qui tenait de la pure audace ? Qu'adviendrait-il de son commerce s'il venait à disparaître du jour au lendemain ? Depuis l'épisode du hold-up raté, il n'avait pas envisagé sérieusement la question. Ou bien finirait-il ses jours en éclopé comme sa belle-sœur Alida, après s'être cassé le cou en dégringolant en bas de son immeuble ? Frémissant, il se vit un instant immobilisé dans un fauteuil roulant et saper du manger mou à la petite cuiller. Un cri strident l'arracha à sa vision d'horreur.

— Le Zeppelin ! s'écria Simone, en pointant le ballon.

Le navire gonflé à l'hydrogène glissait avec majesté dans les flots célestes et traversait l'écume blanchâtre des nuages.

— Regardez, le père, la grosse saucisse volante ! lança Léandre. Vous auriez de quoi nourrir le quartier pendant des lunes.

Le boucher avait les yeux en signe de piastre. À bord de l'aéronef, des lumières allumées scintillaient sur le paquebot argenté qui transportait quarante-neuf passagers et ses membres d'équipage. Comment était-ce possible qu'un monstre se déplace avec autant de grâce et de beauté ? Le dirigeable dévia ensuite de sa trajectoire et fila vers Rosemont, avant de décrire un immense demi-cercle et de survoler le parc Jeanne-Mance.

* * *

C'était le premier dimanche de juillet, jour de départ de Placide. Émilienne avait tenu à ce que toute la famille soit présente pour saluer son religieux. Les deux couples du loyer étaient descendus avec le petit. Léandre avait accepté contre son gré de reconduire son frère. Édouard et Colombine avaient consenti à se déplacer pour saluer le taciturne. Pour l'occasion, on avait déplacé Nestor dans la salle à manger. On attendait Marcel et Amandine qui rapporteraient le pot de bines de la boulangerie.

— Le frère André a accordé une entrevue à *La Patrie*! déclara Irène. L'article commence en page onze de l'édition d'aujourd'hui. Tiens, lis ça !

Elle tendit le journal au religieux, qui s'absorba rapidement dans la lecture du texte. Il connaissait les origines modestes, le parcours singulier du saint homme, et la simplicité légendaire du portier affecté au collège Notre-Dame. Selon les dires du personnage, on l'avait mis à la porte de l'établissement et il y était resté trente-neuf ans. Pendant son séjour chez ses parents, Placide n'avait-il pas été avenant comme le petit frère, empressé au-devant de tout un chacun pour ouvrir et fermer les portes ? N'avait-il pas accordé une attention particulière à l'impotente Alida ? Il n'avait sûrement pas assez prié pour délivrer sa pauvre tante accablée d'un handicap physique, la débarrasser de ses béquilles et les faire accrocher au mur des miraculés de l'Oratoire. À l'instar de la résurrection de Lazare par le Christ, il souhaitait à présent rencontrer le thauma-turge et lui demander d'intercéder pour obtenir de saint Joseph la renaissance d'Éloi! Mais c'était peine perdue, il délirait dans ses pensées. D'ailleurs, le frère André n'était pas visible ; il s'était retiré dans une cellule à l'externat Sainte-Croix de la rue Sherbrooke, avec sa tasse de tisane et ses fioles de médicaments. Pourquoi diable ne pouvait-il se guérir lui-même ? Il n'était pas Dieu, et il faut croire qu'il n'était bon qu'à frictionner les bobos des autres à l'huile de saint Joseph, à redresser les pieds bots, et à guérir les maladies mineures pour lesquelles les médecins ne parvenaient pas à poser le bon diagnostic. Et tant qu'à faire, pourquoi donc ne prenait-il pas le liniment du réputé Dr Pierre pour soigner ses problèmes d'estomac ? À frotter avec le médicament onctueux, ça serait peut-être disparu…

À l'aube de ses quatre-vingt-onze ans, l'ascète devait s'allonger sur sa paillasse en repensant à la vision du lieu de sa mort qu'il avait eue jadis dans un champ de foin de Saint-Césaire alors qu'il avait aperçu comme dans un rêve la maison dans laquelle il termine-rait sa vie terrestre. Vraisemblablement, il pressentait la fin de ses jours au collège Notre-Dame, là même où il était entré au noviciat. Alfred Bessette, alias frère André, non plus n'était pas éternel. Le vieux se sentait décliner et glisser lentement vers la fosse, au terme d'une longue carrière de dévotion, de bienfaisance et de miracles. Que resterait-il ensuite du très honorable fondateur ? Un jour, on invoquerait peut-être son nom, classé au firmament des saints, une auréole sur la tête. Et lui, Placide Sansoucy, fils de commerçant montréalais retournant dans sa campagne césairoise, à quel âge et à quel endroit finirait-il ses jours ? Il n'avait jamais été saisi par l'illu-sion d'un songe, aucune hallucination ne l'avait obnubilé. Il distri-buait les gentillesses, se tournait la langue sept fois avant de parler et ne disait jamais du mal de son prochain. Mais cela était insuffisant ! Décidément, il n'avait pas l'étoffe d'un saint…

Marcel et Amandine entrèrent avec un pot de bines fumantes.

— On mange ! s'écria la maîtresse de maison.

Une vague de chaleur commençait à sévir. Simone, David, Amandine et Marcel décidèrent de se rendre au parc Belmont. Irène gardait le petit Stanislas chez lui. Placide retournait par le camion de livraison, par le plus court chemin et dans les plus brefs délais. Avec le soleil qui plombait et le brassage sur les routes de campagne,

Paulette avait refusé d'accompagner son mari et cherchait la brise sur le balcon. Léandre entrevoyait un aller-retour des plus rapides, attendu que le voyage avec le taciturne s'avérerait long et ennuyeux. Les relations avec l'être renfrogné avaient toujours été délicates. Et ce jour-là, en particulier, l'insondable personnage lui paraissait plus ténébreux que jamais. Il n'avait pas dit un traître mot du voyage. Quelquefois seulement il avait hoché la tête en signe d'approbation. La routine du pauvre garçon reprendrait avec son classage de livres à la bibliothèque du collège et ses heures de recueillement.

Depuis la mort d'Éloi, rien n'allait plus. Placide avait pourtant eu des distractions en montant sur le toit pour observer l'immense ballon qui flottait. En d'autres temps, il eût été émerveillé par l'objet volant qui clignotait de tous ses feux dans le ciel encombré de nuages. Semble-t-il que le dirigeable était maintenant reparti de son mât d'attache américain et fonçait dans une tempête au-dessus de l'Atlantique. Dans l'air embrouillé, illuminé d'éclairs et foudroyé par le tonnerre, il progressait à vive allure pour se sauver des orages.

Mais lui revenait au bercail pour y rester. D'habitude, c'est là qu'il se sentait le plus en sécurité, au milieu de ses confrères et de ses livres, à voir Éloi tous les jours, dans la monotonie du quotidien, sans se demander de quoi serait fait le lendemain. Cette fois, il aurait un océan de souffrances à traverser. D'ailleurs, il implorerait son Dieu de l'aider à vivre, à lutter contre les éléments, à croire qu'à l'autre bout de sa peine il trouverait la paix.

Léandre avait bien essayé de le faire rire avec ses niaiseries. Le perroquet de leur tante Héloïse était trépassé ; il avait trouvé drôle de voir disparaître l'oiseau d'étrange façon. Personne ne lui aurait imaginé une fin aussi inénarrable. Au moins, la haïssable Héloïse garderait un souvenir tangible de sa petite bête maintenant momifiée. Mais le sombre religieux n'avait pas ri. On avait ramené le corps d'Éloi sur la plage ; il ne resterait de lui que de tristes pensées. Comme il se connaissait, Placide oublierait les moments de joie qu'ils avaient connus ensemble, et il ne conserverait que les plus amers, les plus douloureux.

Le camion s'immobilisa devant l'établissement scolaire. Placide s'apprêtait à descendre.

— À la revoyure, mon frère ! dit Léandre.

Chapitre 22

Juillet a parfois de ces soubresauts d'ardeur et enserre ses proies d'une touffeur excessive. À la fin de cette même semaine, après une journée de chaleur intense, Émilienne cherchait désespérément le sommeil. Demain, vendredi, serait une grosse journée au magasin, elle se devait d'être reposée. Le ronflement prolongé de Théodore alternait avec le grondement sourd d'un tonnerre menaçant. À la demande de son mari, elle avait consenti à rouler le drap à ses pieds, mais aucune brise ne venait caresser ses chairs molles et rafraîchir son corps alourdi. Son partenaire avait ôté sa camisole et dormait dans une tenue réduite à sa plus simple expression. Elle eut envie de se débarrasser de tout ce qui collait sur elle et qui la comprimait. Mais son éducation lui imposait des réserves ; elle abandonna l'idée. Le temps de consulter les chiffres phosphorescents du cadran, elle fut secouée par une puissante déflagration.

Émilienne appréhendait le pire. Elle pensa à sauter du lit et à s'enfermer dans sa garde-robe. Le bruit du tonnerre serait étouffé par ses vêtements, et les éclairs seraient invisibles à ses yeux apeurés. Mais l'entreprise était hasardeuse, et ses sœurs et son mari se moqueraient d'elle, le cas échéant. Fermer les volets et empêcher le vent l'épouvantaient. Remonter le drap sur sa tête en resserrant fermement les paupières aurait dérangé le dormeur. Elle résolut de braver l'orage.

La nature se déchaîna. Au milieu des sourds mugissements et d'effroyables éclairs, les cieux chagrinés se mirent à pleurer à chaudes larmes. La pluie cinglait les vitres et cherchait à rentrer. Émilienne eut peur. Mais la blancheur de son visage ne suffisait pas à la guider dans les ténèbres de sa chambre. Au lieu de se précipiter, elle attendit qu'un éclair embrase ses pas et la conduise prudemment aux volets. Elle se débattit contre le vent, referma les persiennes et revint vers son mari.

— *Mouve-toi*, Théo, proféra-t-elle, en le remuant.

— Qu'est-ce qui te prend, Mili, de me réveiller à une heure pareille ? brama l'épicier d'un air hébété.

— L'eau va monter !

— Viens-tu folle ? On reste au deuxième étage…

— Je te parle de la cave, Théo, fais pas exprès pour me faire choquer ! Avec un coup d'eau de même, c'est sûr que le plancher va être mouillé puis que la marchandise va se gaspiller.

À tâtons, dans le crépitement des éclairs, le marchand mit la main sur son pantalon qu'il enfila en vitesse et traversa la cuisine, les bretelles pendantes et la braguette ouverte. Dans son empressement, Émilienne agrippa sa jaquette, se battit avec elle pour en retourner les manches et se déporta hors de la pièce en rasant les murs. Une fois dans la cuisine, elle frôla le comptoir et accéda à une porte de l'armoire au-dessus de l'évier. Puis elle alluma une chandelle et se rendit à la porte du logis. Son mari attendait pour descendre et regardait Marcel, pieds nus, qui roulait le bas de sa culotte de pyjama.

La pluie s'infiltrait déjà par les lézardes du solage et refoulait dans la cave basse. Sur la troisième marche de l'escalier, l'épicière tenait le chandelier et suivait d'un air dévasté la progression de l'eau. Les moustaches tombantes de découragement, son mari était juché sur une caisse de bois vide en essayant de localiser la provenance du gargouillement.

— Occupe-toi pas des cannages, saudit gnochon, faut sauver les patates ! beugla-t-il.

Marcel empoigna un « cinquante livres » et alla vers les marches. Émilienne se résigna. Voyant qu'elle obstruait le passage de son fils, elle enleva ses pantoufles, releva d'une main sa jaquette fleurie et acheva de descendre les degrés. Les flots bavaient à présent par le soupirail grillagé et atteignaient le haut de ses chevilles.

— Qu'est-ce qu'on va devenir, Théo? s'écria-t-elle.

Les lampadaires étaient morts, mais les rues submergées s'illuminaient des cieux enragés qui s'émiettaient subitement avec fracas dans un éclatement de lumière. Il ne subsistait que les phares timides des voitures qui hasardaient leurs yeux pâles dans la nuit. Sur le plancher du magasin, Marcel déposait les poches de jute humides et redescendait aussitôt.

L'épicier avait la sensation de s'enfoncer dans la crue bouillonnante qui mouillait maintenant ses semelles. Mais il ne marchait pas sur les eaux; dans quelques secondes, ses souliers de cuir verni luiraient sous la surface. La marée avait englouti des dizaines de caisses. Des décorations de Noël avaient quitté leur port d'attache sous l'escalier. Au milieu de boules, des anges se berçaient au gré du clapotis des vagues et se heurtaient aux mollets d'Émilienne. Le petit Jésus de cire était débarqué de son berceau de paille et s'était noyé quelque part, Dieu sait où. Elle invoqua saint Joseph.

— On ne prie pas assez, exprima-t-elle, la voix altérée.

— Penses-tu, Mili, qu'on est les seuls à être éprouvés?

La réponse de son mari ne l'avait pas rassérénée. Le déluge ne s'était pas abattu uniquement sur leur commerce, mais elle se doutait que les confessionnaux seraient achalandés et que la ferveur des âmes s'intensifierait après la catastrophe.

La crue avait cessé une demi-heure après la pluie. Les portes avant et arrière du magasin étaient ouvertes. Émilienne avait étalé ses décorations de Noël rescapées sur son comptoir-caisse et, serpillière à la main, elle attendait que se termine le nouveau chantier de Marcel: il avait délaissé son transport de patates et charroyait des seaux qu'il déversait dans la rue. La mare ne stagnerait pas longtemps dans la cave.

Sansoucy avait dû chausser ses bretelles pour éviter de voir ses culottes appesanties glisser le long de son corps et disparaître dans l'onde. Une fois remonté sur le plancher de son commerce, il s'était dévêtu pour tordre son pantalon et se tenait dans l'encadrement de son arrière-boutique. Émilienne l'apostropha :

— Qu'est-ce que les voisins vont dire, Théo ? J'en connais à qui ça prend pas grand-chose pour les exciter.

— Veux-tu dire que j'ai rien pour attirer les femmes ? rétorqua-t-il sur un ton mi-sérieux, mi-badin.

L'homme acheva d'essorer son vêtement et entreprit de passer en revue ses sacs de pommes de terre.

Huit heures moins cinq. La porte du magasin avait été refermée. Le téléphone résonnait dans l'air humide. Paulette répondait au troisième appel : non, il n'y avait pas de « spéciaux du jour », le commerce n'était pas sinistré, et il ouvrirait à l'heure habituelle. Des clientes s'étaient agglomérées en une masse compacte près de la porte, persuadées de réaliser des affaires d'or à l'épicerie-boucherie. Sansoucy s'était assoupi dans son arrière-boutique, les bras croisés sur sa paperasse. Moulue de fatigue, Émilienne torsadait une dernière fois sa serpillière. Deux heures plus tôt, voyant qu'ils ne parviendraient pas à compléter à temps la corvée, elle avait réveillé Héloïse pour l'aider et en avait profité pour se changer. La cave désinfectée, Marcel remontait à la suite des femmes avec la chaudière et les produits de nettoyage. Léandre parut et contempla le plancher recouvert de patates.

— Un vrai champ de bataille ! s'exclama-t-il. Puis vous autres, d'où c'est que vous sortez ?

— Ça a passé pas mal fort, mon garçon, exprima Émilienne, un orage comme on en a rarement vu.

— T'aurais pu venir nous donner un coup de main, blâma Héloïse. Ces gros travaux-là, c'est plus ben ben de notre âge. Quand t'as pris le logis de tes parents, j'ai…

— Vous avez fait votre part, je le sais, matante, approuva Léandre. Mais là, j'ai pas pensé une seconde qu'il y avait eu des dégâts dans la cave.

— Ben oui, Loïse, au troisième étage, le défendit sa mère, ils ont eu juste à fermer les persiennes, les chanceux !

— En tout cas, on en a eu, de l'eau ! soupira Marcel.

Théodore Sansoucy surgit en reboutonnant la braguette de son pantalon aux jambes ravalées, la mine déconfite, les traits tirés. Dehors, des clientes avaient le nez écrasé dans la vitrine et reluquaient l'adolescent en pyjama, tandis que les autres femmes, plus vieilles, devisaient sur l'étendue de la catastrophe en escomptant les rabais.

— De quoi t'as l'air, Marcel ? Va vite t'habiller ! proféra l'épicier.

— Tu peux ben parler, Théo ! rétorqua Émilienne, tu t'es pas vu l'amanchure.

— Vous avez de la concurrence, le père, répliqua Léandre. Les bonnes femmes aiment ça, les beaux jeunes hommes ben bâtis. Vous devriez être le premier à vous changer d'accoutrement.

Marcel s'exécuta. L'épicier alla déverrouiller. Les clientes s'engouffrèrent et se dispersèrent vers les tablettes avec leurs sacs de provisions. Rose-Anna Flibotte, une nécessiteuse de l'avenue Bourbonnière, se tourna vers le marchand, l'air offusqué.

— Où c'est que vous les avez cachés, vos spéciaux ? grogna-t-elle.

— Il y a juste les patates qui ont trempé un peu.

— C'est rien que des petits gorlots que vous avez, monsieur Sansoucy, répliqua Germaine Gladu.

— En plus, ils sont pleins de germes, vos *pétaques*! renchérit Dora Robidoux. Je comprends que vous voulez écouler votre vieux stock, mais il y a toujours ben des limites à exploiter le petit monde. Je vas attendre les patates nouvelles.

Mademoiselle Lamouche avait effectué un tour rapide des lieux et revint en braquant un œil torve sur le plancher.

— Imaginez-vous pas qu'on va les acheter, ça doit être plein de moisissure, ces patates-là, se plaignit-elle.

— Qu'est-ce qui vous dit que la vermine s'est pas mise là-dedans pendant que l'eau montait! commenta Germaine Gladu. Comme le dit Réal, avec les égouts qui refoulent, il y a pas de chances à prendre. L'idéal serait que je vous amène mon matou pour chasser tout ce qui pourrait grouiller encore dans votre cave.

Les mains aux hanches, l'épicière s'adressa à la plaignarde :

— Je vous demande ben pardon, madame Gladu, objecta-t-elle, j'ai tout désinfecté d'un bord à l'autre.

Le marchand se sentait transpercé par les regards qui le dardaient sans pitié. Sa crédibilité de commerçant était en jeu.

— Fais un petit effort, Théo! l'implora Émilienne.

— Bon, d'accord, obtempéra-t-il, en poussant un grand soupir de soumission. Si ça peut vous faire plaisir, on va mettre aux vidanges toutes celles qui ont des tubercules. Ensuite, on va laver les bonnes puis les frotter à l'eau claire une par une. Comme ça, vous aurez rien à redire sur mes patates. Si vous en voulez, vous avez juste à revenir à la fin de l'après-midi pour en acheter à un prix avantageux.

Les clientes repassèrent le seuil, apparemment satisfaites de la proposition du commerçant. Contraint de respecter sa parole, Théodore Sansoucy fit transporter au logis tout ce qui avait été répandu et tout ce qui était resté dans les sacs de jute.

Toutes les mains de bonne volonté étaient requises. Marcel alla réquisitionner sa sœur du troisième pour accomplir la tâche qui s'avérait fastidieuse. Stanislas dans les bras, Simone avait retrouvé ses tantes Héloïse et Alida. Rassemblées dans la cuisine, elles procédèrent au tri et au nettoyage à la brosse de chacune des pommes de terre qui allaient ensuite sécher sur la galerie, dans le couloir et sur le balcon d'en avant.

Vers les quatre heures, les spécimens qui présentaient des renflements avaient pris le chemin des ordures, le matou de Germaine Gladu rôdait au sous-sol, et les précieuses denrées périssables avaient été remises dans des sacs rapatriés au magasin. Madame Flibotte rappliqua la première. Le boucher délaissa son étal et s'approcha des sacs empilés au milieu de la place en bombant le torse. La cliente toisa les poches et tâta la marchandise.

— Pouvez-vous m'assurer qu'il y en a pas une *pourrite* qui va faire gâter les autres ? s'enquit-elle.

— Satisfaction garantie ou argent remis ! lança fièrement l'épicier.

Juillet n'avait pas fini d'éprouver les Montréalais. Au lendemain de l'orage, une chaleur épouvantable s'abattait sur la ville. Selon l'observatoire de l'Université McGill, le mercure s'affolait et atteindrait les 90 degrés. De quoi bouillir, même en restant à l'ombre. Tout ce qui était encore trempé sécherait. Les rues et les ruelles, hier lessivées par l'eau ruisselante, exhiberaient leurs traînées de déchets. Des meubles et des objets divers abîmés dans les soubassements s'exposaient aux rayons du soleil. Les résidants récupéraient leurs poubelles charriées par les flots. Depuis le début de la matinée, des employés municipaux s'affairaient au déblocage des égouts engorgés. Bref, Montréal se remettait de la veille, comme une soûlonne qui avait pris un coup de trop.

Mais personne n'avait pu contenir l'eau dévastatrice qui aujourd'hui servirait à abreuver la population. Les habitants avaient soif. L'aqueduc peinait à fournir ses gallons. Et le marchand

Sansoucy avait bien l'intention de profiter de la manne passagère. Dès sept heures, il était à son commerce et composait le numéro de Wilfrid Bissonnette afin de s'approvisionner en liqueurs douces. On lui avait mentionné qu'il serait dans les premiers sur la liste de livraisons. Comme des clientes de la veille, il s'était ensuite englué à la vitrine pour surveiller l'arrivage. Sept heures trente sonnèrent le glas de son attente ; il se rendit chez ses locataires.

— Vous pompez ben, donc, le père !

La démarche pesante, Sansoucy suivit les pas de Léandre et s'affaissa dans le fauteuil. David était parti travailler, Simone avait découvert une poussée de petits boutons en donnant le boire à son fils et Paulette achevait de se préparer avec indolence dans la salle de bain.

— On ouvre à huit heures, puis t'es encore en *caneçons* !

— Je vas finir mes toasts, après je vas enfiler mon pantalon, une chemise à manches courtes, puis si vous le permettez, ce matin je vas laisser faire la cravate. Il fait chaud en taboire !

Onze minutes plus tard, le Fargo de l'épicerie quittait le trottoir de la rue Adam et s'acheminait sur la rue Moreau, à l'entrepôt de Wilfrid Bissonnette. Une filée de véhicules identifiés au nom de commerces s'alignaient aux abords de l'établissement.

— Ah ! ben, ça parle au verrat ! maugréa Léandre.

Le livreur quitta son siège, s'alluma une Turret et s'appuya sur son camion. Il prendrait son mal en patience ; après tout, il pouvait relaxer. Il se mit à penser à Lise, la serveuse de l'*Ontario's Snack-bar* qu'il avait négligée ces derniers temps et qui lui manquait. Mais il était là, à fondre sous les rayons avec indolence, cherchant l'ombre qu'un impitoyable ciel sans nuage se refusait à projeter. De plus, la file stagnante s'était étirée de plusieurs autres camions assoiffés et commençait à l'irriter souverainement. Et cette fumée qui lui asséchait les bronches. Un homme dans la trentaine surgit derrière lui. Il lança son mégot de cigarette. Le livreur de l'épicerie Bourdages ôta sa casquette, se gratta le cuir chevelu, remit son couvre-chef et s'accouda sur le capot.

— Coudonc, mon cher monsieur, ils sont après nous faire sécher sur la tige comme du blé d'Inde, dit-il. C'est pas trop bon pour les récoltes, une température de même.

— C'est pas le goût qui manque de m'envoyer quelque chose dans le gorgoton, dit Léandre.

Devant, le long du chapelet de camions, une information semblait se propager comme une rumeur. Elle parvint aux deux hommes : Joseph Bissonnette, un père de famille de cinquante et un ans, venait de s'effondrer en chargeant son camion de livraison. Par respect pour son frère, le commerçant en gros avait décidé de fermer son entrepôt pour la journée.

— Pauvre Jo ! C'est ben le temps de mourir ! commenta le livreur de l'épicerie concurrente.

— C'est l'père qui va être dans tous ses états ! bougonna le fils Sansoucy.

Les véhicules rebroussaient chemin, une cargaison de bouteilles à sec. Comme les autres, Léandre avait perdu son temps. Mais il ne retournerait pas à l'épicerie tout de suite. Un sourire plissa ses lèvres. « Le corps a ses besoins que la raison ne connaît pas », songea-t-il. À son tour, son père sécherait.

Le Fargo dut se garer loin du casse-croûte. De toute évidence, une nuée de clients assoiffés avaient envahi l'*Ontario's Snack-bar*. Il semblait que l'eau ne parvenait pas à étancher toutes les soifs. Mais dans le petit restaurant, des odeurs de transpiration intense se mêleraient aux relents d'oignons frits et de vinaigre. Léandre n'avait aucun intérêt à se planter comme un piquet, d'autant plus que Lise devait être occupée comme une poule sans tête. Qu'à cela ne tienne, il la verrait une autre fois! Il résolut de se rendre à la taverne Archambault.

Au magasin, retranchées derrière le comptoir-caisse, Émilienne et Paulette sirotaient leur Coke devant une rangée de bouteilles vides. Le visage pétrifié, Simone était venue consulter sa mère à propos des petits renflements qui paraissaient sur le corps de son fils. «Tu t'énerves pour rien, ça sert pas à grand-chose de courir à la Goutte de lait au début de la semaine prochaine, l'infirmière va te dire que c'est juste des boutons de chaleur», lui avait-elle mentionné pour la rassurer. Le boucher séjournait dans sa glacière pour se rafraîchir et se calmer. Alors que Léandre ne revenait pas de chez Bissonnette, il avait mandaté Marcel pour dégoter tout ce qui restait de boissons gazeuses dans les épiceries du voisinage. Cependant, les commerçants avaient compris la manœuvre de Sansoucy, de sorte que Marcel n'avait rapporté qu'un carton de six et aucune grosse bouteille.

Un grand pan de l'avant-midi s'était écoulé avant que Léandre ressurgisse au magasin. Pour expliquer son retard, il avait peaufiné des justifications auxquelles son père souscrirait. Le boucher ressortait pour la troisième fois de sa chambre froide, grandement débobiné.

— T'as pas besoin de parler, je sais ce qui est arrivé à l'entrepôt de Wilfrid Bissonnette, déclara-t-il. Son frère Joseph qui devait livrer chez nous est tombé raide mort en chargeant son camion. J'ai téléphoné plusieurs fois, ça répondait pas. Puis j'ai fini par appeler à l'épicerie Bourdages qui m'a renseigné.

— Il était malade, cet homme-là, précisa Léandre. Ça faisait une secousse qu'il venait pas livrer. Ça fait exprès, c'est en reprenant son travail par une grosse chaleur de même qu'il a flanché.

Émilienne quitta son comptoir. L'état de son fils lui paraissait douteux.

— Changement de propos, les hommes, dit-elle, en s'approchant. Coudonc, Léandre, pour moi t'es pas tout à fait dans ton état normal…

— Il fait chaud pour tout le monde, la mère. J'avais poireauté au gros soleil dans une filée chez Bissonnette, je méritais ben une petite gorgée de bière. Comme je suis barman à la taverne, j'ai eu droit à un privilège. Monsieur Archambault m'a payé la traite. Mais, dites donc, poursuivit-il, c'est pas mal tranquille au magasin…

Son regard embrassa le devant du commerce. L'épicier avait fait empiler des caisses de liqueurs douces, et de grosses bouteilles n'avaient pas trouvé preneurs.

— Voyons donc, le père, que c'est que vous avez pensé pour mettre vos prix hauts de même ? Je comprends asteure pourquoi vous avez tous la face longue.

— Je lui avais pourtant dit que personne voudrait acheter du Kik puis du Seven-Up à ces prix-là, voyons donc ! commenta Émilienne. Quand je dis que ton père a la caboche dure. Il avait assez peur de les laisser partir qu'il reste pris avec, asteure ! Ça lui apprendra à avoir les yeux plus grands que la panse…

— Ben s'ils sont trop sans-desseins pour pas payer, ils boiront l'eau de la *champlure*, d'abord, rétorqua l'épicier.

— Vieille bourrique ! marmotta Émilienne.

Sansoucy avait cru tenir ses clients à la gorge. La journée s'était égrenée dans sa touffeur, les prévisions laissaient présager des heures accablantes le lendemain. Mais le magasin demeurait désert.

Il devait être environ cinq heures moins vingt-cinq. Le boucher sortit de son refuge et se retira dans son arrière-boutique pour évaluer les recettes de la journée. Penché sur une maigre liasse de factures sous un ruban de collant à mouches qui pendait du plafond, il recomptait ses colonnes de chiffres, la bouche béante de suffocation. Le samedi qui se terminait avait enregistré un des plus bas chiffres d'affaires de l'année.

Son poing asséna un formidable coup sur sa paperasse. Il allait démontrer qu'on n'avait rien vu de son sens inné du négoce. Il fit irruption sur le plancher du magasin.

— Léandre, Marcel, vous allez mettre les liqueurs sur le trottoir, ordonna-t-il.

— Oui, mais l'père! riposta Léandre. À l'heure qu'il est, ça donnera pas grand-chose, on va fermer bientôt.

— Vous manquez de cœur, je vas le faire moi-même! blâma l'épicier.

— On sait ben, p'pa, osa Marcel, vous avez été une grande secousse sur la glace, tandis que nous autres…

— Si vous avez choisi de passer votre samedi soir sur le trottoir, ça vous regarde, commenta Léandre. Marcel puis moi, on va faire ce que vous nous demandez, puis après, surprenez-vous pas si on s'en va.

Émilienne soupira en abaissant les paupières. Elle savait que son homme ne dérogerait pas de son dessein. Les visages résignés obtempérèrent et un imposant étalage de bouteilles de liqueur se retrouva sur la devanture. Afin de veiller sur sa précieuse marchandise, Sansoucy s'installa sur un tabouret à proximité de la porte.

Toute la journée, Montréal avait été une véritable marmite dans laquelle avaient bouillonné les habitants. À présent, on se réjouissait de voir le soleil décliner. Mais la chaleur étouffante persistait et les Montréalais mijotaient à feu modéré dans leur chaumière. C'était mort dans la rue. L'heure du souper était passée. Dans la plupart des familles, on avait mangé froid pour éviter le surchauffage du logis. Émilienne s'était doutée que son homme se morfondait; elle lui avait fait descendre une salade de concombre et de radis. Comme pour le narguer, les quelques passants qui avaient croisé Sansoucy assis aux côtés de ses assortiments avaient ralenti le pas devant son commerce en léchant un cornet de crème glacée. Le vieux avait dû attraper un coup sur le crâne pour pâtir au gros soleil.

Sept heures sonnèrent aux églises et, depuis l'étalage extérieur, pas un client n'avait franchi le seuil du magasin. Soudain, comme en réponse au tintement des cloches, un toc retentit sur les cartons de liqueurs douces, sec comme un claquement de fouet. Le marchand se leva brusquement, promena des yeux soupçonneux autour de lui. Puis, le temps de se retourner, il entendit un second bruit.

— Ayoye!

Manifestement, quelqu'un l'avait pris pour cible. Un caillou ou quelque chose d'approchant l'avait atteint à la nuque. Il se pencha pour ramasser le projectile. Un troisième coup retentit, plus mat celui-là.

— Outch! s'écria-t-il, en se frottant la fesse. Chenapans! Vous allez me le payer!

Des galopins disparurent à l'angle d'un immeuble. Comme pour s'assurer que le bas de son pantalon n'entraverait pas sa course, le marchand vérifia l'attache de ses bretelles. Sans faire ni une ni deux, il s'empressa derrière eux, aussi vite que sa condition de quinquagénaire sédentaire le lui permettait. Il marchait à grands pas plus qu'il ne courait, déterminé à apostropher les malfaisants qui s'en prenaient à lui. Sa poitrine haletait à tout rompre. Son front perlait, des gouttes de sueur avaient embué ses lunettes et obstruaient sa vue. Il ne savait plus si les polissons avaient enfilé la ruelle ou s'étaient engouffrés dans une demeure. Enragé, il s'immobilisa, ôta ses verres, les essuya avec sa queue de chemise et rebroussa chemin.

Le temps de le dire, la hauteur de ses étalages avait baissé. Des caisses complètes avaient été enlevées.

— Mes gars ont eu pitié de leur pauvre père, pensa-t-il. Ils ont commencé à rentrer la marchandise. Tant pis, c'est aussi ben de même!

Résigné, il empoigna un carton, pénétra dans son magasin. Il en ressortit aussitôt en jetant des airs ahuris sur le trottoir.

— Ah! ben verrat! marmonna-t-il.

Éminemment frustré, il rapatria le reste de ses bouteilles dans son commerce, le plus près possible de la porte, et regagna son logement avec ses ustensiles et son assiette.

En rogne, Sansoucy se déplaça en bousculant tout ce qui se trouvait sur son passage, déposa sa vaisselle sale avec fracas dans l'évier et parut sur la galerie. Les femmes prenaient l'air en s'abreuvant de boisson gazeuse. Il leur lança un regard menaçant.

— Je me suis fait voler, taboire! Des mécréants m'ont chipé au moins trois douzaines de liqueurs : du Coke, du soda, puis de l'orangeade! Je suis à peu près certain que c'était le petit Morasse et le fils Pitre que j'ai vus s'enfuir. Les torrieux! Le pire, c'est que ça donne rien de mettre la police à leurs trousses.

— Comment ça se fait, t'étais pas là pour surveiller ton stock? demanda l'épicière. Que c'est que tu vas faire, asteure? Viens t'asseoir un brin pour décompresser.

— Ça doit être les mêmes petits malfaisants qui m'ont enfermée dans la glacière, commenta Héloïse. Y a-tu du monde mal élevé…

— Après les patates sauvées du déluge que t'as été obligé de vendre à rabais, tu voulais compenser en essayant de faire un coup d'argent avec tes bouteilles de liqueur, dit Alphonsine. C'est plate à dire, mais c'est ça qui arrive quand on est trop gourmand en affaires!

— Une journée, les patates ; le lendemain, la liqueur. Qu'est-ce que ça va être demain ? exprima Alida.

— Si ça continue de même, il y en aura pas, de demain, soupira l'épicier d'une voix altérée.

— Voyons, popa, arrêtez donc, dit Irène, vous êtes pas sérieux pour deux cennes quand vous parlez de même !

Son aînée avait dit juste. Le marchand aimait son travail, le service à la clientèle, et il entretenait l'intime conviction que son épicerie-boucherie occupait une place indispensable dans le faubourg. Et sans lui, le quartier Maisonneuve ne serait pas ce qu'il était. Il méritait de se faire plaisir ; il se rendit à la taverne.

Chapitre 23

Malgré les averses abondantes et les violents orages qui avaient déferlé, le soleil tenace avait maintenu ses degrés et enveloppé la métropole d'un édredon de laine épaisse, couleur dorée. Partout sur le continent américain, la canicule avait sévi, semant la mort, la ruine, la désolation. Les décès se comptaient par centaines, des récoltes étaient perdues. Des baigneurs voulant se protéger de la chaleur s'étaient noyés dans l'eau froide. De pauvres gens hospitalisés avaient fini par succomber. Et dans l'entourage immédiat de l'épicier, la disparition de son livreur de liqueurs douces l'obligeait à assister aux funérailles.

Sansoucy bougonnait dans ses habits trop serrés. Pensif, il regrettait de ne pas s'être rendu au salon funéraire pour prier le bon Dieu au corps. Là, il aurait pu se faire voir du propriétaire de l'entrepôt et de la veuve, épouse en troisièmes noces de Joseph Bissonnette. Tandis qu'à l'église il serait fondu dans la touffeur de la foule, épicier anonyme parmi les autres, venu verser des larmes de compassion. Un moment, il se trouva égoïste de penser qu'il avait raté une occasion de vendre beaucoup de liqueurs. Si l'approvisionnement n'avait pas fait défaut, peut-être n'aurait-il pas été tenté de majorer ses prix et que les événements qui s'étaient ensuivis n'auraient pas eu lieu.

Les femmes regardaient l'homme de la maison se chamailler avec sa cravate devant le miroir. Pourtant, il avait coutume de s'enfiler autour du cou un de ces morceaux d'étoffe qui donne de la classe à sa profession d'épicier-boucher.

— Au lieu de limoner, Théo, demande donc à quelqu'un de t'aider, suggéra son épouse.

Émilienne s'avança vers son mari, désentortilla la bande mal nouée et recommença.

— Ça paraît que vous avez pas le goût de sortir à matin, lança Irène. Moman va vous arranger ça.

— C'est normal que tu te déplaces pour un livreur de longue date, la famille Bissonnette va apprécier, commenta Alida. Et puis ça va te donner des indulgences, t'en as ben besoin, badina-t-elle.

— Très drôle, Lida. Je sais pas si je vas avoir ben du monde le jour de mon enterrement, rétorqua l'épicier.

— Ça, c'est le genre de question que tu devrais pas te poser, mon cher beau-frère, lança Alphonsine.

— Peut-être qu'il va y avoir ben des clientes qui vont te regretter, ricana Héloïse.

Léandre attendait son père dans sa camionnette. Pas particulièrement porté sur le culte des morts et la pratique religieuse en général, il le déposerait devant l'église Saint-Vincent-de-Paul et il irait téléphoner « pour affaires » à quelqu'un. Après tout, il n'était que le fils de l'épicier.

La cérémonie terminée, Sansoucy regagna son logis et troqua vitement son habit foncé contre ses vêtements de travail et sa cravate quotidienne. Émilienne vit paraître Léandre et son mari au magasin. Une inquiétude ombrageait sa figure.

— Ça fait une secousse que Marcel est parti, exprima-t-elle. Léandre, va donc au-devant.

— Minute, minute, mon garçon, ton frère va ben finir par aboutir! dit l'épicier. Là, c'est ta mère qui prend le mors aux dents…

Comme d'habitude, lorsque les débuts de semaine s'avéraient tranquilles, l'adolescent entreprenait une tournée pour aller prendre des commandes à domicile. Mais voilà près de deux heures qu'il avait enfourché son triporteur. Un souvenir pesait lourdement dans la tête d'Émilienne, qui ne se rappelait que trop de l'accident de la circulation dont son fils avait été victime.

Après la macabre découverte, Marcel avait dévalé l'escalier menant au logis du père Dubreuil et il était accouru pour téléphoner chez mademoiselle Froment, la fleuriste qui tenait boutique dans la rue Sainte-Catherine, entre Joliette et Aylwin. En revenant, il avait laissé la porte grande ouverte pour chasser l'air enfumé qui s'était accumulé dans la pièce exiguë. À présent, il se tenait debout, les deux bras tombés de consternation devant l'échine ployée à la fenêtre et attendait du secours.

Onésime Dubreuil ne verrouillait jamais. Il avait pour son dire qu'il n'y avait rien à voler dans son galetas miteux où il n'avait rassemblé que quelques objets sans valeur. Et qui s'en prendrait à ce vieillard décati qui n'avait jamais fait de mal à une mouche ? Depuis une quinzaine d'années, après une carrière dans les mines, le vieil homme sans famille s'était claquemuré avec ses cossins pour fuir le monde et la lumière. Comme il était enfant unique et d'un commerce peu facile, ses parents avaient conclu que leur fils n'avait aucune aptitude pour vivre en société. D'ailleurs, pour gagner sa croûte, il avait besogné comme une taupe pendant des décennies, sortant peu et fumant beaucoup, ne voyant que quelques connaissances qui l'ennuyaient.

Marcel eut envie de vider les trois cendriers qui débordaient sur le tapis. La vaisselle sale, les restes de nourriture sur le comptoir, les fenêtres épaisses qui empêchaient l'unique pièce de tirer son jour, le lit défait en permanence et les meubles dépareillés, rien dans cette chambre mansardée n'était agréable à voir. Mais le locataire édenté était d'une gentillesse et d'une simplicité peu communes. C'était à croire qu'à passer toute sa vie dans un trou on en vient à découvrir la vraie manière de se comporter avec les gens.

D'habitude, Marcel frappait à la porte et restait sur le seuil pour prendre la commande. Cette fois, il avait attendu inutilement la voix éraillée du vieillard. Il s'était avancé d'un pas timide et avait constaté que l'homme ne bougeait plus. Il avait pensé le secouer. Il était habitué au souffle difficile de celui qui courait après sa respiration à tous les trois ou quatre mots. Mais il n'avait pas entendu les quintes de toux ni ce curieux sifflement qui accable parfois les malades des poumons.

Un policier et deux brancardiers traversèrent le seuil en maugréant contre l'atmosphère irrespirable et le désordre qui régnait.

— Décidément, les Sansoucy, vous avez le don de vous trouver à la mauvaise place au mauvais moment! commenta le lieutenant Whitty.

— Je lui devais ben ça, répondit Marcel.

— Qu'est-ce que tu veux dire? demanda l'enquêteur.

Le livreur connaissait peu son client. Il se contenta de mentionner qu'il avait quelquefois échangé avec le misérable des paroles de réconfort. Malgré sa vie de reclus, le malade n'était jamais maussade et se montrait à l'écoute de ceux qui prenaient le temps. Au fond de son visage osseux se nichaient des yeux d'une indicible bonté. En revanche, Marcel avait maintes fois offert de courir à la pharmacie. Mais Onésime Dubreuil avait refusé. Dans ses moments les plus difficiles avec son père, le livreur de l'épicerie Sansoucy s'était confié brièvement à lui, et, toujours, il avait reçu des encouragements. Comme si les plus sauvages de la société connaissaient le mieux la nature humaine…

Les brancardiers transportèrent le corps. Le lieutenant Whitty interrogea le fils de l'épicier en consignant dans son carnet de notes tous les détails susceptibles d'éclairer son enquête. Mais les recherches ne seraient pas longues. Il ferait corroborer par des voisins les déclarations du jeune homme concernant l'état de santé du vieillard. Tous les locataires s'accorderaient pour dire que, dans ses pires périodes, lors de grands arrachements, le malade devait cracher des morceaux de poumons. De toute évidence, pris d'un emphysème sérieux, le malheureux solitaire avait lamentablement cherché son air et avait succombé.

Marcel quitta la chambre du père Dubreuil. Le lieutenant fouilla pour trouver la clé afin de verrouiller la pièce. Au besoin, il recourrait à un résidant de l'immeuble pour obtenir l'adresse du propriétaire qui devait posséder un double.

La triste découverte l'avait accablé de regrets. Au début de la vague de chaleur, il aurait dû s'écouter et filer à la pharmacie Désilets acheter une potion pour soulager le malade. Marcel pédalait machinalement, la tête pleine de ces petits souvenirs qu'on veut garder de ceux qui nous ont fait du bien.

Il gara son triporteur sur la devanture et entra au magasin. Émilienne céda le cornet acoustique à Paulette et croisa ses mains sur sa large poitrine.

— Merci, mon Dieu! s'exclama-t-elle.

Le boucher délaissa son étal et parut au comptoir-caisse.

— Andouille! s'écria l'épicier.

— Chicanez-moi pas, p'pa, murmura le livreur.

Marcel ouvrit lentement sa sacoche de cuir, en extirpa quelques papiers.

— Regardez, c'est pas une grosse récolte, mais j'ai quand même ramassé des commandes.

— T'as ben l'air caduc, donc! remarqua la mère.

— J'en ai vu, des visages d'enterrement aux funérailles à matin! proféra Sansoucy. C'est pas avec une face de même que les clients vont vouloir commander chez nous. Ça fait que, change d'air…

La physionomie exaspérée, le boucher regagna ses quartiers pour servir des régulières qui venaient d'entrer. Émilienne s'approcha de son fils et l'entraîna un peu à l'écart. La mort du père Dubreuil la désola. Sans attendre que le boucher se libère, elle alla l'en informer.

— Il y aura pas grand monde à son enterrement, celui-là! réagit-il.

— Le vieux malpropre vivait dans sa crasse depuis des années, commenta Germaine Gladu.

— Beau dommage! Ça devait être crotté sans bon sens là-dedans, renchérit la vieille fille Lamouche.

Entre-temps, Marcel avait repris son travail et remplissait les commandes sans se préoccuper des qu'en-dira-t-on.

La disparition du père Dubreuil l'avait ébranlé. Par considération pour le pauvre homme, le jeune livreur se sentait interpellé pour la suite des choses. Il alla à l'église pour l'organisation des funérailles. L'abbé Dussault avait trouvé étrange la démarche du fils de l'épicier, mais il avait accepté, étant donné que personne de la famille ne s'était manifesté. Le même jour, il se rendit à l'atelier des O'Hagan, voisins de son amoureuse. À cette heure, Amandine était à la biscuiterie Viau. Il pensa à saluer madame Desruisseaux, mais il ne pouvait raisonnablement s'attarder. Il entra plutôt chez l'artisan. Affairé à la finition intérieure d'un cercueil avec de la soie mauve, David se contenta de regarder furtivement son beau-frère. Son père s'en occuperait; il poursuivit son travail.

À l'accoutumée, les endeuillés s'en remettaient à la maison funéraire pour le choix d'une bière. Là, il n'aurait qu'à commander un cercueil de l'atelier. Par la suite, dès qu'il le put, Marcel s'achemina chez l'entrepreneur de pompes funèbres Rajotte dans la rue Ontario, près de la rue Joliette, pour procéder aux arrangements. Le cœur sur la main, il avait décidé de tout payer de sa poche, de l'embaumement jusqu'à la mise en terre du défunt.

Aussi avait-il résolu de tout dévoiler à ses parents. Son père ferait une sainte colère. Tant pis ! L'estime qu'on éprouve pour les gens n'a parfois pas de prix.

Le livreur en était venu à penser qu'il importait de démontrer notre attachement à ceux qu'on aime. Le sentiment d'affection qu'il ressentait à l'égard d'Amandine avait de loin dépassé le stade des amourettes. Il avait décidé de lui offrir des fleurs. Deux jours après le décès du vieillard, Marcel se rendit chez la fleuriste.

Mademoiselle Froment, une grande asperge au teint verdâtre, était occupée avec une cliente habillée de bleu pâle qui retenait dans ses bras dodus un caniche blanc. En voyant l'adolescent, le petit chien frisé se débattit et sauta du buste de la grosse dame.

— Vous lui avez fait peur, s'offusqua-t-elle.

— Je reviendrai tout à l'heure, dit le livreur avec civilité.

— Sauvez-vous pas, l'interpella la fleuriste ; j'en ai pour une seconde.

Marcel ressortit du commerce, attendit que la cliente retraverse le seuil pour monter dans la voiture garée en bordure du trottoir. Cependant, il ne pouvait s'attarder ; son père pourrait lui reprocher son magasinage pendant son temps de travail. Près de son véhicule de livraison, il s'ennuyait à regarder la rue et à surveiller la sortie. Il se surprit à penser à Placide, qui se serait accolé à la vitrine, prêt à intervenir à la porte. S'il avait été à la place de Léandre, il aurait pris son temps : il se serait allumé une cigarette, se serait appuyé sur son camion en zieutant les jambes des filles et aurait concocté une excuse au retour. Mais il se refusait à inventer une raison. De toute manière, il ne pourrait cacher ce qu'il offrirait à Amandine le soir même. Et quant à acheter une couronne ou une corbeille de fleurs pour le défunt, il estimait que cela aurait été de l'argent gaspillé.

Au bout d'une vingtaine de minutes, la grosse dame parut, devancée par son animal. Un homme vêtu avec élégance ouvrit la portière de la voiture. Le petit chien monta à bord de l'habitacle et la dame s'y engouffra avec un emballage. Marcel entra au magasin.

— C'est pour monsieur Dubreuil, je présume?

Un sourire gêné plissa les lèvres du jeune homme.

— Pas tout à fait! C'est pour faire plaisir à ma mère, mentit Marcel.

Un doute respectueux s'empara de la fleuriste.

— Très bien! répondit-elle. Je disais ça de même, au cas où vous iriez au salon mortuaire. Le vieux est exposé aujourd'hui et sera enterré demain.

— Je sais! rétorqua laconiquement Marcel.

Le jeune homme était embêté. La fleuriste lui conseilla un bouquet de roses agrémenté de fleurs délicates et d'un peu de verdure.

En quittant le commerce de la rue Sainte-Catherine, Marcel repassa devant l'immeuble qui avait abrité Onésime Dubreuil et se dirigea sans tarder au magasin.

L'épicière était occupée à placoter avec deux clientes.

— Tu livres des fleurs, asteure, badina sa belle-sœur.

La migraineuse était dans une de ses rares bonnes journées. Elle s'avança vers Marcel, entrouvrit l'emballage de papier, huma les roses. Le livreur se détacha d'elle et se pressa vers le coin boucherie. Son père servait le foie de bœuf de madame Flibotte. Il se retourna vitement.

— Eille! C'est quoi ce paquet-là?

— Des fleurs !

— C'est pas pour le père Dubreuil, toujours ? Tu trouves pas que t'as assez dépensé de même pour un vieil ermite pauvre comme la gale ? Puis que je t'entende pas me demander pour aller aux funérailles, asteure.

— Les fleurs, c'est pour Amandine, si vous voulez savoir. Pour ce qui est des funérailles, ça sert à rien de vous *crinquer*, c'est juste demain.

— Je trouve que vous êtes pas mal dur avec votre garçon, monsieur Sansoucy, commenta madame Flibotte. Il paraît que monsieur Dubreuil était sans famille. Faut ben que quelqu'un de charitable s'en occupe ; vous devriez être fier de votre garçon.

L'épicier réalisa qu'il s'était emporté. Marcel jeta un regard reconnaissant à la nécessiteuse et remisa son emballage dans la glacière.

Toute la journée, Sansoucy rumina la position adoptée avec son fils. Il admettait l'avoir éclaboussé avec ses éclats d'impulsivité, mais à bien y repenser il estimait qu'il avait ramolli trop facilement sous la remarque de Rose-Anna Flibotte, une moins que rien qui n'avait pas les moyens de s'acheter du foie de veau et qui faisait marquer. Il en causerait au souper. Le gros bon sens rallierait tout le monde à son idée.

C'était la saison des petits fruits. À la demande d'Émilienne, Héloïse et Alida avaient concocté un pouding aux bleuets. Léandre avait approvisionné le commerce de son père en se rendant au marché Maisonneuve. Autour de la table, on semblait se délecter du savoureux dessert. Sansoucy avait suspecté le plat et s'était risqué à y goûter. Il avala sa cuillérée un peu de travers.

— Quelqu'un, apportez-moi donc la crème ! commanda-t-il.

— J'ai oublié d'en monter, s'amenda Émilienne, je sais que t'aimes ça, de la crème avec ton pouding, d'habitude ; je vas aller t'en chercher.

— Laisse faire, Mili, l'interdit l'épicier. Ménage-toi. Ces derniers jours, Marcel a fait ben des déplacements pour pas grand-chose, c'est lui qui va y aller.

— Si vous faites allusion à monsieur Dubreuil, popa, ce que vous dites est de très mauvais goût ! exprima Irène.

— Tu devrais retirer tes paroles, dit Alida, à l'adresse de son beau-frère. Puis pourquoi tu manges pas ton pouding comme tout le monde ?

— Coudonc, Théo, c'est-tu si mauvais que ça ? demanda Héloïse.

Dans la discussion qui s'avérait orageuse, Marcel avait reculé sa chaise et s'acheminait au magasin. Il remonta avec un demiard de crème et son bouquet de roses.

Sansoucy souleva le petit capuchon de carton qui recouvrait le contenant et arrosa copieusement son gâteau.

— En tout cas, Marcel ira pas aux funérailles demain. Il y a assez de moi qui a perdu son temps à l'église pour Joseph Bissonnette. Ce soir, il va apporter des fleurs puis veiller au salon. Le vieux Dubreuil s'en rendra même pas compte, taboire ! Une autre dépense inutile.

— Je vous l'ai dit, p'pa, que les fleurs, c'étaient pour ma blonde, répliqua Marcel. Pourquoi vous me croyez pas, citron ! Puis rapport aux funérailles, je vous demande juste une couple d'heures demain ; ça va pas vous faire mourir…

Son fils s'opposait. Et manifestement, cette fois, l'intraitable commerçant ne parvenait pas à gagner les autres à son idée. La crème commençait à trop imbiber son pouding ; il mangea.

Chapitre 24

Étonnamment, plusieurs résidants du quartier s'étaient rendus au salon mortuaire. En fait, pour la plupart d'entre eux, le disparu n'avait existé que dans les racontars et celui qui s'était emmuré vivant dans son logis se révélait au grand jour. Rares étaient ceux qui l'avaient aperçu à la fenêtre. L'homme ne se montrait pas ; il se cachait toujours derrière son rideau aux couleurs éteintes. C'était le moment où jamais de le connaître avant qu'on l'enfouisse sous une épaisseur de terre.

À l'église, mis à part le célébrant et son enfant de chœur, Marcel et quelques fidèles étaient venus rendre un dernier hommage au défunt. La cérémonie avait été longue. Au milieu des odeurs d'encens, des lampions et des cierges fumants, et entre les ondulations de la voix du chantre, on s'agenouillait, on se levait, on s'agenouillait encore. Le livreur ne comprenait pas toutes ces étapes apparemment indispensables pour clore l'existence de la vie terrestre. Par la suite, il avait pris place dans le corbillard de la maison Rajotte pour accompagner la dépouille au cimetière. Sans regretter tout le temps consacré à la cause du père Dubreuil, il se demanda comment toutes les prières débitées sur le corps par le prêtre réussiraient à faire monter l'âme du trépassé dans les cieux. Cela demeurerait un mystère, comme celui de la résurrection du Christ mort, qui avait réussi à faire rouler, on ne sait trop comment, la grosse pierre de son tombeau avant de s'envoler bien au-delà des nuages.

Une voiture de l'entreprise de pompes funèbres le déposa sur la devanture et il entra au magasin. Le boucher reconduisait galamment une cliente au comptoir-caisse. Alors qu'Émilienne aperçut son fils, le téléphone résonna. Elle décrocha.

— Épicerie-boucherie Sansoucy !

— Bonjour, belle-maman !

Colombine désirait s'entretenir avec Marcel.

— Qu'est-ce qu'elle peut ben te vouloir, elle ? s'étonna le marchand.

— Ça, ça vous concerne pas, p'pa !

— Depuis quand ? s'indigna le patron.

Émilienne envisagea son mari avec ses gros yeux ronds de reproches. Puis elle les tourna, plus radoucis, vers Marcel.

— Changement de propos, dit-elle, fais-moi donc plaisir, va te changer de linge. T'es quand même pas pour enfourcher ton bicycle tout endimanché. S'il fallait que tu me mettes de la graisse sur tes belles culottes. J'en aurais pour une damnée secousse à frotter.

En enfant docile, Marcel obtempéra. Sur le coup, il n'avait pas voulu divulguer le contenu de sa conversation avec sa belle-sœur. Il se souvenait d'avoir recommandé le vieux Dubreuil à son frère notaire, sans plus. Cependant, il se devrait de faire une démarche auprès de son père. Il attendrait après le souper, juste avant de se rendre chez Amandine.

Le livreur avait fini de manger le pouding aux bleuets. Il était resté à table et regardait à la dérobée son père en buvant lentement son lait. La panse bien remplie, Théodore Sansoucy recula sa chaise, étira ses bretelles et se leva. Il s'apprêtait à sortir sur la galerie. Avant de se pencher pour prendre sa pipe qui reposait aux flancs du cendrier sur le rebord de la fenêtre, il abaissa le regard vers Nestor. Il l'avait oublié, celui-là, ce perroquet à l'œil topaze qui l'avait fait baver. Héloïse, sa propriétaire, le conservait dans sa cuisine comme on expose un artéfact dans un musée et elle l'époussetait tous les trois jours en lui murmurant les mots qu'elle avait eu le temps de lui enseigner avant qu'il disparaisse au paradis des animaux à plumes.

— P'pa, débuta Marcel.

— Qu'est-ce que t'as? rétorqua-t-il, une impatience dans la voix.

— J'ai une petite permission à vous demander.

— Pas encore! bougonna le commerçant. Ça fait combien que je te donne ces jours-ci? Si ça continue, je vas être obligé de te faire remplacer par le petit Gladu; il est en vacances. Mais j'aimerais mieux pas, il est tellement peu fiable.

— J'ai rendez-vous avec Édouard chez le notaire Crochetière.

— Ah! C'est donc ça, le téléphone de ce matin. Veux-tu faire ton testament, coudonc? ricana-t-il, nerveusement.

L'épicier redevint soudainement sérieux; il rappela chez le tabellion. Colombine répondit que son mari ne se rendait habituellement pas au domicile des clients en empruntant le transport en commun et que, par conséquent, elle ne pouvait s'engager pour lui. Elle alla le consulter. Plus elle espaçait ses visites chez ses beaux-parents, plus elle s'en réjouissait. Le couple n'était pas retourné dans la rue Adam depuis le séjour de Placide à la maison paternelle, le premier dimanche du mois.

Après plusieurs minutes de pourparlers, elle revint à l'appareil en mentionnant que, dans ce cas, pour éviter un déplacement onéreux à Marcel, Édouard consentait à se rendre chez ses parents. Cependant, Colombine viendrait à reculons. Édouard ne pouvant conduire la voiture, elle résolut de l'accompagner.

Le repas du soir s'était déroulé sans que l'épicier n'obtienne le moindre renseignement. Édouard avait habilement éludé les questions de son père, qui avait néanmoins mis la puce à l'oreille de la tablée. Sa mère aurait pu intriguer ses sœurs avec le peu qu'elle savait; la convenance imposant la retenue, elle avait choisi de tenir sa langue. Elle n'en remâchait pas moins secrètement toute une série d'interrogations. Cependant, à force de cacher la vérité, on en vient parfois à la faire éclater au grand jour. De sorte qu'à la fin du souper tout le monde supputait un héritage pour le plus jeune de la famille.

Colombine voyait l'heure avancée et elle avait hâte que son mari le notaire aboutisse. Elle délaissa son air digne des comtesses et lui asséna un coup de coude dans les côtes. Édouard fit signe à son frère, s'excusa et se leva en reculant sa chaise. Puis il alla prendre son porte-documents et s'enferma avec lui.

— On est bien petitement dans cette chambre-là ! commenta Édouard.

— Je te le fais pas dire, rétorqua Marcel. Tu parles ! On était deux du temps que Léandre demeurait ici.

Le notaire considéra le lit à étages et invita son frère à s'asseoir. Puis il retira un document de sa serviette et en entreprit la lecture.

Onésime Dubreuil léguait une somme importante consacrée au parachèvement de l'Oratoire.

— J'ai rien à voir là-dedans ! commenta Marcel, je suppose que le défunt donne ses biens aux pauvres et toutes ses économies aux bonnes œuvres.

— Maman croyait que le frère André pouvait t'aider quand tu as eu ton accident, poursuivit Édouard. Puis rappelle-toi sa neuvaine à saint Joseph avec nos tantes et notre sœur Irène. Tu avais sûrement raconté ça à monsieur Dubreuil. Il s'adonne que le vieux était reconnaissant pour toute l'attention que tu lui portais.

Avec un intérêt grandissant, Marcel se remit à écouter le notaire. Une petite clause le concernait. Le testament stipulait qu'il pouvait disposer des meubles comme il le voulait et qu'il recevrait un montant de deux mille dollars.

Pendant qu'Irène desservait la table et que les femmes prolongeaient le repas en sirotant un thé, l'épicier s'était sournoisement approché de la chambre. Cependant, l'odeur du tabac grillé s'infiltra dans la pièce. Marcel se leva du lit et progressa vers la porte sur la pointe des pieds.

— Vous êtes pas mal effronté, p'pa! lança-t-il, en ouvrant brusquement.

— Je passais par là, balbutia Sansoucy, les moustaches tremblotantes.

— Papa! Depuis quand commettez-vous des indiscrétions semblables? s'enquit Édouard.

— C'est normal qu'un père s'intéresse aux affaires de son fils, affirma-t-il, en se ressaisissant.

— J'ai pas besoin de vous, poursuivit Marcel. Vous êtes chanceux que je vous doive respect parce que je vous fermerais la porte au nez ben raide.

Sansoucy aspira une bouffée de sa pipe avant de tourner les talons et de s'éloigner de ses fils. Édouard posa sur son jeune frère un regard étonné. Marcel ne semblait plus être le petit dernier qu'il avait toujours négligé et dont il avait presque oublié l'existence. Naguère si résigné et si docile, il venait de gravir un autre échelon de la confiance en soi.

L'orgueil froissé, l'épicier s'était empressé de se réfugier à la taverne. Léandre, qui travaillait ce soir-là, avait remarqué son père jongleur.

— Puis, le père, je gage que vous êtes pas couché sur le testament du bonhomme Dubreuil.

— Niaise-moi pas, mon garçon. Pourquoi tu me parles d'Édouard, tout d'un coup?

— J'ai vu l'auto de Colombine stationnée devant la maison. Marcel et moi, on se dit presque tout. Puis Paulette a eu connaissance du téléphone au travail ; elle est pas toujours dans les limbes, vous savez.

Sansoucy refusa de dévoiler ce qu'il avait entendu et se replia dans sa bouderie ; Marcel renseignerait son frère mieux que lui. Léandre résolut d'attendre pour lui exposer le projet qu'il caressait depuis longtemps. Pour l'heure, il patienterait un peu, le temps de peaufiner son plan.

* * *

Suivant les conseils avisés de son frère, Marcel déposerait l'argent de la succession dans son compte à la caisse populaire. Il ne savait pas encore ce qu'il ferait d'une telle somme inattendue, mais les dépenses payées de sa poche chez l'embaumeur, pour la cérémonie religieuse et la disposition du corps seraient largement recouvrées par l'héritage. Par contre, la nouvelle situation financière de Marcel avait fait naître une idée dans l'esprit d'Amandine, et elle n'entendait pas laisser une occasion si alléchante lui échapper.

Le petit couple déambulait rue Sainte-Catherine, main dans la main, comme deux ombres qui se fondaient en une seule. À tout moment, Amandine se pressait contre Marcel et lui susurrait des mots doux qui le faisaient frémir. De temps à autre, son regard se détachait de lui pour reluquer les devantures de magasins. Et aussitôt qu'un article l'intéressait, elle l'entraînait à la vitrine.

— J'aimerais ça, avoir des beaux meubles de salon de même, Marcel !

— Tu peux rêver, Amandine, rien t'empêche de les aimer. Ma mère a toujours dit qu'ils vendent du beau chez Dupont. C'est ici qu'Irène a acheté des berçantes pour mes matantes. Faut croire que c'est du solide aussi, la chaise d'Alphonsine est pas cassée, s'amusa-t-il.

— Dommage que le vieux Dubreuil ait tant donné pour l'Oratoire et ses bonnes œuvres.

— Dis pas ça, Amandine! s'indigna Marcel. Je lui ai jamais rien demandé, moi, à monsieur Dubreuil. C'est pas ma faute s'il m'avait pris en affection.

Amandine relâcha l'étreinte de sa main, et les amoureux reprirent leur marche de plus belle. Marcel n'avait pas saisi la perche tendue. En temps et lieu, elle ferait d'autres tentatives.

Un peu plus loin, après avoir jeté un regard désabusé sur la désolante vitrine de la quincaillerie Ravary, elle s'arrêta devant le commerce de mademoiselle Froment.

— C'est ici que t'es venu m'acheter des roses; c'est un signe d'amour, paraît-il.

— J'ai fait des accroires à la fleuriste, badina-t-il. J'ai dit que le bouquet était pour ma mère.

— Quand on est pas capable de dire qu'on offre des roses à sa blonde plutôt qu'à sa mère, on est pas prêt à se marier! se fâcha-t-elle.

— Prends-le pas de même, Amandine, tu sais que je t'aime! Pour la vie, à part de ça…

Ils avaient chacun leur travail. Elle, sauceuse de chocolat de profession à la biscuiterie Viau. Lui, livreur à l'épicerie de son père et qui venait de toucher un héritage. Ils auraient amplement de quoi s'installer dans un petit logement et fonder une famille. Pour l'instant, ils pourraient à la rigueur loger dans le réduit du défunt et ménager. Et avec un peu d'ambition, Léandre et lui pourraient s'associer et acheter éventuellement l'épicerie-boucherie de leur père. Mais lorsqu'elle prononça le nom de son frère, il lui mentionna qu'il n'était pas tout à fait de la même trempe, qu'il n'était pas aussi expéditif. Aucun argument d'Amandine n'avait réussi à infléchir la décision de Marcel. Il la décevait.

* * *

Le jeune livreur n'avait pas revu sa douce moitié depuis quelques jours. Il regrettait amèrement les circonstances fâcheuses dans lesquelles ils s'étaient laissés. Il avait hésité à la revoir. Elle n'avait pas cherché à s'en rapprocher. Désemparé devant le silence d'Amandine, il s'était confié à Léandre. « Fais-la niaiser un peu, je parle par expérience, lui avait-il mentionné. Un jour ou l'autre, elle va te revenir ! »

C'était dimanche. La fin de juillet enveloppait les Montréalais d'un climat agréable. Les femmes se berçaient avec Georgianna sur la galerie. Le frère de l'épicier avait repris ses visites hebdomadaires, mais il avait délaissé ses habits militaires, et son enthousiasme avait diminué d'un cran. Les troupes d'Adrien Arcand avaient fondu à trois cent cinquante membres pendant les grandes chaleurs et le führer canadien continuait de prétendre qu'elles se maintenaient à mille cinq cents. Pour sa part, Marcel était resté à la maison et s'embêtait à écouter les discours haineux du militant du PNSC qui s'efforçait de propager à qui voulait l'entendre sa hargne des Juifs.

— Faut soutenir les petits commerçants indépendants comme toi, si on veut pas se faire manger tout rond, affirma-t-il.

— Les petits commerçants comme moi ! s'offusqua l'épicier. T'apprendras, Romuald Sansoucy, que je suis pas si misérable que ça ! Après tout, toi t'es juste un chauffeur de tramway, un simple wattman. En tout cas, j'aimerais ben mieux vendre à mes garçons qu'à un Juif, déclara l'épicier, en posant son regard sur son fils.

— Si vous faites allusion à mon héritage, p'pa, détrompez-vous, s'insurgea Marcel. Il va rester collé à la caisse populaire un bon bout de temps.

L'épicier crut qu'un bref aparté avec son frère était nécessaire pour révéler le legs du père Dubreuil en taisant toutefois le montant qu'il croyait.

Au même moment, au logis des Desruisseaux, Amandine se battait comme une tigresse avec son beau-père qui s'opposait vertement à son projet : elle avait l'intention de louer le galetas du père Dubreuil et elle vivrait avec les meubles défraîchis qu'il avait légués à Marcel. René Malbœuf se refusait à voir la fille de sa femme quitter le nid familial et cohabiter avec le jeune Sansoucy. Les relations entre les deux protagonistes avaient toujours été tendues. Amandine n'avait jamais accepté que sa mère lui impose un individu aussi déplaisant pour remplacer le père qu'elle avait aimé. L'homme avait tenté de l'amadouer par des caresses, mais elle s'était vite rebiffée. Et pour lui faire payer son insoumission, le boucher du marché Maisonneuve était devenu plus intraitable.

Les naseaux dilatés, Malbœuf expirait sa colère comme un taureau.

— Vous voulez pas que je parte parce qu'avec votre maigre salaire de boucher vous arriverez pas tout seul à faire vivre la famille.

— Tu vas ravaler ces paroles-là ! ragea-t-il.

Madame Desruisseaux s'était repliée dans un coin de la pièce, ses bras chétifs frémissant autour de la rondouillarde Emma et du petit Florent qui regardaient l'homme de leur visage ahuri. Au beau milieu des grognements du chien, elle pleurait, Emma sanglotait, Florent lyrait. Amandine alla s'enfermer dans sa chambre.

Le bouledogue se braqua devant le maître du logis comme s'il avait pris le parti de défendre la jeune fille. Les animaux démontrent parfois de ces comportements étonnants auprès des plus menacés. Malbœuf consulta sa montre et décida qu'il réglerait le problème le soir même.

Amandine entendit un claquement de porte. Elle entrouvrit la sienne :

— Où c'est qu'il est allé ? demanda-t-elle.

— Il me l'a pas dit, larmoya sa mère d'une voix malheureuse.

Amandine sortit dans la rue. Son beau-père fonçait sur Jeanne-d'Arc, le pas déterminé foulant le trottoir qui le mènerait vraisemblablement au domicile des Sansoucy. Censément, elle ne pouvait se laisser devancer. Elle résolut de courir et de piquer par les ruelles.

Elle s'affolait. Les événements avaient pris une tournure imprévisible. Pourtant, en jeune fille pragmatique, elle aurait dû prévoir la réaction de l'homme colérique qui cracherait son opposition. Du coup, elle ne voulait pas soumettre inutilement sa mère, Emma et Florent à des conditions matérielles précaires. Mais son besoin de vivre avec Marcel était plus fort. D'ailleurs, le froid qui les avait figés dans leurs positions respectives ne s'était pas dissipé et le premier concerné n'avait pas encore été informé de son dessein. Aussi redoutait-elle cette rencontre avec l'épicier, un être souvent intraitable qui n'avait pas l'habitude de favoriser son fils. Elle réalisait qu'elle s'était mis les pieds dans les plats. Mais il était trop tard pour reculer.

Une fois dans la rue Adam, la coureuse se retourna ; son beau-père progressait, sa tête hérissée se ruant vers l'épicerie-boucherie. Elle s'engouffra dans la ruelle et parvint à la hauteur de l'immeuble. Sur la galerie, Sansoucy battait l'air de sa main pour saluer Romuald et Georgianna qui s'éloignaient de la palissade. Elle monta à l'étage.

— Il est un peu tard pour veiller, ma fille. Marcel doit se coucher pour être en forme demain matin.

— C'est urgent, monsieur Sansoucy ! Je dois absolument lui parler avant que mon beau-père arrive.

La jeune fille gravit les marches quatre à quatre et entra au logis. Les femmes ramassaient les cartes et replaçaient les chaises. Marcel sortait de la salle de bain en pyjama.

— D'où c'est qu'elle sort, celle-là, veux-tu ben me dire? commenta Héloïse. C'est l'heure de dormir!

Amandine traversa la cuisine et entraîna Marcel dans sa chambre.

Malbœuf sonnait au bas de l'escalier. Irène alla répondre et revint vers son père qui entrait de la galerie.

— Pour moi, c'est le beau-père d'Amandine, déclara-t-elle. Il a l'air de lui courir après.

— Vas-y donc, Théo, t'es un homme, toi! exprima Émilienne.

Malbœuf parut dans le vestibule, l'œil furibond.

— Où c'est qu'elle est, la petite vlimeuse? demanda-t-il. Si elle pense que je l'ai pas vue, quand elle a viré le coin…

— Calmez-vous, monsieur, dit Sansoucy, c'est pas une heure pour étriper le monde. Entre bouchers, on se comprend, ricana-t-il.

— De toute façon, c'est à vous que j'ai à faire, poursuivit le visiteur.

Sansoucy écrasait sous le regard allumé des femmes qui se mêleraient de ses affaires. Les deux hommes se retirèrent sur la galerie.

Prise entre deux aimants, Émilienne ne savait pas laquelle des forces réussirait à l'attirer. Elle venait d'être placée au beau milieu d'un champ de bataille. D'un instant à l'autre, les combattants s'affronteraient et lui imposeraient un combat auquel elle se refusait d'assister. À l'heure qu'il était, de part et d'autre de la cuisine, on devait discuter de ce qu'il adviendrait du retour au bercail d'Amandine pourchassée par son beau-père. Marcel n'avait pas soulevé de problème particulier, mais la mère de famille avait remarqué son humeur un peu renfrognée et la passion incandescente qui semblait avoir diminué. Au fond, cette histoire d'héritage était-elle au centre de ce qui se tramait sans la consulter? Elle se sentit défaillir; Irène lui glissa aussitôt une chaise. Elle ôta ses lunettes, qu'elle posa sur sa robe du dimanche, et on lui apporta un mouchoir.

Autour d'Émilienne, Irène et les sœurs Grandbois hasardaient des conjectures. Amandine avait un différend sérieux avec sa mère, et son beau-père l'avait rattrapée. La jeune sauceuse s'était sauvée de la maison et trouvait refuge chez Marcel. Elle était enceinte comme Simone l'avait été lorsqu'elle était revenue en catastrophe du domicile des parents de David, avant d'être expédiée à la campagne pour accoucher. Faudrait-il encore une fois se résigner à vivre dans un entassement forcé avec un autre petit bâtard? Les femmes convinrent d'une solution : Marcel et Amandine devaient se marier et aller habiter au troisième!

Dans la chambre, la jeune fille était pendue au cou du garçon et l'implorait. Il ne la comprenait pas. Elle voulait sortir des griffes de son beau-père et ne pas retourner sur l'avenue Jeanne-d'Arc. En même temps, elle ne voulait pas que les siens soient assujettis à la domination de Malbœuf, de qui ils dépendraient entièrement. Prise de sanglots, elle desserra son étreinte et se jeta sur le lit, la face contre l'oreiller. Un attendrissement douloureux changea la physionomie de l'adolescent.

— Qu'est-ce que je vas leur dire? susurra-t-il, l'air embarrassé.

Elle ne répondit pas. Il contempla le corps désirable allongé sur sa couche. Il n'avait qu'à s'étendre à son flanc et la chaleur qu'il dégagerait suffirait à la consoler. Après il la raisonnerait, lui redirait qu'il était préférable d'attendre avant d'habiter ensemble. Il créait déjà assez de remous dans sa famille, et sa pauvre mère ne supporterait pas son départ.

Mais de l'autre côté de la porte, on entendait maintenant la voix des hommes qui étouffait celle des femmes. Sansoucy et Malbœuf étaient presque devenus des amis. À les écouter pérorer, on aurait dit qu'ils avaient élevé les cochons ensemble et qu'ils partageaient les mêmes idées. On devait souhaiter que le conciliabule du petit couple prenne fin. Marcel surgit dans la cuisine, le visage défait. Tous les regards se braquèrent sur lui.

— Pis, de quoi c'est que vous avez décidé ? demanda le beau-père.

Planté sur ses jambes, ses grosses mains sur ses hanches, Malbœuf esquissait un sourire triomphant.

— Amandine va rentrer chez vous, déclara Marcel.

— Sage décision, mon garçon ! commenta Sansoucy.

— Je pense que c'est mieux comme ça, précisa son fils. Pour le moment, en tout cas…

Émilienne expira un grand soulagement. Elle retrouva ses forces, se releva et se précipita sur son enfant. Elle lui prit la tête à deux mains et le fixa dans le blanc des yeux.

— Fais-moi pas d'autre peur de même, Marcel, j'étais toute revirée à l'envers. Tes tantes puis moi, on a cru que ton Amandine était enceinte et que vous aviez décidé de prendre un petit logis. Comme l'a dit monsieur Malbœuf, il faut pas agir sur un coup de tête.

— Réjouis-toi pas trop vite, Mili, ces choses-là, ça peut survenir n'importe quand, dit platement Héloïse.

Le beau-père se rua vers la chambre. Il en ressortit aussitôt.

— Elle est pas là, la maudite ! proféra-t-il, décontenancé.

— Elle a dû se sauver par le châssis, expliqua inutilement l'épicier.

— Ben voyons donc, popa ! dit Irène. Par où c'est que vous voulez qu'elle soit passée ?

Un sourire de ravissement discret se moula sur les lèvres de Marcel. À son tour, Alphonsine approcha la chaise d'Émilienne qui s'effondra, bouleversée par la scène qui débouchait sur un prolongement du drame.

Les physionomies s'aggravèrent. Malbœuf s'était cambré, sa figure s'était durcie, sa barbe et ses cheveux semblaient s'être hérissés ; il était prêt à charger.

— Regardez-moi ben aller, asteure, tonna-t-il, avant d'amorcer un pas vers la porte.

— Je vas vous aider, déclara l'épicier.

— Théo ! Mêle-toi pas de ça ! l'apostropha Émilienne.

Dans un élan de grande solidarité pour son confrère le boucher, Sansoucy s'élança à la suite de Malbœuf. Un brin amusé par la scène, Marcel observa son père dévaler l'escalier et il regagna sa chambre. À nouveau seul, il s'adossa à la porte et promena un regard désabusé dans la pièce. Le couvre-lit froncé, l'oreiller qui avait conservé l'empreinte d'Amandine, l'odeur de ses cheveux, la petite lampe allumée, la fenêtre grande ouverte. Les rideaux flottaient avec indolence dans la brise du soir. La fugitive s'était enfuie par la seule issue qui lui restait. Il comprit la profondeur des sentiments qui la pétrifiaient : les insupportables tensions familiales, son amour inconditionnel pour lui. Il s'assit sur le bord de sa couchette et s'étira le bras pour éteindre la lampe puis ferma les yeux.

Il pensa à se rhabiller. Il partirait à sa recherche, arpenterait toutes les rues et les ruelles du faubourg, l'appellerait doucement, l'oreille tendue vers l'écho de sa douce voix qui lui répondrait : « Je suis là ! » Il ne l'avait pas crue capable d'un tel emportement. Où passerait-elle la nuit ? À se cacher comme une chatte de gouttière qui se cherche un abri en attendant que l'orage cesse ou à braver la tempête en déambulant dans les grandes artères, dans le grésillement des rares lampadaires qui éclairaient les ténèbres ?

Dans la cuisine, Irène avait préparé le thé et les femmes devisaient à présent autour de la table.

— Ils devaient avoir l'air de dévoreurs d'enfants, affirma-t-elle.

— Une vraie tête de mule, ton vieux schnock! déclara l'impotente. Il aurait donc dû t'écouter, Mili.

— Je le sais ben, Lida, mais qu'est-ce que tu veux que je te dise? rétorqua Émilienne. Quand il a quelque chose en tête, lui...

— Autant chercher une aiguille dans une botte de foin! commenta Alphonsine. La petite doit courir pas mal plus vite, puis elle doit connaître tous les recoins du quartier.

Sansoucy gravissait pesamment les degrés de l'escalier et parut dans la cuisine.

— Et puis, Théo? demanda Émilienne.

— J'ai abandonné, mais Malbœuf a continué.

— Il est pas mal plus habitué que vous, dit Irène. Il se rend à pied au marché Maisonneuve tous les matins.

— Une autre qui a besoin d'être dressée, exprima Héloïse. Monsieur Malbœuf est ben mieux de mettre la police après elle.

Au bout de son rouleau, Sansoucy s'écrasa et Irène lui glissa une tasse bienfaisante sous les moustaches. La tablée conféra jusqu'à ce que la maîtresse de maison décrète qu'ils avaient assez perdu leur temps. Une demi-heure plus tard, la salle de bain était libre, les dentiers trempaient dans leur verre d'eau.

La pensée de Marcel s'égarait. Il s'était couché sur le dos, les mains posées à plat, les paupières abaissées, appesanties de toutes ces idées qui lui roulaient dans la tête. Amandine avait surgi à l'improviste et elle s'était volatilisée, comme une bourrasque, un vent insaisissable qui arrive comme une bouffée de bonheur et qui disparaît sans qu'on ait été capable de le retenir. Combien de temps se morfondrait-il maintenant avant de la revoir, de contempler son regard bleuté, de toucher sa peau délicate, blanche comme l'albâtre, et d'être troublé par son sourire invitant auquel il s'efforçait de résister ? Non ! Son corps d'adolescent ne pourrait éternellement rester insensible aux émanations de sa beauté.

— Je suis là, Marcel !

Le cœur battant, il se redressa brusquement et fixa la fenêtre. Elle était là, sur le balcon, entre les jalousies ouvertes, sa silhouette sombre se découpant à peine dans l'obscurité.

— Aide-moi, asteure !

Le garçon se leva et s'empressa vers son amoureuse.

— Je suis content que tu sois revenue, mais si on nous prend, je suis pas mieux que mort !

— C'est tout ce que t'as à me dire ?

— Mets-toi à ma place, Amandine.

— Le pire qui peut arriver, c'est qu'on me mette à la rue. Je peux y retourner si tu veux, affirma-t-elle, esquissant un mouvement vers la fenêtre.

Il la saisit par le bras et l'entraîna sur son lit. Pris d'une exhalaison de soupirs, il eut envie de poser les lèvres sur sa bouche veloutée, de la couvrir de baisers. Bientôt, ils furent envahis par des fous rires de connivence, de petites larmes de joie. Il la sentait à son flanc, sa joue rosissant d'une exquise candeur, frémissante de désir. À mesure qu'il s'habituait à la noirceur, lorsqu'un rayon de lune épierait leur intimité, il découvrirait le bleu envoûtant de ses yeux.

Au matin, pour la troisième fois, Émilienne vint cogner à la porte demeurée entrouverte.

— Lève-toi, tu vas être en retard au magasin ! clama-t-elle.

Les yeux clos, Marcel s'étira dans un long bâillement en refoulant le drap à ses pieds. De l'étage du lit, le corps imprégné de délicieux souvenirs, il dessilla lentement les yeux qui balayèrent la chambre. Il chercha son pyjama. Après l'amour, il s'était enchevêtré dans le chiffonnement des couvertures.

Amandine était restée à dormir dans le lit du bas en lui disant qu'elle partirait avant qu'il se lève. Quelle déception! Il aurait volontiers prolongé ces heures de tendresse et de volupté. Mais à présent, sa conscience le tenaillait; il avait péché. Happé par le plaisir des sens, il s'était laissé entraîner sur le chemin des sensations. Et dans la maison de ses parents. S'il avait fallu qu'on le surprenne. Il aurait été honni, rejeté hors du logis, jeté à la rue avec ses hardes. Sa mère l'aurait défendu, son père ne lui aurait jamais pardonné une frasque aussi monumentale. Mais l'occasion aurait été belle pour emménager avec Amandine. D'ailleurs, avait-elle échoué au fond de quelque ruelle, la tête appuyée entre deux planches disjointes d'une palissade? Que faisait-elle à cette heure? Il consulta les chiffres du cadran. En se dépêchant, il serait à temps sur le parquet de l'épicerie.

Amandine avait achevé sa nuit dans le parc, affalée sur un banc, tout enivrée par l'exaltation de ses sentiments. Avant de se rendre à la biscuiterie, elle avait enfilé l'avenue Jeanne-d'Arc et s'était postée à l'angle de la rue Adam pour voir disparaître son beau-père vers son gagne-pain. Puis elle avait rejoint son domicile, le pas déterminé, mais le cœur déchiré par le glaive de son irrévocable décision.

Comme à l'accoutumée le lundi matin, elle avait trouvé sa mère aux prises avec sa besogne, sa chevelure tombante retenue par des pinces, qui étendait sur la corde à linge le dernier morceau de sa troisième brassée. Elle s'était tournée brusquement.

— Tu m'as fait faire le saut, avait-elle dit, il me semblait que ça se pouvait pas. René est parti au marché Maisonneuve, puis je viens de voir Florent et Emma s'amuser paisiblement en bas dans la cour. Où c'est que t'étais donc ? René t'a couraillé une partie de la nuit.

— Je passerai pas une autre nuit au parc de même, c'est moi qui vous le dis. J'ai pris mes informations, je peux louer la chambre de monsieur Dubreuil, le vieux qui voyait personne, puis qui vient de mourir dans son petit logis.

— Tu vas t'installer avec le petit Sansoucy, je suppose ?

— Pour l'instant, non. Marcel est pas prêt à ce qu'on vive ensemble.

Madame Desruisseaux avait réalisé qu'elle ne pouvait découdre le projet si bien tissé de sa fille. Elle n'avait osé lui parler de mariage, elle-même vivant en union libre avec le boucher du marché Maisonneuve. La mère ne savait quoi ajouter pour la retenir, mais sa poitrine haletait de douleur. Elle se pencha pour ramasser son panier de linge vide.

— Dites-vous ben que j'aimerais mieux rester, affirma la jeune ouvrière, mais Malbœuf ne me laisse pas ben le choix.

— Je te défends de l'appeler de même, Amandine, c'est pas ben gentil. René a toujours été bon pour nous.

— C'est ce que vous dites, vous avez pas l'air de vous rendre compte qu'il vous fait passer par le trou de la serrure.

— Je veux pas que tu t'en ailles ! larmoya la mère.

— Après mon travail, je vas repasser prendre mes cliques puis mes claques. Puis inquiétez-vous pas, je vas revenir vous voir souvent.

Amandine troqua sa robe de la veille contre ses vêtements de travail et se démêla les cheveux de quelques coups de brosse. Avant de se rendre à la biscuiterie Viau, elle remplit sa valise, chipa quelques denrées de la dépense, embrassa sa mère, et alla distribuer des câlins à sa sœur et à son frère en leur disant qu'elle les reverrait bientôt.

À l'ouvrage, la journée d'Amandine s'écoula avec la lenteur oppressante qui accompagne souvent la hâte des projets. Sitôt sa carte présentée au pointeur, elle se rendit au petit logis de Dubreuil où Aristide Loignon l'attendait, contrat à la main. L'homme aux favoris épais et aux sourcils broussailleux était assis sur une chaise bancale devant une table rustique, éclairée par la lumière blafarde qui s'infiltrait dans la pièce.

— À ce que je vois, vous avez ben réfléchi, mademoiselle Desruisseaux. Dites-vous ben que c'est pas tous les jours que j'accepte de louer à une jeune créature.

Amandine montra ses derniers talons de chèque de paye de la biscuiterie. Néanmoins, une chose agaçait le propriétaire.

— Faites-moi pas accroire que vous allez rester ici dedans toute seule comme une sœur cloîtrée dans sa cellule.

— C'est pas ben grandement, dans votre coqueron, monsieur Loignon ! éluda-t-elle. Puis il y a tout un ménage à faire. Monsieur Dubreuil était pas ben ben regardant, rapport à la propreté.

— J'ai déjà vu passer les gros chars, vous savez, mademoiselle Desruisseaux. Le mobilier appartient au fils de l'épicier Sansoucy. Un bon jour, il va ben retontir dans ses affaires.

La jeune fille rougit. Loignon poussa le bail sous ses yeux en lui tendant sa plume.

* * *

Amandine avait mis un peu d'ordre au logis. Elle avait d'abord ouvert toute grande la fenêtre, vidangé la poubelle et les cendriers débordants. Après, la figure rayonnante, elle avait changé les draps, refait le lit. Puis elle avait procédé à l'inventaire dans la glacière et le petit garde-manger. Avant de souper, elle avait relavé la vaisselle mal récurée. Elle achevait de grignoter un reste de pâté chinois réchauffé que sa mère lui avait supplié d'apporter quand on frappa à la porte.

— Pas vous, le beau-père !

— Je vois que je suis pas le bienvenu dans ton repaire ! rétorqua Malbœuf. C'est pas comme ça qu'on accueille les gens.

Le boucher du marché Maisonneuve avait sommé sa concubine de lui donner l'adresse de sa fille. Amandine sentait son haleine, subodorait le déchaînement de sa haine revancharde. Il avait des reproches à lui formuler, exigeait des excuses. Et rien de moins que l'annulation de son bail et son retour immédiat à la maison.

— Jamais, vous m'entendez ! proféra Amandine, vous n'avez aucun droit sur moi. Sacrez-moi votre camp…

— C'est ici que vous allez commettre vos saloperies, ricana-t-il.

— Marcel ! s'écria-t-elle, désespérée.

Il lui enserra les poignets de ses mains larges, fortes comme des pinces.

— Lâchez-moi, vous me faites mal.

De grosses gouttes de sueur perlaient sur le front du boucher. Plus elle se débattait, plus les yeux de Malbœuf se grisaient de désir. Il l'entraîna avec lui et la jeta brutalement sur le lit.

Elle étouffait sous la masse informe qui voulait la soumettre, la posséder. Elle lui cracha au visage. D'un geste brusque, il se redressa sur ses pieds.

— T'as pas fini avec moi, ma guédaille !

Il essuya son visage dégoulinant de rage et retraversa le seuil.

Amandine restait couchée sur le dos, la figure grimaçante de dégoût. De la douleur affleurait dans ses pensées. Des larmes s'échappaient de ses paupières fermées. Sa mâchoire se mit à trembler, ses doigts, à lacérer le drap blanc comme des griffes. Elle ne parvenait pas à s'imaginer où elle se trouvait : elle ne voyait plus, n'entendait plus, ne sentait plus.

La jeune fille ne bougeait plus, arrêta de respirer. Une mort s'était emparée d'elle. Elle avait combattu, et les soubresauts de son corps avaient épuisé toutes ses réserves. Le temps d'un soupir, elle oublia qu'elle existait, qu'elle avait existé. Puis sa poitrine se souleva. Alors elle rassembla ses jambes à ses fesses et se tourna sur le côté, vers le mur, là où il serait moins pénible d'ouvrir les yeux.

Une peur soudaine l'envahit. Elle se rappela qu'elle n'avait pas entendu la porte se refermer. Mais que pouvait-il donc lui faire de plus ? Elle était déjà anéantie, dévastée. L'homme ne pouvait revenir. Il ne reviendrait plus lui infliger ce mal dont elle souffrait maintenant à chaque respiration.

— Coucou ! C'est moi !

Elle ne réagit pas. Marcel fronça les sourcils en apercevant la silhouette immobile qui lui tournait le dos.

— Tu dors ?

Des sanglots secouèrent le corps d'Amandine. Il amorça un mouvement vers le lit. Elle se tourna lentement vers lui en ouvrant les yeux.

— Je pensais que tu serais contente de me retrouver…

— C'est pas ça, Marcel, le beau-père est venu…

D'un air effaré, il la contemplait et l'écoutait se dégorger de sa voix altérée du mal qui l'habitait, de l'indignation qu'elle avait subie, de la douleur qu'elle ressentait aux poignets.

— Taboire ! Je vas lui étamper mon poing dans le front !

— Fais pas ça, Marcel, ça donne rien de se *revanger* de même ! Je pense que Malbœuf ne me fatiguera plus, asteure. Il le sait ben que tu vas veiller sur moi, même si tu viens pas rester tout de suite au logis. Mais en tout cas, fie-toi sur moi, j'ouvrirai pas à n'importe qui, je vas regarder dans le judas, avant.

— Vas-tu raconter ça à ta mère ?

— Tu sais ben que non, elle me croirait pas, elle dirait que j'ai tout inventé, que je suis juste capable de dire du mal de lui, le gros porc…

Elle se mit à rire de son propre calembour, à s'amuser du boucher, à se réjouir en pensant qu'elle n'habiterait plus sous le même toit. Mais elle l'attendrait, lui, Marcel, l'objet de son amour, avec la patience ardente des épouses de bûcherons et des femmes de marins.

* * *

Le jeune homme avait confié son amoureuse à la nuit. Avant de partir, il l'avait embrassée avec la tendresse des amants qui se quittent pour mieux se retrouver. Il rentra à la maison paternelle, le pas lent, tiraillé par l'incident sérieux qui s'était déroulé avec Malbœuf et ce qu'il adviendrait d'Amandine. Sansoucy s'était rabattu sur son matelas. Irène aussi. Elle avait jugé que sa mère et ses tantes étaient assez nombreuses pour accueillir le mal-aimé de son père. Cependant, elle se préparait à intervenir, le cas échéant. Les pensionnaires en jaquette tenaient compagnie à leur sœur Émilienne, qui avait relayé son mari dans la berçante dont elle essayait d'étouffer les craquements. La voix percutante de l'épicier retentit dans la cuisine :

— Moins fort, tu m'empêches de dormir ! s'écria-t-il.

Sur ces entrefaites, le garçon parut. L'épicière cessa de se bercer. Les femmes abaissèrent un regard réprobateur.

— On sait où t'étais pendant la soirée, insinua gravement Héloïse.

— Essaye pas! rajouta Alphonsine.

— Si tu penses que tu fais plaisir à tes parents! renchérit Alida.

Émilienne avait une boule dans la gorge; elle s'était exprimée par la voix sentencieuse de ses trois sœurs. Sansoucy bondit dans la pièce, le pyjama mal boutonné, les cheveux en fardoches.

— Un peu plus puis tu passais la nuit avec elle, mon p'tit torrieux! brama-t-il. René Malbœuf nous a téléphoné pour nous dire que ta sauceuse dans le chocolat avait loué le petit logis du père Dubreuil. Il le prend vraiment pas! Cet homme-là a tout fait pour secourir la famille Desruisseaux, puis regarde comment Amandine est reconnaissante. Une ingrate, ton Amandine! Asteure, dis-nous donc quand est-ce que tu déménages. Envoye!

— Vous êtes tous là, à m'accuser comme si j'avais déshonoré la famille, comme si le monde entier allait s'écrouler.

— Ça devait être juste du minouchage, tempéra l'impotente.

— Non, non, matante Alida, on a vraiment fait la chose, mais pas ce soir, c'était hier soir.

Un souffle d'indignation se répandit dans un concert de soupirs. Malgré elle, Irène fut aspirée dans la pièce. Marcel poursuivit:

— Ça faisait longtemps qu'on se désirait, Amandine puis moi. Le père, quand vous êtes venu sentir dans la chambre, elle était partie. Mais après que vous soyez rentré bredouille de votre galopade, elle est tout bonnement revenue par le châssis. Autrement, où c'est que vous pensez qu'elle aurait abouti? Le bonhomme Malbœuf l'aurait assommée ben raide. Si vous saviez ce qu'il lui a fait, pas plus tard qu'à soir, à Amandine…

— Là tu lances des accusations mal fondées, mon garçon, objecta Sansoucy. C'est pas bien de dire du mal des autres ; c'est de la pure calomnie !

— Tut ! Tut ! le rabroua Émilienne. Toi, Théo, t'as pas de leçons à donner à personne de ce côté-là…

Chapitre 25

Depuis la déconfiture d'Amandine, Théodore Sansoucy promenait un air de contentement de soi et de suffisance comme en arborent les êtres un peu bornés de son espèce. Il se réjouissait secrètement que la trempeuse de la biscuiterie Viau ait dévirginisé son innocent de Marcel. Qui plus est, son petit bonheur d'épicier allait bientôt toucher à son paroxysme. Son fils avait résolu de continuer à habiter sa demeure et de lui payer une pension. Et cet héritage dont il avait surestimé la richesse miroitait encore à ses yeux de commerçant âpre au gain.

Voilà trois soirées consécutives que le marchand se repliait dans son arrière-boutique et s'absorbait sous la lumière chétive d'une ampoule dont le grésillement alternait comiquement avec les stridulations d'un criquet. Cela produisait un bruit continu qui le soutenait dans son travail et dont il s'accommodait fort bien. Ses lunettes de broche sur le bout du nez, les pointes effilées de sa moustache lui chatouillant les joues, il tenait bien serrés la règle et le crayon qu'il venait d'affûter avec son couteau à dépecer contre une feuille de papier kraft du magasin. Il dessinait.

En fait, il esquissait plus qu'il ne dessinait. Ses premiers essais n'avaient pas été concluants. À son grand dam, il avait chiffonné quelques feuilles dont les lignes indociles ne traduisaient pas la conception profonde qu'il avait de l'agrandissement de son commerce et qui avaient retrouvé tout droit, et sans possibilité d'appel, le fond de son quart à vidange. Même Émilienne le croyait à la taverne. Dans quelques jours, il dévoilerait le fruit de ses intenses ruminations.

On frappa trois coups secs aux carreaux de son arrière-boutique ; il sursauta.

Dans un mouvement incontrôlé, ses mains s'étaient brusquement rapprochées, entraînant une échancrure en forme de croissant d'un côté et un énorme gribouillis de l'autre. Il se sentit défaillir. Son rythme cardiaque s'accéléra.

— Taboire de taboire! ragea-t-il.

La bouche béante d'hébétude, il contempla les dommages: des planchers s'étaient crevassés, des murs s'étaient entrouverts, des étagères complètes s'étaient effondrées avec leurs produits, et le reste de la construction n'était plus que le résultat d'un gigantesque froissement de papier kraft. Il se retourna, déposa son crayon et se rendit à la porte.

— Je te dérange? demanda innocemment Philias Demers.

— Qu'est-ce que t'en penses? rétorqua Sansoucy. Regarde le beau dégât que tu m'as fait faire. Je vas être obligé de recommencer, asteure.

Demers se plaignait de ne plus voir son ami à la taverne et désirait s'enquérir *de visu* des plans du commerçant. Mais à présent, il ne savait plus où fixer son regard qui errait dans l'arrière-boutique. Il bifurqua sur un autre sujet:

— Ça m'a tout l'air que ton Duplessis a de bonnes chances de l'emporter, cette fois-ci, affirma-t-il.

— Maurice l'a dit: «La Commission des liqueurs est un trust qu'il ne faut pas *truster*. Nous allons faire en sorte que les épiciers puissent vendre des liqueurs et des vins. La Commission est au Pied-du-Courant, mais le courant populaire va mettre la Commission à pied.»

— Ça, mon petit gars, c'est pas garanti! argumenta Philias Demers.

Le fondateur de l'Union nationale faisait courir le monde dans les assemblées politiques et un vent de changement soufflait sur la province. Le lundi 17 août approchait et les deux camarades surveilleraient avec un intérêt certain le déroulement de la fin de campagne. Entre-temps, le marchand rêvait de défoncer le mur mitoyen que son commerce partageait avec l'immeuble voisin. Et les fonds nécessaires seraient puisés dans l'héritage de Marcel. Assurément !

Au matin, animé d'une implacable détermination, le boucher retrouva son gâchis de la veille, fermement résolu à lui redonner une allure plus présentable. Il s'empara de son torchis, l'inséra délicatement dans un sac et sortit dans la rue Adam en direction de l'avenue d'Orléans. Hésitant, il s'immobilisa sur la devanture de la buanderie aux trois quarts recouverte de papier kraft jauni par le temps et dont la transparence du seul petit quart qui restait était atténuée par une buée sale, comme si la crasse extirpée des lavages de vêtements était toute allée se coller dans les vitres. Il se décida à entrer.

Une vieille au sourire courtois emballait des chemises propres.

— Bonjour, madame Sing ! dit Sansoucy, en mettant le sac sur le comptoir bas.

Depuis l'aube, un gros bâton à la main, le mari de la blanchisseuse s'affairait devant ses cuves de trempage et ses énormes machines à laver. Le couple de Chinois s'était établi dans le quartier ouvrier et gagnait sa vie au décrottage et au repassage des vêtements. À l'instar de leurs compatriotes, ils voyaient dans ce métier ingrat et mal payé le moyen de conquérir leur indépendance économique et de faire travailler les membres de leur famille. À la fin du siècle précédent, les Chinois exerçaient pratiquement le monopole des blanchisseries. Maintenant, des restaurants chinois s'implantaient de plus en plus dans la ville aux cent clochers.

Les yeux en amande de madame Sing papillonnèrent de curiosité et elle arbora un sourire jaune en examinant le chiffonnage posé devant elle. Sa physionomie prit une expression embarrassée. Elle appela son mari.

— Ma femme ne *complend* pas ce que vous désirez, monsieur Sansoucy.

— Je veux juste aplatir la grande feuille, c'est pas ben ben chinois, ça, ciboire ! rétorqua l'épicier d'un air frustré. Je vas repasser à la fin de la journée, précisa-t-il.

Le buandier étudia l'œuvre d'un air suspicieux. Puis il eut un haussement d'épaules significatif et se mit à défroisser le papier avec la plus grande application.

Pour Théodore Sansoucy, la journée s'était déroulée comme la plupart des autres, sous le poids supportable des choses ordinaires, mais animé par la hâte de récupérer son plan.

Il avait commencé à nettoyer son hachoir et quelques ustensiles. À côté de sa belle-mère, Paulette jetait un œil aux aiguilles trop lentes de l'horloge du magasin. Léandre et Marcel n'étaient pas revenus de leurs dernières livraisons. Or, à la caisse, Germaine Gladu et Dora Robidoux conféraient tranquillement ensemble. Émilienne couvait du regard et pressentait l'irritation montante de la cliente qui s'impatientait avec sa viande ultra maigre.

— Au lieu de me bloquer, tassez-vous donc un peu, j'ai juste ça, exprima mademoiselle Lamouche, en montrant son petit paquet.

— Vous allez attendre votre tour ! rétorqua madame Robidoux. C'est plate à dire, mais c'était à vous d'arriver avant.

La demoiselle quitta prestement la caisse et alla faire grelotter la clochette. Un homme vêtu d'une chemise ample et d'un pantalon en forme de tuyau de poêle tenait un colis qui lui emplissait les bras. Il s'inclina avec déférence et s'avança à petits pas pressés vers l'épicière qui fit glisser d'un revers de la main tous les articles accumulés sur le comptoir.

Avec empressement, Émilienne déficela le paquet, le dépouilla de son emballage.

— Théo! Viens donc ici une minute! s'écria-t-elle.

Le boucher leva les yeux sur le petit attroupement et remarqua la présence inattendue du buandier. Sans faire ni une ni deux, il surgit au comptoir. Son plan bien lisse avait été déposé sur un morceau cartonné et offrait aux spectateurs l'aspect d'un dessin d'enfant.

— Je vous avais pourtant dit que je repasserais à votre blanchisserie, monsieur Sing, s'emporta-t-il.

Les femmes essayaient de décrypter le croquis de l'épicier. Léandre parut, soupira et remisa les clés du camion dans ses poches. Intrigué par le regroupement, il se rendit au comptoir.

— Ça ressemble à un plan, dit-il. C'est donc ça que vous faisiez, le père, quand tout le monde vous croyait à la taverne.

— Ça me fait penser à un agrandissement de l'épicerie, commenta Germaine Gladu. On dirait que…

Tous les observateurs tombèrent d'accord. Ce qu'il convenait d'appeler un plan représentait différentes coupes du commerce agrandi, un réaménagement nécessaire et de nouvelles denrées qui se retrouveraient éventuellement sur les tablettes.

— Des marques de vins puis de liqueurs. Là vous jasez, le père?

D'abondantes sueurs émanèrent du visage d'Émilienne et coulèrent dans le creux de ses seins. Agitée d'un horrible tremblement, elle s'affaissa sur le tabouret. Son menton oscillait d'un curieux mouvement qui entravait son élocution.

— Tu m'as jamais parlé de ça, puis où c'est que tu vas prendre ton argent, Théo? réussit-elle à formuler.

Germaine Gladu était dans tous ses états. Le rez-de-chaussée de l'immeuble où elle habitait serait transformé en commerce pour satisfaire l'appétit de l'épicier et elle voyait venir l'augmentation de son loyer.

— Calmez-vous, madame Gladu, le père est en train de mettre la charrue devant les bœufs. La bâtisse d'à côté est même pas achetée…

Sansoucy s'exaspérait : sans son consentement, on dévoilait son projet au grand jour. Il sonda le fond de sa poche, en préleva deux sous qu'il donna à Lee Sing, qui prit aussitôt congé. Après, le crayonneur arracha son plan du comptoir et battit en retraite dans son arrière-boutique.

L'épicier avait regagné son commerce de bonne heure après le souper. Sous l'insistance de sa fille et de ses sœurs, Émilienne avait pu expliquer ce qui l'avait si remuée et maintenue dans un silence trouble pendant tout le repas.

— Asteure que popa est parti, laissez-vous aller, moman, affirma Irène. Faut faire sortir le méchant !

— Que c'est qu'il t'a encore faite ? demanda Héloïse.

Marcel avait écouté les propos de sa mère sans broncher. Son père pouvait faire tous les temps. Essayer de l'amadouer, tempêter, rien ne parviendrait à le détourner de son dessein : il garderait jalousement son avoir à la caisse populaire. Pour l'heure, il se rendrait au logis d'Amandine.

Sansoucy s'était retiré de table avec la résolution d'un être déraisonnable, prêt à tout bousculer sur son passage. On ne pouvait censément empêcher un homme animé d'une noble ambition de réaliser son rêve. L'épicier de la rue Adam n'était pas né pour un petit pain. C'était maintenant ou jamais ; il se devait de forcer le destin. On se souviendrait de lui comme d'un homme prospère et plein d'initiatives.

Donatien Borduas était propriétaire de l'immeuble dont il tirait deux loyers. Le sexagénaire travaillait à l'une des pharaoniques bâtisses de la compagnie Angus où le Canadien Pacifique fabriquait des locomotives et des wagons pour le transport des marchandises et celui des passagers. De loin, on apercevait la fumée qui s'échappait des hautes cheminées. Des milliers d'ouvriers y convergeaient tous les matins pour faire résonner le marteau sur l'enclume dans le ronflement des puissantes machines servant à faire obéir l'acier. Borduas se rendait avec sa boîte à lunch attachée sur un support qui surmontait la roue arrière de sa bicyclette. On voyait rarement l'individu déambuler sur le trottoir. À tel point qu'on l'avait cru soudé à sa monture dont il prenait le plus grand soin, d'ailleurs. Les jantes lustrées, les rayons brillants de propreté, sa chaîne bien graissée et ses pneus toujours gonflés à la perfection faisaient sa fierté. Quant à madame Borduas, elle était soudée à son téléphone et fumait comme une locomotive. Le couple semblait vivre comme une accoutumance, lui à frotter son véhicule à deux roues, elle reliée à son cornet acoustique, comme le malade intubé qui peut difficilement s'éloigner de son lit.

À ce qu'on disait, les Borduas faisaient chambre à part. Même à cela, ils étaient loin d'occuper toute la maison dont ils auraient pu facilement condamner quelques pièces. C'est en pensant à ce détail intéressant que Sansoucy entrevoyait l'acquisition de la propriété. Il récupéra son plan et se présenta dans la cour arrière de son voisin. Torchon à la main, le journalier astiquait l'aile avant de sa bicyclette. Sansoucy se racla la gorge pour annoncer sa venue. Borduas se redressa.

— De quoi c'est que vous voulez? répondit-il, sèchement.

— On se parle pas ben ben, dit le commerçant. Faut croire que ça adonne pas souvent. Je vois que vous êtes ben occupé, mais j'aurais une petite proposition à vous faire.

— Ouais! Quel genre de proposition? demanda Borduas d'un air méfiant.

— On serait plus à l'aise pour en parler si je rentrais chez vous.

— C'est rendu qu'on peut pas vivre tranquille dans sa maison; ça m'intéresse pas pantoute!

— Laissez-moi vous expliquer, insista Sansoucy, l'air suppliant. J'essayerai pas de vous vendre quelque chose, je suis pas un *peddler*.

Borduas accepta d'écouter le pauvre homme. Cependant, il le suivrait dans son magasin pour ne pas déranger sa femme au téléphone.

À voir de près le nez bulbeux de l'employé d'Angus, Sansoucy devina qu'il devait s'adonner à la bouteille. Il alla dans son arrière-boutique et en rapporta un flacon de gin et deux gobelets. Ce serait plus facile de parler d'affaires.

Le boucher étala son dessin sur le comptoir, dans la clarté qui s'évanouissait lentement à l'intérieur de son épicerie. Le sourcil dubitatif, Borduas suivait les propos du marchand qui ambitionnait d'agrandir son commerce. Il ne voyait pas en quoi cela le concernait, pourquoi il se confiait à lui et le remerciait de le consulter.

— Je suis pas dans le domaine du bâtiment, monsieur Sansoucy, je construis des locomotives…

À mesure que l'exposé avançait, Sansoucy regrettait de traiter avec son voisin, qui se grisait davantage de sa boisson que de ses paroles et qui devenait insensible à son projet.

— Mais vous ne comprenez pas, monsieur Borduas, ça me prend de l'espace : je veux acheter votre immeuble ! Imaginez-vous pas que je vous mettrais dehors ! Non, non ! Vous et votre femme, vous pourriez faire un petit logement en arrière. Vous auriez pas besoin d'aller à la Commission des liqueurs pour acheter votre boisson. Vous auriez un beau choix à portée de la main.

— Oui, mais vous me prenez au dépourvu, puis je suis pas tout seul là-dedans, se ressaisit Borduas ; Lumina a son mot à dire. Puis, avant tout, il y a rien qui vous dit que Duplessis va tenir ses promesses s'il est au pouvoir. Si jamais vous agrandissez puis que vous vous ramassez avec un grand espace vide, vous auriez tout fait ça pour rien. Vous risquez de vous retrouver avec un éléphant blanc, monsieur Sansoucy.

L'idée creusait tout de même son chemin dans la tête du voisin. Cependant, la question du prix n'avait pas été abordée. Les pupilles de Borduas se dilatèrent de stupéfaction quand il entendit le montant que le marchand lui offrait.

— En tout cas, parlez-en à votre dame, conclut Sansoucy.

Il reconduisait son voisin à la porte quand Léandre l'aperçut avec un étranger. «Ah ben, taboire! C'est pas Philias Demers, il était à la taverne Archambault», se dit-il. Il attendit que les lumières s'éteignent et que les deux hommes disparaissent. Il alla prévenir Simone et ils redescendirent chez leurs parents.

Il devait être dans les environs de neuf heures quinze. Toute la maisonnée avait appréhendé le retour de Théodore et ne semblait aucunement disposée à fermer les paupières. Marcel était dans la salle de bain. Irène avait été la première à voir revenir son père. Avec un air grave, elle s'était alors mise à ramasser les dominos. Léandre parut avec Simone.

— Le père, tonna-t-il, mettez donc les cartes sur la table, qu'on règle cette histoire-là une fois pour toutes.

Au milieu des regards silencieux qui le suivaient, Sansoucy avait pris le temps de vider sa pipe, de la bourrer et de s'asseoir dans sa berçante, avec le sentiment qu'on l'assaillirait de reproches.

— J'ai fait une offre! annonça-t-il.

— J'espère que le bonhomme Borduas a une tête sur les épaules, puisqu'il va la rejeter, commenta Léandre.

— Je te suis pas pantoute, Théo, dit Émilienne. Il y a pas si longtemps, tu pensais à abandonner les affaires, puis te v'là avec une idée d'agrandissement qui va coûter les yeux de la tête. C'est pas avec l'argent de Marcel que tu vas financer ton projet, voyons donc !

— Puis où c'est que vous allez prendre le personnel ? demanda Simone.

— Toi, Simone, ça fait une bonne secousse que tu dois prendre la place de ta mère à l'épicerie ! lui rappela Héloïse. T'es encore là à prendre tes aises toute la journée dans ton loyer.

— Qui c'est qui va garder Stanislas, vous pensez ? rétorqua Simone. Toujours ben pas vous…

— Ça sera pas long qu'il va pouvoir se traîner sur le plancher, avança Alphonsine. À l'épicerie ou dans ton logis, c'est quoi la différence, veux-tu ben me le dire ?

— Non, non, Phonsine, on laisse pas un bébé se promener à quatre pattes dans un magasin ! la rabroua Alida.

La mésentente semblait installée. Mais bien peu des femmes se prononçaient en faveur de l'épicier. Normalement, Irène serait intervenue avec la force de sa sagesse, mais elle se sentait dépassée par l'ampleur des échanges et la montée des voix discordantes. De la salle de bain, Marcel avait écouté l'âpre discussion. Pour une fois, il occupait le haut du pavé et tenait sur son père un formidable avantage qui le ferait baver de colère et d'indignation. Il ouvrit brusquement la porte des toilettes.

— Détrompez-vous, p'pa ! proféra-t-il. C'est pas avec deux mille piasses que vous allez réaliser votre agrandissement !

L'épicier relâcha une dernière bouffée en empoignant les bras de sa berçante.

— Seulement deux mille piasses, c'est pas vingt mille, l'argent de l'héritage ?

— Vous avez dû mal comprendre, popa, *ostinez-le* pas. Si Marcel dit que c'est deux mille, c'est parce que ça doit être deux mille.

Sansoucy se sentit défaillir. Son corps s'affaissa sur sa chaise, comme si le jugement dernier venait de le condamner, comme si la fourche du diable se préparait à le piquer. Une douleur stomacale l'assaillit, son visage se crispa. Pressentant le geste de son père, Marcel s'écarta du couloir. L'épicier posa sa pipe dans le cendrier et s'en fut à la salle de bain, avant d'en ressortir avec le contenant de Bromo Seltzer de la pharmacie et de se déporter vers l'évier. Sous l'effet bouillonnant du breuvage, il déposa son verre et, avec l'impulsivité qui le caractérisait parfois, sous les regards effarés, il descendit à son magasin. Il en remonta aussitôt avec son plan. Puis, dans un grand geste théâtral, il s'achemina vers le poêle, souleva un rond, jeta convulsivement son papier et craqua une allumette.

— Qu'on en parle plus, asteure ! exprima-t-il d'une voix altérée.

Le commerçant avait décrété le couvre-feu. Après que l'homme de la maison se fut donné en spectacle, les femmes gagnèrent leur chambre. Léandre et Simone échangèrent quelques mots avec Marcel qu'ils félicitèrent pour son aplomb. Émilienne retrouva son mari. Son Théo refusa de réciter ses prières et d'offrir son cœur au bon Dieu, au pied du lit, comme à l'accoutumée. Le marchand reposait sur l'oreiller, la tête effervescente de ses bouillonnements intérieurs.

La nuit l'avait quelque peu apaisé. Mais une incontournable mise au point avec Donatien Borduas s'imposait et achèverait de le rasséréner. Dès son réveil, il avait glissé dans ses pantoufles jusqu'au poêle. Là, afin de dissiper tous les doutes que son esprit entretenait, il avait soulevé le rond qui avait avalé son papier et constaté que plus rien de tangible ne subsistait de son projet. Que des cendres refroidies témoignaient de son emportement !

Après un déjeuner en solitaire, il était descendu dans son arrière-boutique où il s'était embusqué dans l'espoir d'intercepter son voisin avant qu'il enfourche sa bécane pour aller travailler.

Cependant, le jour s'était levé et Borduas n'était pas apparu dans sa cour. L'épicier était fâché contre lui-même. Mais en songeant qu'il n'avait peut-être pas manqué le départ de l'ouvrier, il sortit une caisse de pommes vide, la renversa le long de la palissade de bois et monta dessus. Vraisemblablement, la bicyclette était partie. Et attendre la fin de la journée lui répugnait. En rentrant sa caisse de pommes, il crut trouver réponse à son problème, car une idée saugrenue venait de jaillir : comme la sorcière à califourchon sur son balai, il donnerait la chasse à Borduas.

Il s'approcha du téléphone et décrocha le cornet. Hésitant, il se rappela que le double des clés du camion de Léandre était suspendu dans son arrière-boutique. Son esprit se mit alors à osciller entre deux solutions extrêmes : un déplacement en taxi ou en camion. Appeler la compagnie Boisjoly le rebutait, conduire le camion de livraison lui paraissait imprudent. Il opta pour le triporteur.

Un vrai périple ! Il avait entrepris de rouler dans la rue Adam et de tourner à l'angle de Bourbonnière. À cette heure, le trafic était acceptable. En cas de douleur aux jambes ou d'essoufflement, il débarquerait du véhicule pour le pousser, ou de petits louvoiements lui permettraient tant bien que mal de gravir la pente. « J'aurais dû m'informer pour connaître le meilleur chemin ! » se dit-il. Il sacrait, peinait, suait. Des passants s'en amusaient. Le bonhomme était trop âgé pour livrer les « ordres ». De temps à autre, l'épicier relevait la tête vers le haut de la côte. Borduas avait sans doute une bonne longueur d'avance. Peut-être ses lunettes embuées de gouttes que ses sourcils broussailleux ne parvenaient pas à retenir l'empêchaient-elles de bien voir ? Ou l'homme qu'il pourchassait était-il simplement rendu à destination ?

Il traversa enfin la rue Sherbrooke, croisa Rachel. Peu après, une immense étendue de cent quarante-deux arpents plantée d'une vingtaine de bâtiments en brique s'étalait devant lui. Un vacarme terrifiant et une chaleur intense s'échappaient par les énormes portes ouvertes. Il résolut de garer son triporteur devant l'atelier le plus près et se boucha les oreilles.

Un cadre aux épaules carrées et au visage rigide s'approcha de lui.

— Donatien Borduas, s'il vous plaît! s'écria Sansoucy.

— On n'entre pas aux usines Angus comme à l'épicerie, monsieur, tonna le contremaître. Même si vous vous présentez aux bureaux, vous allez vous faire revirer de bord.

L'épicier s'aperçut qu'il n'entendait rien, mais le visage écarlate de son interlocuteur l'incita à ôter ses index du creux de ses oreilles.

— On ne dérange pas les ouvriers pendant leur quart de travail! brama-t-il.

Ébranlé par le fracas épouvantable des machines et la voix tonnante du cadre, Théodore Sansoucy rebroussa chemin. Il n'était pas plus avancé. Cela lui apprendrait à agir sous le coup de ses impulsions. Il devrait maintenant se résoudre à traiter avec l'épouse de Borduas.

Encouragé par un retour plus facile, il dévala le raidillon et regagna la rue Adam. Au moment où l'épicier garait le triporteur devant son magasin, Marcel surgit sur la devanture, l'air fâché.

— Vous m'avez donné une maudite frousse, p'pa! J'ai cru qu'on m'avait volé mon bicycle. Pourtant, il me semblait que je l'avais ben attaché hier. D'où c'est que vous venez, donc? Puis comment voulez-vous que je les livre, les «ordres», si j'ai pas ma bécane?

— Je sais que j'ai l'air fin, confessa le marchand, mais il fallait absolument que je parle à monsieur Borduas.

— Encore cette histoire d'agrandissement qui vous trotte dans la tête. Vous le savez, pourtant, que je peux pas financer votre projet: je suis pas la caisse populaire, moi!

L'épicier admit qu'il avait pourchassé inutilement Borduas pour l'aviser du revirement de situation et que l'heure était à la rencontre avec madame. Un sourire moqueur plissa les lèvres de Marcel. Le travail l'attendait, mais pour tout l'or du monde il ne voulait pas manquer la suite. Lumina Borduas n'était pas d'un commerce facile. Elle recevrait son père avec une brique et un fanal.

L'air piteux, le marchand tourna la sonnette de cuivre d'une main en tordant ses moustaches de l'autre. La voisine apparut, la tête barbelée de bigoudis piquants et enrobée dans un filet.

— Je savais ben que vous retontiriez, monsieur Sansoucy, lança-t-elle. Sitôt que j'ai entendu la sonnerie, j'ai lâché mon téléphone, puis je me suis garrochée pour venir vous répondre. Je suis ben contente de vous parler en pleine face : vous allez l'avoir, ma façon de penser ! J'ai dit à mon mari que votre offre ne tenait pas debout. Coudonc, voulez-vous rire de nous autres ? C'est riche comme Crésus, puis ça pense nous acheter avec des pinottes ! débita-t-elle, avant de refermer sans ménagement.

Pour Marcel, l'affaire était close. Son père cesserait de lorgner son héritage et mettrait en berne ses idées de grandeur. Il rentra au magasin et chargea ses premières commandes de la journée.

Chapitre 26

À partir de ce moment-là, Théodore Sansoucy songea plus sérieusement que jamais à se départir de son commerce. Tous les matins, le boucher descendait l'escalier avec l'enthousiasme des veaux qui s'en vont à l'abattoir. La nuit, il roulait dans sa tête des idées noires, lancinantes comme une obsession, et, le jour, il promenait sur son visage abêti les empreintes de ses pensées cafardeuses. Il fallait lui pardonner son air exécrable : le misérable se débattait avec les profondeurs du désenchantement.

Mais Émilienne connaissait son homme. Les élections provinciales étant imminentes, l'actualité politique contribuerait à éviter qu'il s'enfonce dans un marasme plus profond. Quelques soirées à deviser à la taverne autour d'une bière avec Philias Demers suffiraient à le raplomber. Toutefois, les élections passées, il devrait s'accrocher à des activités. Les quatre sœurs Grandbois en discutaient entre elles pendant l'absence du principal intéressé alors qu'Irène s'était enfermée dans sa chambre. Selon elle, le genre de conversation qui s'était engagée n'aboutirait à rien de bon sur l'avenir de son père.

— Que c'est qu'il va faire, ton Théo, s'il vend son commerce ? demanda Alphonsine. Les vieux du voisinage qui s'ennuient ne dépassent pas de beaucoup la soixantaine. Surtout quand c'est des célibataires endurcis ou des veufs comme Philias Demers…

— Il est toujours ben pas pour aller à la messe le matin puis passer le reste de la journée à la taverne Archambault, ça se fait pas ! C'est ben simple, on va l'avoir dans les jambes, décréta Héloïse.

— Moi j'ai pour mon dire qu'il va nous empester en se berçant à la journée longue, puis nous étriver, dit Alida.

Émilienne recevait les commentaires de ses trois pensionnaires qui l'aidaient à faire le point. Autour d'une tasse de thé, elle les avait écoutées avec l'attention que chacune méritait, sans froisser l'une aux dépens de l'autre. Elle résuma ainsi sa pensée :

— Toi, Phonsine, tu te demandes pas quoi faire, t'as jamais lâché ton magasin de coupons. Héloïse, si je t'avais pas pour les repas puis le ménage, je pense qu'on mangerait souvent de la galette puis de la mélasse. Quant à toi, Alida, tu tricotes puis tu rends ben des petits services ici dedans. Mais pour Théo, c'est une autre paire de manches. D'abord, c'est un homme, puis les hommes quand ça arrête de travailler, on dirait que ça sait rien faire de ses dix doigts. Prends Philias Demers, par exemple, il fait pas grand-chose à part de placoter chez Tousignant, de prendre un coup à la taverne, puis de coller à l'épicerie. Des fois, je trouve que c'est une vraie tache de graisse ! À part de ça, je vois pas ben ben Théo s'effoirer sur la devanture du magasin puis regarder le monde sur le trottoir en leur disant un beau bonjour. Il serait ben trop tenté de rentrer à l'intérieur puis de continuer de *runner* sa *business*, pareil comme avant. Là, ça ferait des frictions avec Léandre puis Marcel, qui est rendu qui répond à son père. Finalement, ça revient à dire qu'il est ben mieux de travailler jusqu'à la fin de ses jours…

Des pas lourds gravissaient les marches. La porte s'ouvrit. Sansoucy parut dans la cuisine. Les quatre paires d'yeux le dévisagèrent.

— Pourquoi vous vous arrêtez tout d'un coup, donc, on dirait que vous avez jamais vu ça, un homme qui rentre chez eux. Me prenez-vous pour un imbécile ? Je gage que vous parliez encore contre moi. Envoyez, continuez, faites comme si j'étais pas là ! lança-t-il, en amorçant un pas vers la salle de bain.

— T'es ben bête, toi, à soir ! le réprimanda Héloïse.

— C'est vrai qu'on jasait de toi, Théo, acquiesça sa femme sur un ton plus amène. Mais dis-toi que tout le monde ici dedans veut ton bien.

Irène saisit le moment propice pour intervenir. Elle fit irruption dans la pièce et se planta devant son père.

— Si vous désirez vendre, popa, va falloir que vous trouviez un acheteur. Puis un acheteur, vous en avez déjà un. Vous le savez aussi ben que votre fille qui vous parle que Léandre puis Marcel sont pas prêts à investir.

— Parle-moi pas de Marcel, toi, Irène, c'est lui qui a tout bloqué !

— Là, tu dis des faussetés, Théo ! s'opposa Émilienne. Puis tu le sais à part de ça. Viens pas mettre tes échecs sur le dos de notre Marcel. C'est ben plus la faute de Lumina Borduas qui demandait un prix de fou pour sa bâtisse. Sinon on aurait pu emprunter à la caisse populaire. Mais là ton projet est mort et enterré. Ça fait que pense à d'autres choses, asteure. C'est pas bon pour tes ulcères d'estomac de jongler de même puis de toujours revenir sur des affaires du passé !

— Moman l'a dit, popa, conclut Irène. Vous vous faites du mal à remâcher pour rien. Revenez-en, une fois pour toutes !

L'aînée des enfants avait sonné le glas de la conversation. Sansoucy s'engouffra dans la salle de bain et les femmes s'acheminèrent à leur lit.

La nuit avait apaisé ses tourments et redonné un semblant de joie de vivre à l'épicier. Il s'était levé sur les coups de sept heures, prêt à enfiler ses culottes et à reprendre son boulot après un bon petit-déjeuner. « Il n'y a rien comme la routine pour se remettre sur le piton ! » pensa-t-il. Avant de franchir le seuil, il ajusta sa cravate, retroussa ses moustaches en s'efforçant de sourire au miroir.

La matinée s'était déroulée dans l'habitude des mots et des gestes qui animent le quotidien d'un commerçant. Une brise avait soufflé sur les cendres de ses malheurs et dissipé les mornes pensées qui l'avaient assailli les jours précédents. Il ne l'admettait pas, mais les femmes de la maison l'avaient remué suffisamment afin qu'il se remette au gouvernail de sa vie. Cependant, les événements ont parfois l'air de se liguer contre les bonheurs fragiles pour en éprouver la résistance. Germaine Gladu trouva le moyen de lui étirer les nerfs en revenant sur ce qu'il avait réussi tant bien que mal à reléguer dans les tiroirs hermétiques des oubliettes…

Près de l'étalage de pois en conserve, elles étaient cinq, attroupées autour d'une des locataires de Donatien Borduas. Germaine Gladu s'épanchait sur le sort qu'elle aurait pu connaître si l'immeuble où elle habitait avait été acquis par l'épicier. Le rassemblement avait intrigué Émilienne. Entre les chuchotements des clientes, elle avait saisi des bribes et combattait une exaspération croissante. Son mari était à la veille de sortir de la glacière. Elle le savait préoccupé par Marcel, qui n'était pas réapparu au magasin depuis une bonne heure et demie. Elle voulut débander le groupe.

— Voyons, madame Gladu, vous faites des suppositions, exprima-t-elle. Au lieu de faire circuler des cancans, vous devriez vous mêler de ce qui vous regarde. Mon mari a pas coutume d'égorger le monde avec ses prix. Il vous aurait fait payer un loyer raisonnable. Puis vous le savez qu'il a abandonné son projet d'agrandissement. Ça fait que changez de propos…

— C'est ça qui arrive aussi quand on a pas les reins assez solides ! commenta Germaine Gladu.

— Ah ! ben ça, par exemple ! réagit l'épicière, en se mettant les poings sur les hanches. Là je trouve que vous allez pas mal loin…

Les quatre autres clientes avaient muettement suivi l'échange corsé qui se déroulait. Mademoiselle Lamouche, qui donnait habituellement dans la modération, se rangea dans le camp Sansoucy.

— Pour moi, vos trois sœurs en ont de collé, puis c'est elles qui auraient financé la construction, tempéra-t-elle.

— Votre mari doit leur charger une grosse pension, jamais je croirai que…

— Allez donc au diable, madame Gladu! s'emporta l'épicière.

Le boucher sortit et referma sa chambre froide. La voisine déposa ses achats sur le comptoir et quitta prestement les lieux. Le groupe se démantela. Le sourcil relevé, Sansoucy s'approcha de sa femme d'un air rempli de suspicion.

— On parle encore dans mon dos, je suppose, dit-il.

À mesure que les traits de sa colère s'atténuaient, le visage empourpré d'Émilienne se teintait d'une couleur pâlissante. La sonnerie du téléphone se répercuta sur les murs du magasin. Paulette décrocha. Elle avait un message à transmettre au patron de l'établissement: Marcel prévenait de son retard. Il avait appelé de chez la fleuriste mademoiselle Froment et s'en retournait à la chambre d'Amandine. Il s'était abstenu de fournir des détails; les explications suivraient en temps et lieu.

Son triporteur garé sur le trottoir, le coursier était remonté au logis du père Dubreuil et s'était affalé sur le lit douillet de sa douce. Marcel avait cédé aux demandes pressantes d'Amandine pour remeubler le petit logement. Une première livraison avait été effectuée. Cependant, les livreurs distraits de chez Dupont avaient oublié de charger un fauteuil dans leur camion. Avec l'aide de Léandre et son Fargo, il avait débarrassé le mobilier vétuste qui avait échoué dans l'immeuble où habitait Lise, la serveuse de l'*Ontario's Snack-bar*.

Marcel se prélassait, rêvassant aux soirées délicieuses qu'il partagerait avec son Amandine. Au besoin, il invoquerait auprès de ses parents la nécessaire protection de la jeune fille contre son beau-père, le méchant René Malbœuf. Le boucher du marché Maisonneuve pouvait réapparaître sans crier gare.

Il songeait à tout le chemin parcouru depuis son accident, à l'école qu'il avait abandonnée, aux voies qui s'ouvraient devant lui, au petit bonheur qui s'offrait comme un baume sur toutes les plaies de son existence. Dorénavant, il aurait quelqu'un pour l'écouter, le comprendre, l'aimer, et pour lui enlever définitivement le désir morbide qu'il avait déjà entretenu de se faire disparaître.

Au magasin, son père était aux prises avec Germaine Gladu. La cliente était revenue avec son porte-monnaie et ses copies de factures, et s'était installée au bout du comptoir pour régler ses comptes. Du coin de l'œil, Émilienne couvait Théodore du regard, en espérant que la voisine en finisse avec l'épicerie Sansoucy. Les verres sur le bout du nez, les moustaches frémissantes, l'épicier transcrivait scrupuleusement les sommes à percevoir. Il se redressa, remonta ses lunettes.

— Vous me devez douze piasses et cinquante-sept, madame Gladu.

— J'arrive pas au même montant, monsieur Sansoucy. Ça me donne onze piasses et cinquante-sept. Essayez pas de m'avoir d'une piasse parce que mon mari va retontir, puis il va régler ça assez vite.

— Tasse-toi, Théo, je vas recompter à mon tour, proposa Émilienne.

L'épicière s'excusa auprès de madame Flibotte. Puis, de son œil exercé, elle vérifia l'exactitude des montants transcrits et entreprit de recalculer.

— Je dois admettre que vous aviez bien compté, madame Gladu, j'ai repéré l'erreur.

— Bon, je vous l'avais dit, que c'est moi qui étais correcte. Ça tient commerce puis ça fait des erreurs gros comme le bras. Ben vous l'aurez pas, la maudite piasse...

Avec tout le tact et la douceur nécessaires dans les circonstances, Émilienne glissa son calcul sous le nez de son mari, chez qui elle pressentait un malaise.

— Regarde, Théo, tu t'es trompé dans ta retenue, juste ici…

La physionomie de l'épicier se convulsa, ses doigts se crispèrent, son estomac se tordit, ses lèvres tremblèrent. Germaine Gladu s'empressa de sortir des billets, de déposer l'argent sonnant et de faire rouler sa dernière pièce sur le comptoir avec un indicible plaisir. Puis elle exigea qu'on marque «payé» sur sa copie et la signature des deux épiciers.

— Asteure, regardez-moi ben la face, puis écoutez-moi ben, les Sansoucy! Quand on est rendus qu'on fait des fautes de calcul de même, c'est signe qu'il est temps de lâcher le commerce. En attendant, il va en passer de l'eau sous le pont Jacques-Cartier avant que je remette les pieds dans votre magasin! Je vas aller faire ma *grocery* à l'épicerie Chevalier. Puis si jamais je manquais d'un œuf ou d'une tasse de farine à la dernière minute, vous pouvez être sûrs que je vas m'adresser aux voisins…

Marcel, qui s'était d'abord délecté de la scène, éprouva un moment de plaisir mêlé de compassion.

— Faites-vous-en pas, p'pa, le plaignit-il, la bonne femme Gladu, c'est pas une grosse perte. Puis consolez-vous, vous êtes pas si mauvais que ça en calcul. C'est rien ça! Des fois, vous vous trompez de quelque mille piasses, ricana-t-il.

Le mot de son fils acheva de l'abasourdir. Il puisa dans ses moyens de défense.

— Coudonc, toi, explique-nous ce que tu faisais en plein jour au logis de ta blonde…

Chapitre 27

L'épicier avait le désagréable sentiment qu'il ne pouvait plus tirer les ficelles de son existence, que son avenir basculait, que tout se retournait contre lui, que tout s'écroulait. Ses pensées chagrines se multipliaient, devenaient souffrantes comme un élancement de cerveau. Mais l'âme humaine a parfois de ces rebonds qui tiennent de la légitime défense. La vente de son commerce ressurgissait avec insistance. Il allait leur démontrer qu'il pouvait aller jusqu'au bout…

Ces temps-ci, en faisant sa caisse, Alphonsine s'attardait souvent à bavarder avec la dernière cliente de son magasin de coupons. Après, elle rentrait tranquillement au logis, laissant aux femmes de la maison les préparatifs du repas. Elle devinait que Philias Demers la regardait, ressassant un amer souvenir, déambuler avec grâce sur le trottoir de la rue Adam en suivant les ondulations de sa robe flottante. Elle aimait attiser le désir, cela lui suffisait. Un jour, leurs destinées s'étaient croisées. Mais elles n'avaient été qu'un effleurement. Il n'avait duré que le temps d'un battement de paupières, qu'un soupir dans sa vie de vieille fille.

La main cramponnée à la poignée de porte, le visage crispé et l'œil aux aguets, Sansoucy surveillait, prêt à bondir hors de son commerce. Alphonsine venait vers lui, la démarche traînante et assurée.

— Phonsine! proféra-t-il, en sortant brusquement.

— Au voleur! s'écria-t-elle, en pressant son sac à main sur son corsage.

— Calme-toi, Phonsine, c'est moi, Théo, faut que je te parle.

— Le cœur me débat sans bon sens. C'est sûr que je transporte toujours un peu d'argent, mais je m'attendais pas à être agressée à deux pas du logement. Coudonc, que c'est qui t'a pris de me sauter dessus de même ?

— J'ai une affaire de la plus haute importance à te demander, Phonsine. Allons en dedans.

Ils entrèrent. Le commerçant verrouilla sa porte, éteignit les lumières et entraîna sa belle-sœur dans son arrière-boutique. Il lui exposa ses intentions, lui confia qu'il voulait abandonner les affaires, que maintenant plus rien ni personne ne lui ferait changer d'idée. Et pour ce faire, il avait besoin de connaître les coordonnées de celui qui s'était intéressé à son commerce de tissus et de coupons. Elle en fut fort étonnée. Mais voyant dans quel état tourmenté l'homme se trouvait, elle accepta de collaborer. En échange, il lui promit qu'il ne la mêlerait pas à son entreprise.

* * *

C'était vendredi matin. Il mouillassait. Le temps brumeux avait ensorcelé les habitants du faubourg Maisonneuve, comme s'il allait se dérouler quelque chose d'étrange et de fascinant. Les ouvriers s'étaient rendus aux usines, le boulanger à sa boulangerie, Désilets à sa pharmacie, Lee Sing à sa blanchisserie, Alphonsine Grandbois à son commerce et Sansoucy à son épicerie-boucherie. Émilienne, Léandre, Paulette et Marcel avaient amorcé leur journée, avec la résignation des caprices de la température et de la clientèle. Le boucher avait pris un air ombrageux, semblable à celui de Placide, celui qu'il affichait dans les grandes circonstances.

La clochette tinta paresseusement. Un inconnu à la figure hideuse, habillé d'un imperméable *drabe* et coiffé d'un feutre sombre parut. Il promena un regard circulaire dans le magasin et, de son pied plat, s'achemina à la caisse. Sansoucy surgit.

— Si vous voulez vous donner la peine de me suivre, monsieur Goldberg.

Le marchand l'entraîna dans son arrière-boutique et céda sa chaise. Le Juif ôta son chapeau et s'installa.

— Montrez-moi vos livres, exigea-t-il.

— Mes livres! Ah! Vous voulez voir mes livres! C'est tout naturel.

L'épicier s'excusa pour son désordre et demanda au visiteur de reculer sa chaise. Il ouvrit un tiroir, en sortit un grand registre cartonné de rouge qu'Abraham Goldberg s'empressa de consulter. Entre les ratures et les gribouillages, la lecture semblait ardue.

— Comment voulez-vous qu'on s'y retrouve? s'impatienta Goldberg.

— J'ai pas une belle écriture, admit le boucher, mais les chiffres sont en ordre, précisa Sansoucy.

Le visiteur étudia encore un moment les inscriptions. Pendant ce temps, Émilienne, Léandre et Marcel s'étaient approchés de l'arrière-boutique et s'étaient massés silencieusement au chambranle de la porte. Sansoucy les aperçut.

— Taboire! Que c'est que vous avez d'affaire à écornifler, vous autres? brama-t-il. Allez à votre ouvrage, puis ça presse…

Émilienne et Marcel déguerpirent.

— Que c'est qui vous prend, le père? riposta Léandre. C'est pas mal effronté, ce que vous dites là. Vous êtes pas mal plus fin avec les étrangers, on dirait. En tout cas, vous avez besoin de vous lever de bonne heure pour réussir à m'effaroucher.

Émilienne n'avait pu supporter l'humiliante rebuffade infligée par son mari. Elle avait aussitôt sorti un mouchoir de son corsage et gravi les marches qui menaient à son logis.

Alida cousait un petit ensemble pour Stanislas. Héloïse achevait d'essuyer la vaisselle en faisant la causette à Nestor.

— Mili! s'exclama-t-elle. T'es verte! Es-tu malade, coudonc? Assis-toi une minute.

L'épicière s'affaissa sur une chaise. Des pleurs mouillèrent sa figure joufflue.

— Je gage que Germaine Gladu est revenue dans le paysage, lança l'impotente.

— Que c'est qu'il t'a fait encore, ton homme? demanda Héloïse.

Émilienne déversa sa peine sur l'épaule de ses sœurs. Elle subodorait une manœuvre de son mari pour se débarrasser de son épicerie. Et ce qui la mettait le plus en rogne, c'est qu'il avait agi sans prévenir, sans même les avoir consultés, elle et les enfants.

Au magasin, pour éviter une nouvelle diatribe de son père, Marcel s'était remis au travail tandis que Léandre, cigarette aux lèvres, arpentait le plancher d'un pas agité. Paulette déposa le cornet du téléphone et s'adressa à son mari:

— Arrête de virer sur tous les bords, Léandre, la tête me tourne.

Il s'immobilisa, exhala sa rage dans une longue volute bleutée.

— T'as pas l'air de réaliser ce que le père est en train de fricoter avec le Juif!

— Qui c'est qui t'a dit que c'était un Juif?

Marcel s'apprêtait à partir pour sa première livraison de la journée. Sa main figea sur la poignée de porte.

— T'as juste à le demander à ton beau-frère, il était là avec matante Alida puis matante Alphonsine quand Lucille Métivier a voulu vendre son commerce de coupons. Pas vrai, Marcel?

Les paupières du jeune livreur s'abaissèrent en signe d'approbation. Sous l'emprise d'une grande irritation, Léandre reprit son

va-et-vient incessant. Marcel s'aperçut qu'il empêchait mademoiselle Lamouche et Dora Robidoux d'entrer. Il leur ouvrit civilement et sortit.

— Émilienne est pas là, ce matin ? s'enquit la dame.

— Non, elle est remontée avec son petit problème féminin…

— C'est pas un peu grossier, ça, Léandre ? commenta la
demoiselle.

Léandre s'élança vers l'arrière-boutique. Il cogna et poussa
doucement la porte. La physionomie souriante des deux hommes
révélait qu'ils en étaient venus à une entente. Un sentiment de
profonde déception envahit Léandre.

— Le père, mademoiselle Lamouche veut sa tranche de jambon,
l'informa-t-il.

— Dis-lui que j'en ai pas pour longtemps, répondit l'épicier.

D'un tempérament plus combatif, le fier Léandre avait pourtant
ravalé. Quand le plus fort cède, que peut-on espérer des plus
faibles ? Il lui sembla qu'il ne pouvait plus rien pour changer le
cours des événements. À plus ou moins brève échéance, une famille
de Juifs emménagerait dans le faubourg, et Marcel, Paulette et lui
seraient forcés de se trouver un autre emploi.

L'entourage de Sansoucy se campa dans une sorte de résignation fataliste. Alors que l'épicier se promenait avec un air triomphant, que tous paraissaient répondre à ses moindres désirs, les
membres de la famille attendaient le dévoilement des formalités
qui suivraient, les conséquences. Même Émilienne, soutenue par
ses sœurs, accourait aux désirs de son homme, les devançait avec
la gentillesse des domestiques prévoyants connaissant bien leur
maître. Mais tous les recours de l'espoir n'étaient pas épuisés, car,
le samedi soir, le commerçant revenant de la taverne avait déclaré
d'un ton sentencieux : « Je vas passer chez le notaire Crochetière
cette semaine ! »

Léandre, en être perspicace, commença à entrevoir la possibilité que son père change d'avis. Or c'était dimanche, veille du scrutin provincial. Il avait rassemblé toute la famille dans la maison paternelle. Comme à l'accoutumée, Placide serait tenu à l'écart. Cependant, Édouard et Colombine faisaient l'honneur de leur présence ; Léandre avait prévenu son frère notaire des intentions avouées de leur père et quelques questions d'ordre juridique lui seraient posées. L'oncle Romuald et sa femme Georgianna n'avaient pas dérogé à leur habitude des parties de cartes. Et pour faire plaisir au maître de la maison, à la demande expresse de l'organisateur de la soirée, Philias Demers se joignait à la compagnie.

L'atmosphère était tendue. Vendredi, un tremblement avait secoué tous les habitants de l'immeuble de la rue Adam. L'épicier avait mené les siens au bord du gouffre. Marcel avait résolu de ne plus se battre. Irène et ses tantes, Simone et David n'étaient devenus que les spectateurs qui assistaient, impuissants, à l'effondrement de l'entreprise. Quant à Édouard, il avait perçu le désaccord de sa mère, mais il comprenait que son père était d'âge à abandonner les affaires. Que des balivernes avaient circulé dans la cuisine pour camoufler ce qui taraudait ses occupants.

L'ambiance irrespirable la suffoquait. Émilienne s'exprima :

— Changement de propos, Théo puis Philias, que je vous voie pas aller demain devant l'édifice de *La Patrie* pour le dévoilement des résultats, sermonna-t-elle. La dernière fois, vous vous êtes fait ramasser par la police.

— Parlons-en, des élections, renchérit Romuald. Je vous l'ai déjà dit, selon mon chef Adrien Arcand, la misère des Canadiens français est due à l'envahissement des Juifs. Demain, faut voter Duplessis, il y a pas plus nationaliste que lui.

L'occasion était trop belle pour ne pas la saisir. Léandre s'introduisit dans la conversation.

— Justement, mon oncle Romuald, votre frère est sur le point de vendre son commerce à un Juif, lança-t-il, cinglant.

Les traits du chauffeur de tramway se convulsèrent sur sa figure cramoisie. Obnubilé par les convictions de son chef Arcand, il se leva et débita sa marotte sur les épiceries de quartier qui passaient aux mains des Juifs. Au milieu de l'emportement de Romuald, la voix stridente de Stanislas retentit.

Le téléphone résonna. Personne ne bougeait.

— Allez répondre, quelqu'un ! s'exaspéra Simone. Il y a assez de mon petit qui braille.

Irène était coincée à côté du fauteuil roulant de l'impotente. Marcel se précipita sur l'appareil. Il prit aussitôt un air grave. Le visage défait, il se tourna vers ses parents en laissant tomber le cornet acoustique le long de son corps.

— M'man ou p'pa, c'est pour vous : un appel du collège de Saint-Césaire.

— Oh mon Dieu ! s'exclama Émilienne, qu'est-ce qui est arrivé à Placide ?

Remerciements

Ma plus vive gratitude à Martine, mon épouse, pour son soutien constant et indéfectible. À Claudine Brodeur, pour ses précieux conseils d'infirmière. Et à Réjean Charbonneau, directeur-archiviste de l'Atelier d'histoire d'Hochelaga-Maisonneuve, pour sa rigueur et son dévouement.

MARQUIS

Québec, Canada